KB184529

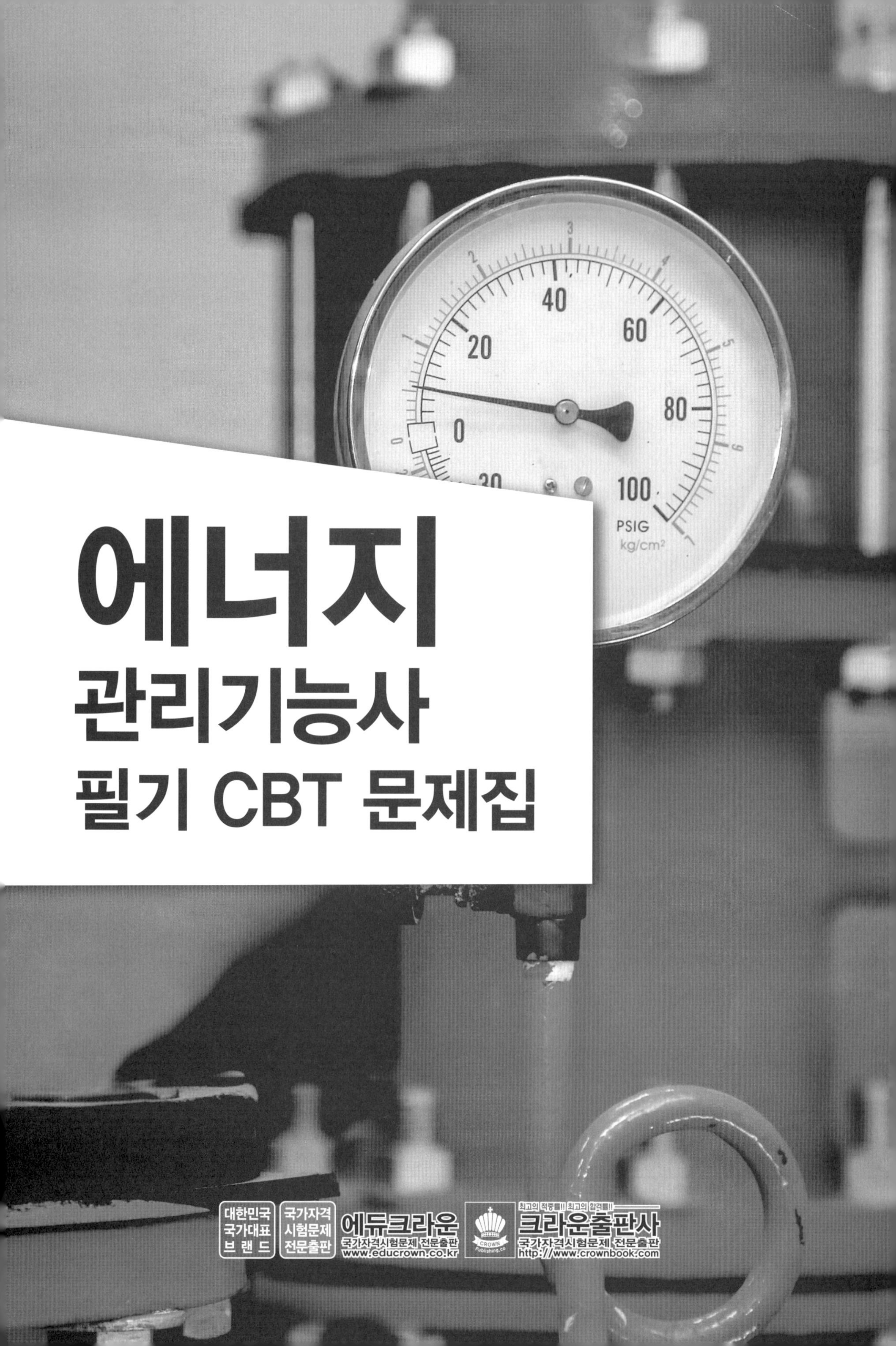

에너지
관리기능사
필기 CBT 문제집
대한민국 국가대표 브랜드
국가자격 시험문제 전문출판
에듀크라운
국가자격시험문제 전문출판
www.educrown.co.kr
최고의 적중률!! 최고의 합격률!!
크라운출판사
국가자격시험문제 전문출판
http://www.crownbook.com

들어가기

에너지는 우리의 삶을 보전하기 위한 고맙고 소중한 존재입니다. 그러나 인류의 삶과 발전을 지탱하던 에너지원들이 점차 고갈되기 시작하면서 효율적인 에너지 사용, 대체에너지의 개발의 중요성이 갈수록 증대되고 있습니다.

고로 우리 주변의 에너지를 다루고 개발하는 에너지관리사의 역할 또한 주목받고 있습니다. 에너지관리사는 에너지의 효과적 개발 및 관리를 담당하고 환경보호의 초석이 되는 동시에 매우 유망한 기술자격입니다.

이러한 현 상황에 발 맞춰 이 책은 에너지관리자격의 기초가 되는 에너지관리기능사 자격시험 합격을 목표로 만들어졌습니다.

최신출제기준과 법령을 반영해 각 장마다 이론에 대한 핵심 정리를 알차게 실었고, 출제예상문제와 CBT 모의고사를 붙여 보다 확실하고 심층적인 학습을 할 수 있도록 만들었습니다.

이 수험서 한 권으로 쉽고 빠르게 수험자 여러분의 목표를 이루기를 기원합니다.
끝으로 이 책이 나오기까지 많은 도움을 주신 크라운출판사 이상원 회장님과 편집부 임직원 여러분께 깊은 감사를 드립니다.

저자 드림

에너지관리기능사

개요

에너지를 효율적으로 이용하고 배기가스로 인한 환경오염을 예방하기 위하여 보일러설치, 시공, 운전 및 유지관리에 필요한 배관, 용접, 검사, 조작, 보수, 정비 등을 수행

수행직무

건축물 및 산업용 보일러와 부대설비의 운영을 위하여 기기의 설치, 배관, 용접 등의 작업과 보일러 연료와 열을 효율적이고 경제적으로 사용하기 위한 관리, 운전, 정비 등의 업무를 수행한다.

- 난방 및 급탕부하를 파악하고 보일러 용량을 계산할 수 있다.
- 보일러 시공도면을 해독하고 작성할 수 있다.
- 보일러 및 부대설비 설치 시 공구와 장비를 이용하여 시공할 수 있다.
- 보일러 부속장치를 설치하고 정비할 수 있다.
- 보일러 및 부속설비의 구조를 이해하고 운전 및 관리를 할 수 있다.
- 보일러 및 부속설비의 고장을 파악하고 정비 및 취급할 수 있다.
- 보일러 및 부속설비의 취급에 따른 안전조치를 취할 수 있다.

실시기관 홈페이지

http://www.q-net.or.kr

진로 및 전망

- 입직 경로는 전문대학이나 공업계 고등학교 혹은 직업훈련기관에서 소방설비, 냉난방관리, 보일러시공, 산업설비 등을 전공하고 관련자격을 취득한 후에 건물설비관리업체 및 생산관리업체 등에 취업할 수 있다. 그리고 숙련기능공의 보조원으로 일하다가 현장경력이 쌓이면 기능공으로 활동할 수도 있다. 한편 대학에서 건축설비학과 등 건물 설비관련 분야를 전공하고 관련업체에 취업하는 경우도 있는데 이 경우 현장의 경험을 쌓은 후 대규모 빌딩의 준간관리자가 되기도 한다.
- 일정한 경력이 쌓이면 건물전문 관리업체의 감독자 및 관리자로 일하거나 보일러분야, 공조냉동설비분야 등에서 창업을 할 수도 있다.

실시기관

한국산업인력공단

출제기준(필기)

직무분야	환경 · 에너지	중직무분야	에너지 · 기상	자격종목	에너지관리기능사
• 직무내용 : 건물용 및 산업용 보일러와 부대설비의 운영을 위하여 기기의 설치, 배관, 용접 등의 작업과 보일러 연료와 열을 효율적이고 경제적으로 사용하기 위한 관리, 운전, 정비 등의 업무를 수행					
필기검정방법	객관식	문제수	60	시험시간	1시간

필기과목명	문제수	주요항목	세부항목	세세항목
보일러설비 및 구조, 보일러시공 및 취급, 안전관리 및 배관일반, 에너지 이용합리화 관계 법규	60	1. 열 및 증기	1. 열에 대한 기초이론	1. 온도 2. 압력 3. 열량 4. 비열 및 열용량 5. 현열과 잠열 6. 열전달의 종류
			2. 증기에 대한 기초이론	1. 증기의 성질 2. 포화증기와 과열증기
		2. 보일러의 종류 및 특성	1. 보일러의 개요 및 분류	1. 보일러의 개요 2. 보일러의 분류
			2. 보일러의 종류 및 특성	1. 원통형 보일러의 종류 및 특성 2. 수관식 보일러의 종류 및 특성 3. 주철제 보일러의 종류 및 특성 4. 온수보일러의 구조 및 특성 5. 특수보일러의 종류 및 특성
		3. 보일러 부속장치 및 부속품	1. 급수장치	1. 급수탱크, 급수관 계통 및 급수내관 2. 급수펌프 및 응축수 탱크
			2. 송기장치	1. 기수분리기 및 비수방지관 2. 증기밸브, 증기관 및 감압밸브 3. 증기헤더 및 부속품
			3. 열 교환장치	1. 과열기 및 재열기 2. 급수예열기(절탄기) 3. 공기예열기 4. 열교환기
			4. 안전장치 및 부속품	1. 안전밸브 및 방출밸브 2. 방폭문 및 가용마개 3. 저수위 경보 및 차단장치 4. 화염검출기 및 스택스위치 5. 압력제한기 및 압력조절기 6. 배기가스 온도 상한 스위치 및 가스누설긴급 차단밸브

필기과목명	문제수	주요항목	세부항목	세세항목
보일러설비 및 구조, 보일러시공 및 취급, 안전관리 및 배관일반, 에너지 이용합리화 관계 법규	60	3. 보일러 부속장치 및 부속품	4. 안전장치 및 부속품	7. 추기장치 8. 압력계 및 온도계 9. 수면계, 수위계 및 수고계 10. 수량계, 유량계 및 가스미터 11. 기름 저장탱크 및 서비스 탱크 12. 기름가열기, 기름펌프 및 여과기 13. 증기 축열기 및 재증발 탱크
			5. 기타 부속장치	1. 분출장치 2. 슈트블로우 장치
		4. 보일러 열효율 및 정산	1. 보일러 열효율	1. 보일러 열효율 향상기술 2. 증발계수(증발력) 및 증발배수 3. 전열면적 계산 및 전열면 증발율, 열부하 4. 보일러 부하율 및 보일러 효율 5. 연소실 열발생율
			2. 보일러 열정산	1. 열정산 기준 2. 입출열법에 의한 열정산 3. 열손실법에 의한 열정산
			3. 보일러 용량	1. 보일러 정격용량 2. 보일러 출력
		5. 연료 및 연소장치	1. 연료의 종류와 특성	1. 고체연료의 종류와 특성 2. 액체연료의 종류와 특성 3. 기체연료의 종류와 특성
			2. 연소방법 및 연소장치	1. 연소의 조건 및 연소형태 2. 연료의 물성(착화온도, 인화점, 연소점) 3. 고·액체연료의 연소방법 4. 기체연료의 연소방법 5. 고체연료의 연소장치 6. 액체연료의 연소장치 7. 기체연료의 연소장치
			3. 연소계산	1. 저위 및 고위 발열량 2. 이론산소량 3. 이론공기량 및 실제공기량 4. 공기비 5. 연소가스량
			4. 통풍장치 및 집진장치	1. 통풍의 종류와 특성 2. 송풍기의 종류와 특성 3. 송풍기의 소요마력 및 성능변화 4. 통풍력 계산 5. 연도, 연돌 및 댐퍼 6. 집진장치의 종류와 특성 7. 매연 및 매연 측정장치

필기과목명	문제수	주요항목	세부항목	세세항목
보일러설비 및 구조, 보일러시공 및 취급, 안전관리 및 배관일반, 에너지 이용합리화 관계 법규	60	6. 보일러자동제어	1. 자동제어의 개요	1. 자동제어의 종류 및 특성 2. 제어 동작 3. 자동제어 신호전달 방식
			2. 보일러 자동제어	1. 수위제어 2. 증기압력제어 3. 온수온도제어 4. 연소제어 5. 인터록 장치 6. O_2 트리밍 시스템(공연비 제어장치) 7. 원격제어
		7. 난방부하	1. 부하의 계산	1. 난방 및 급탕부하의 종류 2. 난방 및 급탕부하의 계산 3. 일러의 용량 결정
			2. 난방설비	1. 증기난방 2. 온수난방 3. 복사난방 4. 지역난방 5. 열매체난방 6. 전기난방
			3. 난방기기	1. 방열기 2. 팬코일유니트 3. 콘백터 등
		8. 배관공작	1. 배관재료	1. 관 및 관 이음쇠의 종류 및 특징 2. 신축이음쇠의 종류 및 특징 3. 밸브 및 트랩의 종류 및 특징 4. 패킹재 및 도료
			2. 배관공작	1. 배관 공구 및 장비 2. 관의 절단, 접합, 성형 3. 배관지지
			3. 배관 도시	1. 배관 도시기호 2. 방열기 도시 3. 관 계통도 및 관 장치도
		9. 배관시공	1. 난방 배관시공	1. 온수난방 배관 2. 증기난방 배관
			2. 연료 배관시공	1. 액체연료 배관 2. 기체연료 배관
		10. 보온 및 단열재	1. 보온재	1. 보온재의 종류와 특성 2. 보온효율 계산
			2. 단열재	1. 단열재의 종류와 특성
			3. 시공방법	1. 보온재 및 단열재시공

필기과목명	문제수	주요항목	세부항목	세세항목
보일러설비 및 구조, 보일러시공 및 취급, 안전관리 및 배관일반, 에너지 이용합리화 관계 법규	60	11. 보일러 설치시공 및 검사기준	1. 보일러 설치시공기준	1. 설치·시공기준
			2. 보일러 설치검사기준	1. 설치검사기준
			3. 보일러 계속사용 검사기준	1. 계속사용검사기준 2. 계속사용검사 중 운전성능검사 기준
			4. 보일러 개조검사기준	1. 개조검사기준
			5. 보일러 설치장소 변경 검사기	1. 설치장소변경검사기준
		12. 보일러 취급	1. 보일러 운전 및 조작	1. 증기 보일러의 운전 및 조작 2. 온수 보일러의 운전 및 조작
			2. 보일러 가동전의 준비 사항	1. 신설 보일러의 가동 전 준비 2. 사용중인 보일러의 가동 전 준비
			3. 점화 및 운전 중의 취급	1. 기름 보일러의 점화 2. 가스 보일러의 점화 3. 증기발생시의 취급
			4. 보일러 정지시의 취급	1. 정상 정지시의 취급 2. 비상 정지시의 취급
			5. 보일러 보존	1. 보일러 청소 2. 보일러 보존법
			6. 보일러 용수관리	1. 보일러 용수의 개요 2. 보일러 용수 측정 및 처리 3. 청관제 사용방법
		13. 보일러 안전관리	1. 안전관리의 개요	1. 안전일반 2. 작업 및 공구 취급 시의 안전 3. 화재 방호
			2. 연소 및 연소장치의 안전관리	1. 이상연소의 원인과 조치 2. 이상소화의 원인과 조치
			3. 보일러 손상과 방지대책	1. 보일러 손상의 종류와 특징 2. 보일러 손상 방지대책
			4. 보일러 사고 및 방지대책	1. 보일러 사고의 종류와 특징 2. 보일러 사고 방지대책
		14. 에너지관계법규	1. 에너지법	1. 법, 시행령, 시행규칙
			2. 에너지이용 합리화법	1. 법, 시행령, 시행규칙
			3. 열사용기자재의 검사 및 검사면제에 관한 기준	1. 특정열사용기자재 2. 검사대상기기의 검사 등

차 례

CHAPTER 01

열역학 기초

1 열

2 증기

제1장 열역학 기초

1 열

(1) 온도

물체의 상승 · 냉각되는 정도를 일정한 수치로 표현한 것을 온도라고 한다.

① **섭씨온도(℃)** : 0℃, 760mmHg 상태에서 물의 어는점을 0℃, 끓는점을 100℃로 하여 그 사이를 100등분한 것

② **화씨온도(℉)** : 0℃, 760mmHg 상태에서 물의 어는점을 32℉, 끓는점을 212℉로 하여 그 사이를 180등분한 것

③ **절대온도** : −273.15℃와 −460℉를 절대 0도라 하며, 각각 K, °R로 표시한다.

$$℃ = \frac{5}{9}(℉ - 32), \quad ℉ = \frac{9}{5}℃ + 32, \quad K = t℃ + 273.15 = t℃ + 273, \quad °R = t℉ + 459.67 = t℉ + 460$$

(2) 압력

단위면적당 작용되는 수직 방향의 힘을 압력이라 한다.

① **표준압력** : 0℃의 수은주로 760mmHg에 상당하는 압력

② **게이지압력** : 대기압을 0으로 계산한 것으로 게이지에 나타난 압력

③ **절대압력** : 완전 진공을 0으로 기준하여 측정한 압력

㉮ 절대압력＝대기압＋게이지압력

㉯ 대기압＝절대압력－게이지압력

㉰ 게이지압력＝절대압력－대기압

※ 1atm＝760mmHg＝1.0332kg/cm^2＝10.332mAq＝1013mbar＝101325N/m^2
＝101325Pa＝101.325Kpa＝0.101325Mpa＝14.7psi

④ **진공압력** : 대기압보다 압력이 낮은 압력을 진공압력이라 한다.

절대압력＝대기압－진공압력

(3) 열량

물질의 온도를 높이는 데 소요되는 열의 양을 열량이라 한다.

① 1cal : 순수한 물 1Kg을 14.5℃에서 15.5℃로 1℃ 올리는 데 소요되는 열량

② 1BTU : 순수한 물 1lb를 60.5°F에서 61.5°F로 1°F 올리는 데 소요되는 열량

③ 1CHU : 순수한 물 1lb를 14.5℃에서 15.5℃로 1℃올리는 데 소요되는 열량

구 분	kcal	BTU	CHU	kJ
1kcal	1	3.968	2.205	4.18673
1BTU	0.252	1	0.556	1.05504
1CHU	0.454	1.8	1	1.899
1kJ	0.23885	0.94787	0.52657	1

④ 동력과 단위의 관계

㉮ 1HP=76kg · m/sec=641.6kcal/h

㉯ 1PS=75kg · m/sec=632.3kcal/h

㉰ 1KW=102kg · m/sec=860kcal/h

(4) 비열

어떤 물질 1Kg을 1℃ 올리는 데 필요한 열량을 비열이라 한다.

① 정압비열(C_P) : 일정한 압력 상태에서 기체 1Kg의 온도를 1℃ 올리는 데 필요한 열량

② 정적비열(C_V) : 일정한 체적 상태에서 기체 1kg의 온도를 1℃ 올리는 데 필요한 열량

③ 비열비(K) : 정압비열과 정적비열의 비

$$\text{비열비}(k) = \frac{\text{정압비열}(C_P)}{\text{정적비열}(C_V)} > 1$$

④ 각물질의 비열값

㉮ 물 : 1kcal/kg℃

㉯ 얼음 : 0.5kcal/kg℃

㉰ 중유 : 0.45kcal/kg℃

㉱ 증기 : 0.44kcal/kg℃

㉲ 공기 : 0.24kcal/kg℃

(5) 열용량

어떤 물질의 온도를 1℃ 올리는데 필요한 열량을 열용량이라 한다.

$$\text{열용량} = \text{질량}(G) \times \text{비열}(C)[\text{kcal/kg℃}]$$

(6) 현열과 잠열

① **현열** : 어떤 물질의 상태 변화 없이 온도 변화만을 가져오는 데 필요한 열량

$$현열(Q)=질량(G)\times 비열(C)\times 온도차(\Delta t)$$

② **잠열** : 어떤 물질의 온도 변화 없이 상태 변화만을 가져오는 데 필요한 열량(표준대기압 하에서 물 1kg의 잠열은 538.8kcal/kg)

(7) 기체의 성질

① **보일의 법칙** : 일정한 온도 하에서 기체의 체적은 압력에 반비례한다.

$$P_1V_1=P_2V_2(PV=일정)$$

② **샤를의 법칙** : 일정한 압력 하에서 기체의 체적은 절대온도에 비례한다.

$$\frac{V_1}{T_1}=\frac{V_2}{T_2}\left(\frac{V}{T}=일정\right)$$

③ **보일-샤를의 법칙** : 일정 기체의 부피는 압력에 반비례하고 절대온도에 비례한다.

$$\frac{P_1V_1}{T_1}=\frac{P_2V_2}{T_2}\left(\frac{PV}{T}=일정\right)$$

※ P : 압력, V : 체적, T : 절대온도

(8) 열역학의 법칙

① 온도가 다른 두 개의 물체를 접촉시키면 열은 고온의 물체에서 저온의 물체로 이동하며, 일정 시간이 지난 후에 두 물체의 온도는 평형을 이룬다.

② **열역학 제1법칙(에너지보존의 법칙)** : 에너지보존법칙 중 일과 열의 관계를 말하며, 일과 열은 에너지의 일종으로 일은 열로, 열은 일로 변환이 가능하다.

③ **열역학 제2법칙(영구기관 제작 불가능의 법칙)** : 일을 열로 변환하기에는 용이하지만, 열을 일로 변환하기 위해서는 어느 정도 제한이 따른다.

④ **열역학 제3법칙(절대온도의 법칙)** : 모든 물체는 유한 가능한 조작으로 K 이하로 내릴 수 없다는 법칙이다.

㉮ 일의 열당량(A)=1/427kcal/kg · m

㉯ 열의 일당량(J)=427kg · m/kcal

2 증기

(1) 용어

① 습포화증기 : 증기 속에 수분이 포함되어 있는 상태

② 건조포화증기 : 증기 속에 수분이 포함되어 있지 않은 상태

③ 과열증기 : 건조포화증기 상태에서 온도만 상승시킨 상태

④ 포화액 : 포화 상태에 있는 액

⑤ 포화압력 : 포화 온도에 도달했을 때의 압력

⑥ 과열도 : 과열증기와 건조포화증기의 온도차

⑦ 포화증기 : 증발이 계속될 때 용기 내에 증기와 액체가 공존하게 되는데, 이때의 증기

⑧ 건조도 : 건도 또는 습도라고도 하며, 증기의 함량을 말함

(2) 과열증기 사용 시의 특징

① 이론적인 열효율이 증가

② 증기의 보유 열량이 많아 증기 소비량이 감소

③ 관 내의 마찰 손실이 감소

④ 증기 터빈 등의 증기 접촉면에 부식 발생이 감소

⑤ 고온이므로 장치에 열응력이 발생

⑥ 열손실이 큼

(3) 증기의 건조도가 낮을 때의 장애

① 증기의 엔탈피가 감소

② 수격작용이 발생

③ 응축수가 많으므로 관 내에 부식이 발생

④ 증기를 사용하는 기관의 열효율이 저하

(4) 임계점

포화수가 증발 현상이 없고, 액체와 기체의 구별이 없어지는 지점을 임계점이라고 정의

① 임계압 : 222.65kg/cm^2

② 임계온도 : 374.15℃

③ 임계잠열 : 0kcal/kg

제1장 출/제/예/상/문/제

01 건포화증기 100℃의 엔탈피는 얼마인가?

① 639kcal/kg
② 539kcal/kg
③ 100kcal/kg
④ 439kcal/kg

해설 건포화증기 100℃의 엔탈피 :
100 + 539 = 639Kcal/kg

02 다음 중 임계점에 대한 설명으로 틀린 것은?

① 물의 임계온도는 374.15℃이다.
② 물의 임계압력은 225.65kgf/cm^2이다.
③ 물의 임계점에서의 증발잠열은 539 kcal/kg이다.
④ 포화수에서 증발의 현상이 없고 액체와 기체의 구별이 없어지는 지점을 말한다.

해설 물의 임계점에서의 증발잠열은 0kcal/kg이다.

03 다음 중 물의 임계압력은 어느 정도인가?

① 100.43kgf/cm^2
② 225.65kgf/cm^2
③ 374.15kgf/cm^2
④ 539.15kgf/cm^2

해설 물의 임계압력 = 225.65kgf/cm^2

04 섭씨온도(℃), 화씨온도(℉), 캘빈온도(K), 랭킨온도(°R)와의 관계식으로 옳은 것은?

① $℃ = 1.8 \times (℉ - 32)$
② $℉ = \frac{(℃ + 32)}{1.8}$
③ $K = \frac{5}{9} \times °R$
④ $°R = K \times \frac{5}{9}$

05 다음 중 증기의 건도를 향상시키는 방법으로 틀린 것은?

① 증기의 압력을 더욱 높여서 초고압 상태로 만든다.
② 기수분리기를 사용한다.
③ 증기 주관에서 효율적인 드레인 처리를 한다.
④ 증기 공간 내의 공기를 제거한다.

해설 고압의 증기를 저압의 증기로 감압시켜 사용한다.

06 절대온도 380K를 섭씨온도로 환산하면 약 몇 ℃인가?

① 107℃ ② 380℃
③ 653℃ ④ 926℃

해설 380 − 273 = 107℃

07 측정 장소의 대기 압력을 구하는 식으로 옳은 것은?

① 절대압력 + 게이지압력
② 게이지압력 − 절대압력
③ 절대압력 − 게이지압력
④ 진공도 × 대기압력

해설 절대압력 = 대기압력 + 게이지 압력

정답 01 ① 02 ③ 03 ② 04 ③ 05 ① 06 ① 07 ③

08 다음 중 열량(에너지)의 단위가 아닌 것은?

① J　② cal
③ N　④ BTU

해설 열량의 단위 : kcal, cal, J, kJ, MJ, BTU, CHU

09 절대온도 360K를 섭씨온도로 환산하면 약 몇 ℃인가?

① 97℃　② 87℃
③ 67℃　④ 57℃

해설 360－273＝87℃

10 물의 임계압력에서의 잠열은 몇 kcal/kg 인가?

① 539　② 100
③ 0　④ 639

해설 임계점에서의 물의 잠열은 0kcal/kg

11 열의 일당량 값으로 옳은 것은?

① 427kg · m/kcal
② 327kg · m/kcal
③ 273kg · m/kcal
④ 472kg · m/kcal

해설
- 열의 일당량＝427kg · m/kcal
- 일의 열당량＝$\frac{1}{427}$kcal/kg · m

12 건포화증기의 엔탈피와 포화수의 엔탈피의 차는?

① 비열
② 잠열
③ 현열
④ 액체열

해설 포화수의 엔탈피＋잠열＝건포화증기의 엔탈피

13 게이지 압력이 1.57MPa이고 대기압이 0.103MPa일 때 절대압력은 몇 MPa인가?

① 1.467　② 1.673
③ 1.783　④ 2.008

해설 0.103＋1.57＝1.673MPa

14 물을 가열하여 압력을 높이면 어느 지점에서 액체, 기체 상태의 구별이 없어지고 증발 잠열이 0kcal/kg이 된다. 이 점을 무엇이라 하는가?

① 임계점
② 삼중점
③ 비등점
④ 압력점

해설 임계점 : 액체, 기체 상태의 구별이 없어지고(액체, 기체가 공존할 수 없는 현상) 증발잠열이 0kcal/kg이 되는 점

15 증기의 과열도를 옳게 표현한 식은?

① 과열도＝포화증기온도－과열증기온도
② 과열도＝포화증기온도－압축수의 온도
③ 과열도＝과열증기온도－압축수의 온도
④ 과열도＝과열증기온도－포화증기온도

해설 과열도란 과열증기온도와 포화증기온도와의 차를 말한다.

16 30마력(PS)인 기관이 1시간 동안 행한 일량을 열량으로 환산하면 약 몇 kcal인가? (단, 이 과정에서 행한 일량은 모두 열량으로 변환된다고 가정한다.)

① 14360　② 15240
③ 18970　④ 20402

해설 30마력(PS)＝30×632.3＝18969kcal/h

정답 08 ③ 09 ② 10 ③ 11 ① 12 ② 13 ② 14 ① 15 ④ 16 ③

17 어떤 물질 500kg을 20℃에서 50℃로 올리는데 3000kcal의 열량이 필요하였다. 이 물질의 비열은?

① 0.1kcal/kg · ℃
② 0.2kcal/kg · ℃
③ 0.3kcal/kg · ℃
④ 0.4kcal/kg · ℃

해설

$$\frac{3000}{500 \times (50-20)} = 0.2$$

18 압력에 대한 설명으로 옳은 것은?

① 단위 면적당 작용하는 힘이다.
② 단위 부피당 작용하는 힘이다.
③ 물체의 무게를 비중량으로 나눈 값이다.
④ 물체의 무게에 비중량을 곱한 값이다.

해설

$$압력 = \frac{힘(kg)}{면적(m^2)}$$

19 비열이 0.6kcal/kg℃인 어떤 연료 30kg을 15℃에서 35℃까지 예열하고자 할 때 필요한 열량은 몇 kcal인가?

① 180　② 360
③ 450　④ 600

해설

$30 \times 0.6 \times (35-15) = 360$kcal

정답 17 ② 18 ① 19 ②

CHAPTER 02

보일러의 종류 및 특성

제2장 보일러의 종류 및 특성

1 보일러의 정의 및 종류

(1) 보일러의 정의

증기 또는 온수를 발생시키는 장치

(2) 보일러의 3대 구성 요소

① 보일러 본체

② 연소장치

③ 부속장치(설비)

(3) 보일러의 용량 표시

① 상당증발량 : 1기압 하, 100℃ 포화수를 100℃ 증기로 만드는 능력

② 전열면적 : 연소가스가 닿는 쪽의 면적

③ 보일러 마력 : 1기압 하, 100℃ 포화수 15.65Kg을 1시간 동안 100℃ 포화증기로 만드는 능력

④ 실제증발량

⑤ 보일러 전부하

(4) 보일러의 종류(구조에 의한 분류)

원통형	입형(직립형)	입형횡관, 입형연관, 코크란	
	횡형(수평형)	노통	코르니시, 랭카셔
		연관	케와니, 횡연관식
		노통연관	스코치, 노통연관패키지, 하우덴존슨
수관식	자연순환식	바브콕, 타쿠마, 2동D형	
	강제순환식	베록스, 라몬트(라몽)	
	관류 보일러	벤슨, 슐처	
주철제	섹셔널(sectional)	주철제증기, 주철제온수	
특수	열매체 보일러	열매체(다우섬, 모빌섬, 수은, 카네크롤)	

2 보일러의 종류 및 특성

(1) 원통형 보일러

① 입형

㉮ 입형 횡관식

- 화실노벽 보강
- 전열면적 증가
- 물의 순환이 좋다.

㉯ 입형 연관식

- 전열효율이 낮다.
- 완전연소가 되지 않는다.
- 습증기 발생이 심하다.
- 설치 면적이 적다.

② 코크란 : 입형 보일러 중 가장 열효율이 좋음

③ 횡형 : 내분 형식(연소실이 보일러 내에 위치)으로 전열 면적과 효율이 증가함

(2) 노통 보일러

① 코르니시 보일러 : 노통이 1개인 것으로 물의 순환 촉진을 위하여 노통은 편심으로 제작

② 랭카셔 보일러 : 노통 2개

㉮ 노통 보일러의 장·단점

장 점	단 점
① 보유 수량이 많아 부하 변동에 대응하기 쉽다. ② 구조가 간단하여 제작 및 취급이 용이하다. ③ 급수처리가 까다롭지 않다. ④ 청소, 점검, 보수가 쉽다.	① 전열 면적에 비해 보유수량이 많아 효율이 낮다. ② 고압, 대용량에 부적당하다. ③ 내분식이므로 연소 공간이 적다. ④ 보유수량이 많아 파열 시 피해가 크다.

(3) 연관 보일러

① 횡연관식 보일러 : 외분형식(연소실 위치로 나눔)

② 기관차 보일러

③ 케와니 보일러

㉮ 연관 보일러의 장 · 단점

장 점	단 점
① 외분식 구조로 완전연소가 가능하다. ② 부하가 적다. ③ 노통 보일러에 비해 설치면적을 적게 차지한다. ④ 연관 등으로 인해 전열면적이 넓다.	① 외분식 구조로 노벽방사의 손실이 있다. ② 구조가 복잡하다. ③ 급수처리가 필요하다. ④ 취급이 까다롭다.

④ **노통 연관 보일러** : 내분형식이며 노통과 연관을 동시에 두어 서로의 결점을 보완하고 높은 효율을 가진다.

㉮ 노통 연관 보일러의 장 · 단점

장 점	단 점
① 원통형 보일러 중 효율이 가장 높다. ② 패키지형이므로 설치, 운반이 용이하다.	① 원통형 보일러중 구조가 복잡한 편이다. ② 청소, 점검, 보수가 까다롭다.

㉯ 완전연소 구비 조건

- 연소실 용량이 클 것
- 연소실 온도가 높을 것
- 연소시간이 충분할 것

㉰ 각 용어설명

- 전열면적 : 연소가스가 닿는 쪽의 면적
- 안전저수위 : 사용 중 유지해야 할 최저 수위
- 상용수위 : 사용 중 항상 유지해야 할 수위(수면계의 1/2 or 2/3 지점)
- 수격작용(water hammer) : 응축수가 고속으로 진입하는 증기압력에 의해 관을 때리는 현상(관을 때림으로써 소리가 울림)
- 아담슨 접합 : 플랜지형식으로 접합한 방식, 노통의 약한 단점을 보완
- 브리딩 스페이스 : 노통 호흡장소
- 구루빙 현상 : 도랑형 모양의 부식
- 가셋트 스테이(노통 보일러의 경판과 동판의 강도 보강을 위하여 설치) : 아랫부분과 노통 사이의 거리를 브리딩 스페이스라 하며 최소 225(mm) 이상 유지하며 구루빙 현상을 방지한다.

- 프라이밍(Priming) : 비수현상
- 플라이밍(Priming) : 펌프 가동 전, 물 채우기 및 공기 빼기
- 공동현상(cavitaion, 캐비테이션) : 중간에 공기가 차는 것(심한 소음과 진동충격)
- 맥동현상(서징) : 떨림 현상
- 기수공발(CARRY OVER) : 증기관 내로 물방울이 따라 들어가 넘치는 현상

(4) 파형노통과 평형노통

① 파형노통의 특징

㉮ 열에 의한 신축성이 양호하여 강도에 강함

㉯ 평형노통에 비해 1.4배의 전열면적

㉰ 평형노통에 비해 제작이 까다롭다.

㉱ 평형노통에 비해 청소, 검사가 까다롭다.

② 파형노통의 종류 : 모리슨형, 브라운형, 폭스형, 파브스형, 데이톤형, 리즈 포지형

③ 갤러웨이관의 설치 목적

㉮ 보일러수의 순환을 좋게 하기 위하여

㉯ 전열면적을 증가시키기 위하여

㉰ 노통의 강도를 보강하기 위하여

④ 외분식 연소 장치의 특징

㉮ 완전연소가 가능하다.

㉯ 설치장소를 많이 차지한다.

㉰ 노 내 온도를 높일 수 있다.

㉱ 연소실의 크기와 형상을 자유롭게 만들 수 있다.

㉲ 연료의 종류와 질에 관계없이 연소가 가능하다.

⑤ 고수위 시 문제점

㉮ 비수현상이 일어난다.

㉯ 고수위가 되면 건조증기를 만들기가 힘들다.

㉰ 보일러 파열 시 피해가 크다.

⑥ 저수위 시 문제점

㉮ 물이 줄어들어 보일러가 파열될 수 있다.

㉯ 스케일(녹, 찌꺼기) 생성이 빨라진다.

㉰ 과열부식의 우려가 있다.

(5) 수관식 보일러

① 특성 : 상 · 하부의 드럼과 수관으로 구성된 대용량의 고압 보일러이다.

② 수관식 보일러의 장 · 단점

장 점	단 점
① 관류 보일러 다음으로 효율이 제일 좋다. ② 전열면적이 커서 고압, 대용량에 적당하다. ③ 보유수량이 적어 파열 시 피해가 적다. ④ 증발이 빨라 급수용에 대처하기 용이하다. ⑤ 외분식이므로 연료의 질에 구애받지 않는다.	① 보유수량이 적어 부하변동에 응하기가 쉽지 않다. ② 수위변동이 심해 급수조절에 주의해야 한다. ③ 급수처리를 철저히 해야 한다(스케일 생성방지). ④ 구조가 복잡하여 청소, 점검, 수리가 까다롭다. ⑤ 외분식이어서 노벽방사의 손실이 있다.

③ 수냉 노벽 : 수관을 직관 또는 곡관으로 하여 연소실 주위에 울타리 모양으로 배치한 것

㉮ 전열 면적이 증가하여 효율을 높인다.

㉯ 노벽 내화물의 과열을 방지한다.

㉰ 노벽을 보호하며 노벽의 중량을 경감시킨다.

㉱ 복사열을 흡수하여 복사에 의한 열손실을 줄인다.

④ 자연순환을 촉진하는 방법

㉮ 수관의 관지름을 크게 한다.

㉯ 수관의 경사도를 수직에 근접하게 한다.

㉰ 강수관(증기가 다시 물이 되어 내려오는 관)의 가열을 피한다.

⑤ 종류 : 자연순환식, 강제순환식, 관류식

㉮ 자연순환식 : 하이네, 바브콕(15°경사), 타쿠마(45°의 경수사관), 2동 D형

㉯ 강제순환방식

- 라몬트(라몽) 보일러 : 대표적인 강제순환식 수관 보일러로 소형으로도 난방능력이 큰 보일러
- 벨록스 보일러 : 고성능 강제순환식 수관 보일러로 부하변동에 대한 적응성이 좋은 보일러

㉰ 관류식

- 벤슨 보일러 : 대용량의 고압용 보일러
- 슐처 보일러 : 압력이 낮은 저압 보일러

• 관류식 보일러의 장 · 단점

장 점	단 점
① 수관으로만 구성되어 파열 시 피해가 적다. ② 전열면적이 크므로 대용량에 많이 사용한다. ③ 외분식으로 연소실 크기에 제한을 받지 않는다. ④ 증발속도가 빠르고 가동시간이 짧다.	① 스케일이 발생되기 쉬우므로 급수처리를 철저히 한다. ② 구조가 복잡하여 청소, 점검, 수리가 곤란하다. ③ 보유수량이 적으므로 부하변동에 대처가 어렵다. ④ 자동제어로 제어해야 한다.

(6) 주철제 보일러

① 특징 : 주물로 제작한 섹션(section)을 조합해서 만든 저압용 보일러

② 조합방식 : 전후, 좌우, 맞세움 전후 조합

③ 주철제 보일러의 장 · 단점

장 점	단 점
① 부식에 강하다. ② 주물제작으로 복잡한 구조로 제작이 가능 ③ 섹션의 증감으로 용량조절이 용이하다. ④ 저압이므로 파열 시 피해가 적다. ⑤ 조립식이므로 현장에 반입이 유리하다.	① 인장 및 충격에 약하다. ② 열에 의한 부동팽창으로 균열이 생기기 쉽다. ③ 구조가 복잡하므로 청소, 점검, 수리가 어렵다. ④ 소형 난방용이다(대용량, 고압에 부적당).

(7) 특수 보일러

① 특수 열매체 보일러가 있으며, 낮은 압력하에서도 고온을 얻어내는 형식의 보일러이다.

② 열매체 종류 : 수은, 다우삼, 모빌섬, 카네크롤액 사용

제2장 출/제/예/상/문/제

01 주철제 보일러의 일반적인 특징에 대한 설명으로 틀린 것은?

① 내열성과 내식성이 우수하다.
② 대용량의 고압 보일러에 적합하다.
③ 열에 의한 부동팽창으로 균열이 발생하기 쉽다.
④ 쪽수의 증감에 따라 용량조절이 편리하다.

해설 주철제 보일러는 소형난방용으로, 고압 대용량에 부적합하다.

02 다음 중 파형노통의 종류가 아닌 것은?

① 모리슨형 ② 아담슨형
③ 파브스형 ④ 브라운형

해설 파형노통의 종류 : ① 모리슨형, ② 데이톤형, ③ 폭스형, ④ 파브스형, ⑤ 리즈 포즈형, ⑥ 브라운형

03 수관식 보일러의 종류에 속하지 않는 것은?

① 자연순환식 ② 강제순환식
③ 관류식 ④ 노통연관식

해설 노통연관식은 원통형 보일러이다.

04 주철제 보일러의 특징에 관한 설명으로 틀린 것은?

① 내식성이 우수하다.
② 섹션의 증감으로 용량조절이 용이하다.
③ 주로 고압용으로 사용된다.
④ 전열효율 및 연소효율은 낮은 편이다.

해설 주철제 보일러는 주로 소형난방용으로 저압용이다.

05 원통형 보일러에 관한 설명으로 틀린 것은?

① 입형 보일러는 설치면적이 적고 설치가 간단하다.
② 노통이 2개인 횡형 보일러는 코르니시 보일러다.
③ 패키지형 노통연관 보일러는 내분식이므로 방산 손실열량이 적다.
④ 기관본체를 둥글게 제작하여 이를 입형이나 횡형으로 설치해 사용하는 보일러를 말한다.

해설
• 노통이 1개 : 코르니시 보일러
• 노통이 2개 : 랭커셔 보일러

06 보일러를 본체 구조에 따라 분류하면 원통형 보일러와 수관식 보일러로 크게 나눌 수 있다. 수관식 보일러에 속하지 않는 것은?

① 노통 보일러 ② 다쿠마 보일러
③ 라몽트 보일러 ④ 슐처 보일러

해설 노통 보일러는 원통형 보일러이다.

07 보일러에서 노통의 약한 단점을 보완하기 위해 설치하는 약 1m 정도의 노통 이음을 무엇이라고 하는가?

① 아담슨 조인트
② 보일러 조인트
③ 브리징 조인트
④ 라몽트 조인트

해설 노통의 단점인 약함을 보완하기 위해 아담슨 조인트를 한다.

정답 01 ② 02 ② 03 ④ 04 ③ 05 ② 06 ① 07 ①

08 **보일러의 분류 중 원통형 보일러에 속하지 않는 것은?**

① 타쿠마 보일러 ② 랭커셔 보일러
③ 케와니 보일러 ④ 코니시 보일러

해설 타쿠마 보일러는 자연순환식 수관 보일러

09 **주철제 보일러인 섹셔널 보일러의 일반적인 조합방법이 아닌 것은?**

① 전후조합 ② 좌우조합
③ 맞세움조합 ④ 상하조합

해설 조합에는 전후, 좌우, 맞세움조합이 있다.

10 **노통 보일러에서 갤러웨이관(gallowy tube)을 설치하는 목적으로 가장 옳은 것은?**

① 스케일 부착을 방지하기 위하여
② 노통의 보강과 양호한 물 순환을 위하여
③ 노통의 진동을 방지하기 위하여
④ 연료의 완전연소를 위하여

해설 갤러웨이관은 노통의 강도 보강과 물의 순환을 촉진시킨다.

11 **다음 중 수관식 보일러에 해당되는 것은?**

① 스코치 보일러
② 바브콕 보일러
③ 코크란 보일러
④ 케와니 보일러

해설 바브콕, 타쿠마 보일러는 자연순환식 수관 보일러

12 **원통형 보일러와 비교할 때 수관식 보일러의 특징이 아닌 것은?**

① 수관의 관경이 적어 고압에 잘 견딘다.
② 보유수가 적어서 부하변동 시 압력변화가 적다.
③ 보일러수의 순환이 빠르고 효율이 높다.
④ 구조가 복잡하여 청소가 곤란하다.

해설 수관식 보일러는 부하 변동 시 압력변화가 크다.

13 **다음 보일러 중 특수열매체 보일러에 해당되는 것은?**

① 타쿠마 보일러
② 카네크롤 보일러
③ 슐처 보일러
④ 하우덴 존슨 보일러

해설 특수열매체의 종류 : 수은, 다우섬, 모빌섬, 카네크롤

14 **원통형보일러의 일반적인 특징에 관한 설명으로 틀린 것은?**

① 구조가 간단하고 취급이 용이하다.
② 수부가 크므로 열 비축량이 크다.
③ 폭발 시에도 비산 면적이 작아 재해가 크게 발생하지 않는다.
④ 사용증기량의 변동에 따른 발생 증기의 압력 변동이 작다.

해설 폭발 시 비산 면적이 많아 재해가 크게 발생한다.

15 **노통이 하나인 코르니시 보일러에서 노통을 편심으로 설치하는 가장 큰 이유는?**

① 연소장치의 설치를 쉽게 하기 위함이다.
② 보일러수의 순환을 좋게 하기 위함이다.
③ 보일러의 강도를 크게 하기 위함이다.
④ 온도변화에 따른 신축량을 흡수하기 위함이다.

해설 물의 순환을 양호하게 하기 위해 노통을 편심으로 설치한다.

정답 08 ① 09 ④ 10 ② 11 ② 12 ② 13 ② 14 ③ 15 ②

16 **주철제 보일러의 특징으로 옳은 것은?**

① 내열성 및 내식성이 나쁘다.
② 고압 및 대용량으로 적합하다.
③ 섹션의 증감으로 용량을 조절할 수 있다.
④ 인장 및 충격에 강하다.

해설 주철제 보일러의 특징 : 내열성 및 내식성이 좋음, 고압 및 대용량으로 부적합, 섹션의 증감으로 용량을 조절 가능, 인장 및 충격에 약함

17 **입형(직립) 보일러에 대한 설명으로 틀린 것은?**

① 동체를 바로 세워 연소실을 그 하부에 둔 보일러이다.
② 전열면적을 넓게 할 수 있어 대용량에 적당하다.
③ 다관식은 전열면적을 보강하기 위하여 다수의 연관을 설치한 것이다.
④ 횡관식은 횡관의 설치로 전열면을 증가시킨다.

해설 입형 보일러는 소형이므로 대용량에 부적당하다.

18 **특수보일러 중 간접가열 보일러에 해당되는 것은?**

① 슈미트 보일러
② 벨록스 보일러
③ 벤슨 보일러
④ 코니시 보일러

해설 간접가열식 보일러 종류에는 슈미트 보일러와 뢰플러 보일러가 있다.

19 **수관식 보일러의 특징에 관한 설명으로 틀린 것은?**

① 구조상 고압 대용량에 적합하다.
② 전열면적을 크게 할 수 있으므로 일반적으로 효율이 높다.
③ 급수 및 보일러수 처리에 주의가 필요하다.
④ 전열면적당 보유수량이 많아 기동에서 소요증기가 발생할 때까지의 시간이 길다.

해설 수관식 보일러는 전열면적당 보유수량이 적어 기동에서 증발할 때까지의 시간이 짧다.

20 **보일러 중에서 관류 보일러에 속하는 것은?**

① 코크란 보일러
② 코르니시 보일러
③ 스코치 보일러
④ 슐처 보일러

해설 관류 보일러의 종류 : 밴슨, 슐처, 람진, 엣모스

21 **긴 관의 한 끝에서 펌프로 압송된 급수가 관을 지나는 동안 차례로 가열, 증발, 과열된 다음 과열증기가 되어 나가는 형식의 보일러는?**

① 노통 보일러
② 관류 보일러
③ 연관 보일러
④ 입형 보일러

해설 드럼이 없고 수관으로만 구성된 관류 보일러

22 **수관식 보일러의 특징에 대한 설명으로 틀린 것은?**

① 전열면적이 커서 증기의 발생이 빠르다.
② 구조가 간단하여 청소, 검사, 수리 등이 용이하다.
③ 철저한 급수처리가 요구된다.
④ 보일러수의 순환이 빠르고 효율이 좋다.

해설 수관식 보일러는 구조가 복잡하여 청소, 검사, 수리가 어렵다.

정답 16 ③ 17 ② 18 ① 19 ④ 20 ④ 21 ② 22 ②

23 관류식 보일러의 특징으로 틀린 것은?

① 동일 용량인 노통 보일러에 비해 설치 면적이 적다.
② 전열면적이 커서 증기발생이 빠르다.
③ 외분식은 연료선택 범위가 좁다.
④ 양질의 급수가 필요하다.

해설 관류 보일러, 수관식 보일러, 연관식 보일러와 같은 외분식 보일러는 연소실 크기와 형상에 제한을 적게 받아 연료선택범위가 넓다.

24 드럼 없이 초임계압력 하에서 증기를 발생시키는 강제순환 보일러는?

① 특수 열매체 보일러
② 2중 증발 보일러
③ 연관 보일러
④ 관류 보일러

해설 초임계 압력 하에서 증기를 발생시키는 일종의 강제수관식 관류 보일러

25 수관식 보일러 종류에 해당되지 않는 것은?

① 코르니시 보일러
② 슐처 보일러
③ 다쿠마 보일러
④ 라몽트 보일러

해설 수관식 보일러
• 자연순환식 : 바브콕, 타쿠마
• 강제순환식 : 라몽, 벨록스
• 관류식 : 벤슨, 슐처

26 파형노통 보일러의 특징을 설명한 것으로 옳은 것은?

① 제작이 용이하다.
② 내 · 외면의 청소가 용이하다.
③ 평형노통보다 전열면적이 크다.
④ 평형노통보다 외압에 대하여 강도가 적다.

해설 파형노통 : 주름이 있는 노통으로 신축 조절이 용이하고, 전열 면적이 평형노통보다 크다.

27 입형 보일러에 대한 설명으로 거리가 먼 것은?

① 보일러 동을 수직으로 세워 설치한 것이다.
② 구조가 간단하고 설비비가 적게 든다.
③ 내부청소 및 수리나 검사가 불편하다.
④ 열효율이 높고 부하능력이 크다.

해설 입형 보일러는 열효율이 낮다.

28 비점이 낮은 물질인 수은, 다우섬 등을 사용하여 저압에서도 고온을 얻을 수 있는 보일러는?

① 관류식 보일러
② 열매체식 보일러
③ 노통연관식 보일러
④ 자연순환 수관식 보일러

해설 열매체에는 수은, 다우섬, 모빌섬, 카네크롤액이 있다.

정답 23 ③ 24 ④ 25 ① 26 ③ 27 ④ 28 ②

MEMO

CHAPTER 03

보일러 부속장치

1. 안전장치
2. 계측(지시)장치
3. 급수장치
4. 송기(送氣)장치
5. 여열장치(폐열회수장치)
6. 분출장치
7. 통풍장치
8. 집진(매연제거)장치
9. 자동제어

제3장 보일러 부속장치

1 안전장치

(1) 안전밸브

보일러 사용압력이 제한압력을 초과할 경우 증기를 분출시켜 파열 사고를 방지하기 위함(한 개는 최고사용압력 이하, 다른 한 개는 1.03배(실제기준) 이하)

① 안전밸브의 종류

㉮ 중추식 안전밸브 : 추의 중량

㉯ 스프링식 안전밸브 : 보일러에 가장 많이 사용

㉰ 지렛대식

※ 밸브 시트의 단면적은 분출압에 반비례하며 증발량에 비례한다.

② 안전밸브의 누설 원인

㉮ 하중이 밸브 축과 중심이 맞지 않은 때

㉯ 시트의 가공이 불량한 경우

㉰ 스프링 장력이 느슨한 경우

㉱ 조종 압력이 낮을 경우

㉲ 밸브 시트에 이물질이 낀 경우

㉳ 래핑 불량 시

③ 안전밸브의 설치 개수

㉮ 증기 보일러에는 2개 이상의 안전밸브 설치(전열면적 $50m^2$ 이하는 1개 이상 설치)

㉯ 최고 사용압력의 1.06배(법적기준) 이하의 압력에서 급속하게 연료의 공급을 차단하는 장치를 갖춘 보일러

㉰ 재열기에는 입구와 출구에 각각 1개 이상의 안전밸브를 설치한다.

④ 안전밸브 및 압력방출장치의 크기 : 호칭지름 25A 이상

⑤ 다음과 같은 보일러에서는 호칭지름 20A 이상으로 할 수 있다.

㉮ 동체의 길이가 1,000mm 이하의 보일러

㉯ 최고사용압력 0.5MPa($5kg/cm^2$) 이하, 동체 안지름이 500mm 이하의 보일러

㉰ 최고사용압력 0.1MPa(1kg/cm^2) 이하의 보일러

㉱ 최고사용압력 0.5MPa(5kg/cm^2) 이하, 전열면적 2m^2 이하의 보일러

㉲ 최대증발량 5(T/H) 이하의 관류 보일러

㉳ 소용량 보일러

⑥ 안전밸브의 작동시험은 1년 2회 실시한다.

(2) 화염검출기

보일러 운전 중 실화가 되거나, 점화 시 착화가 되지 않을 때 연료 밸브를 닫아 폭발사고를 방지하는 장치이다.

① 플레임 아이 : 방사선을 전기적 신호로 바꾸어 화염의 정상유무를 검출하는 형식(발광)

② 플레임 로드 : 화염의 이온화현상(전기적 성질)을 이용하여 화염의 유무를 판정(가스 연료에만 적용)

③ 스텍 스위치 : 화염의 발열현상을 이용하여 화염의 유무를 판정, 내부에 바이메탈(금속팽창)을 사용(소형 보일러에 사용)

(3) 고저수위 경보기

연료차단 50~100초 전에 자동적으로 경보가 울려야 한다.

① 수위 제어 방식

㉮ 1요소식 : 수위만 이용

㉯ 2요소식 : 수위, 증기량 이용

㉰ 3요소식 : 수위, 증기량, 급수량 이용

② 경보장치 종류

㉮ 맥도널식(부저식) : 내부에 플로트를 설치

㉯ 전극식 : 6개월에 1회 정도 내부청소를 실시, 1년 1회 이상 통전시험 및 전열저항을 측정

㉰ 코프스식 : 금속의 열 팽창력을 이용

(4) 가용전(마개)

과열 시 내장된 합금이 녹아 급수를 화실로 분출시키는 안전장치

합금원소		녹는 온도
주 석	납	
10	3	150℃
3	3	200℃
3	10	250℃

(5) 방폭문

보일러 운전 중 연소실 안의 미연소 가스로 인한 노 내 폭발이 발생하였을 때, 폭발압을 연소실 외부로 안전하게 배출시키는 것으로서 주로 스프링식을 사용한다.

(6) 증기압력제어기

증기압력이 설정 압력에 도달하면 연료를 차단한다.

① 증기압력제한기 : 연료의 공급 및 차단을 하는 역할

② 증기압력조절기 : 연료량과 함께 공기량을 조절

(7) 방출밸브

온수 보일러의 안전장치이다. 120℃ 초과 시에는 안전밸브를 설치한다.

전열면적	방출관의 안지름
$10m^2$ 이하	25A 이상
$10\sim15m^2$	30A 이상
$15\sim20m^2$	40A 이상
$20m^2$ 이상	50A 이상

(8) 팽창탱크(보충수탱크)

온수의 사용온도에 따라 개방식(85~95℃), 밀폐식(100℃ 이상)으로 나뉜다.

① 팽창탱크 설치목적

㉮ 체적팽창, 이상팽창압력을 흡수

㉯ 온수온도와 압력을 일정하게 유지

㉰ 보충수 공급

㉱ 열손실 방지

② 개방형 팽창탱크의 높이는 최고층의 방열면보다 1m 이상 높게 설치한다.

③ 밀폐형 팽창탱크는 설치 위치에 제한을 받지 않는다.

(9) 연료차단밸브(전자밸브)

불착화, 프리퍼지, 저수위, 압력초과 시 등 응급 시 연료를 차단

제3-1장 출/제/예/상/문/제

01 **보일러의 연소가스 폭발 시에 대비한 안전장치는?**

① 방폭문　② 안전밸브
③ 파괴판　④ 맨홀

해설 방폭문은 연소실 내의 미연소가스가 폭발하였을 때 압력을 외부로 방출시켜 보일러의 파손을 방지하기 위한 장치이다. 주로 연소실 후부에 설치한다.

02 **다음 중 보일러의 안전장치에 해당되지 않는 것은?**

① 방출밸브　② 방폭문
③ 화염검출기　④ 감압밸브

해설 감압밸브는 송기장치이다.

03 **안전밸브의 수동시험은 최고사용압력의 몇 % 이상의 압력으로 행하는가?**

① 50%　② 55%
③ 65%　④ 75%

해설 안전밸브 수동시험은 최고사용압력의 75% 이상으로 행한다.

04 **플레임 아이에 대하여 옳게 설명한 것은?**

① 연도의 가스온도로 화염의 유무를 검출한다.
② 화염의 도전성을 이용하여 화염의 유무를 검출한다.
③ 화염의 방사선을 감지하여 화염의 유무를 검출한다.
④ 화염의 이온화 현상을 이용해서 화염의 유무를 검출한다.

해설 플레임 아이는 방사선을 전기적 신호로 바꾸어 화염의 유무를 검출한다.

05 **버너에서 연료분사 후 소정의 시간이 경과하여도 착화를 볼 수 없을 때 전자밸브를 닫아서 연소를 저지하는 제어는?**

① 저수위 인터록
② 저연소 인터록
③ 불착화 인터록
④ 프리퍼지 인터록

해설 착화를 볼 수 없으면 불착화이다.

06 **보일러의 인터록제어 중 송풍기 작동 유무와 관련이 가장 큰 것은?**

① 저수위 인터록
② 불착화 인터록
③ 저연소 인터록
④ 프리퍼지 인터록

해설 프리퍼지는 송풍기와 관련이 있다.

07 **저수위 등에 따른 이상온도의 상승으로 보일러가 과열되었을 때 작동하는 안전장치는?**

① 가용마개
② 인젝터
③ 수위계
④ 증기헤더

해설 가용마개는 가용전이라고도 한다.

정답 01 ① 02 ④ 03 ④ 04 ③ 05 ③ 06 ④ 07 ①

08 보일러 가동 중 실화(失火)가 되거나, 압력이 규정치를 초과하는 경우에 연료공급을 자동적으로 차단하는 장치는?

① 광전관 ② 화염검출기
③ 전자밸브 ④ 체크밸브

해설 연료차단밸브는 전자밸브로 되어 있다.

09 보일러의 안전장치와 거리가 가장 먼 것은?

① 과열기 ② 안전밸브
③ 저수위 경보기 ④ 방폭문

해설 과열기는 폐열회수장치이다.

10 보일러에서 사용하는 화염검출기에 관한 설명 중 틀린 것은?

① 보일러용 화염검출기에는 주로 광학식 검출기와 화염 검출봉식(flame rod) 검출기가 사용된다.
② 사용하는 연료의 화염을 검출하는 것에 적합한 종류를 적용한다.
③ 화염검출기는 검출이 확실하고 검출에 요구되는 응답시간이 길어야 한다.
④ 광학식 화염검출기는 자외선식을 사용하는 것이 효율적이지만 유류보일러에서는 일반적으로 가시광선식 또는 적외선식 화염검출기를 사용한다.

해설 검출에 요구되는 응답시간이 짧을 것

11 다음 중 보일러의 안전장치로 볼 수 없는 것은?

① 고수위 경보장치
② 화염검출기
③ 급수펌프
④ 압력조절기

해설 급수펌프는 급수장치이다.

12 화염검출기의 종류 중 화염의 발열을 이용한 것으로 바이메탈에 의하여 작동되며, 주로 소용량 온수 보일러의 연도에 설치되는 것은?

① 플레임 아이
② 스텍 스위치
③ 플레임 로드
④ 적외선 광전관

해설
- 플레임 아이 : 화염의 발광을 이용한 것
- 플레임 로드 : 화염의 이온화를 이용한 것
- 스텍 스위치 : 화염의 발열을 이용한 것

13 보일러의 압력이 $8kgf/cm^2$이고, 안전밸브 입구 구멍의 단면적이 $20cm^2$라면 안전밸브에 작용하는 힘은 얼마인가?

① 140kgf ② 160kgf
③ 170kgf ④ 80kgf

해설
- $8kgf/cm^2 \times 20cm^2 = 160kgf$
- $\text{압력} = \frac{\text{힘}}{\text{면적}}$, 힘 = 압력 × 면적

14 화염검출기 기능불량과 대책을 연결한 것으로 잘못된 것은?

① 집광렌즈 오염－분리 후 청소
② 증폭기 노후－교체
③ 동력선의 영향－검출회로와 동력선 분리
④ 점화전극의 고전압이 플레임 로드에 흐를 때－전극과 불꽃 사이를 넓게 분리

해설 플레임 로드는 불꽃 속에 전극봉을 삽입하여 화염의 유무를 검출한다.

정답 08 ③ 09 ① 10 ③ 11 ③ 12 ② 13 ② 14 ④

15 가정용 온수보일러 등에 설치하는 팽창탱크의 주된 설치 목적은 무엇인가?

① 허용압력초과에 따른 안전장치 역할
② 배관 중의 맥동을 방지
③ 배관 중의 이물질 제거
④ 온수순환의 원활

해설 팽창탱크의 설치 목적은 장치 내의 팽창수를 흡수하여 압력 초과를 방지하는데 있다.

16 보일러 연소실이나 연도에서 화염의 유무를 검출하는 장치가 아닌 것은?

① 스테빌라이저 ② 플레임 로드
③ 플레임 아이 ④ 스텍 스위치

해설 스테빌라이저는 보염장치이다.

17 안전밸브의 종류가 아닌 것은?

① 레버 안전밸브
② 추 안전밸브
③ 스프링 안전밸브
④ 핀 안전밸브

해설 안전밸브의 종류에는 스프링식, 추식, 지렛대(레버)식이 있다

18 스프링식 안전밸브에서 전양정식의 설명으로 옳은 것은?

① 밸브의 양정이 밸브시트 구경의 1/40 ~1/15 미만인 것
② 밸브의 양정이 밸브시트 구경의 1/15 ~ 1/7 미만인 것
③ 밸브의 양정이 밸브시트 구경의 1/7 이상인 것
④ 밸브시트 증기통로 면적은 목 부분 면적의 1.05배 이상인 것

해설 안전밸브 전양정식은 양정이 시트구경의 1/7 이상이다.

19 보일러 부속품 중 안전장치에 속하는 것은?

① 감압밸브 ② 주증기밸브
③ 가용전 ④ 유량계

해설 가용전 : 노통 상부에 설치하여, 과열을 방지하기 위한 안전장치이다.

20 수위경보기의 종류 중 플로트의 위치 변화에 따라 수은 스위치 또는 마이크로 스위치를 작동시켜 경보를 울리는 것은?

① 기계식 경보기 ② 자석식 경보기
③ 전극식 경보기 ④ 맥도널식 경보기

해설 맥도널식은 내부에 플로트를 설치한다.

21 수위 자동제어장치에서 수위와 증기유량을 동시에 검출하여 급수밸브의 개도가 조절되도록 한 제어방식은?

① 단요소식 ② 2요소식
③ 3요소식 ④ 모듈식

해설
- 단요소식 : 수위를 검출
- 2요소식 : 수위, 증기량을 검출
- 3요소식 : 수위, 증기량, 급수량을 검출

22 보일러의 안전장치에 해당되지 않는 것은?

① 방폭문 ② 수위계
③ 화염검출기 ④ 가용마개

해설 수위계는 계측장치이다.

23 보일러 수위제어 검출방식에 해당되지 않는 것은?

① 유속식 ② 전극식
③ 차압식 ④ 열팽창식

해설 수위제어 검출방식에는 전극식, 열팽창식, 차압식이 있다.

정답 15 ① 16 ① 17 ④ 18 ③ 19 ③ 20 ④ 21 ② 22 ② 23 ①

계측(지시)장치

(1) 압력계

주로 부르동관식 압력계를 많이 사용하며 벨로즈식, 다이어프램식이 있다.

① 압력계의 크기와 눈금

㉮ 압력계 최고눈금은 보일러 최고사용압력의 1.5배 이상 3배 이하로 한다.

㉯ 눈금판의 바깥지름은 100mm 이상으로 한다.

㉰ 재질은 황동, 내부 온도를 80℃(353K) 이하로 유지해야 한다.

㉱ 압력계 연결관은 동관 안지름 6.5mm, 강관 안지름 12.7mm 이상이다.

※ 증기온도가 210℃(483K) 이상인 경우 황동관 또는 동관 사용금지(강관 사용)

② 보일러 압력계의 시험(검사) 시기

㉮ 보일러를 가동하기 전

㉯ 비수현상, 포밍 발생 시

㉰ 신설 보일러의 경우 압력이 오르기 전

㉱ 부르동관이 높은 열을 받았을 때

㉲ 계속사용검사를 할 때

㉳ 두 개의 지시도가 서로 다를 때

㉴ 안전밸브의 실제분출압력과 설정압력이 맞지 않을 때

③ 보일러에 부착하는 압력계 취급상의 주의사항

㉮ 온도가 353K(80℃) 이상 올라가지 않도록 한다.

㉯ 부르동관에 직접 증기가 들어가면 고장의 원인이 되므로 사이폰관에 물이 가득 차야 한다.

㉰ 압력계 사이폰관의 수직부에 콕을 설치하고 콕의 핸들이 축방향과 일치할 때에 열린 것이어야 한다.

㉱ 압력계가 고장이 나면 바꾸는 것이 아니라 정기적으로 교체하여야 한다.

(2) 수면계

보일러 안전저수위와 수면계 하단부가 일치하게 하고 수주에 부착한다. 증기 보일러에는 2개 이상의 유리수면계를 부착한다(소용량 보일러는 1개 이상).

① 수면계의 종류

㉮ 평형반사식 유리수면계 : 가장 많이 사용

㈏ 멀티포트식 수면계 : 원격지시 수면계

㈐ 원형유리관식 수면계 : 저압용

㈑ 평형투시식 수면계 : 고압용

② **수주관의 설치** : 수면계를 파손으로부터 보호한다. 원통형 강판이며, 주철제 수주관은 1.6MPa 이하에서 사용한다.

③ **수면계 점검순서**

㉮ 증기 콕과 물 콕을 잠근다.

㈏ 드레인밸브를 연다.

㈐ 물 콕을 열어 통수 확인 후 잠근다.

㈑ 증기 콕을 열어 통수 확인 후 잠근다.

㈒ 드레인밸브를 닫는다.

㈓ 물 밸브를 연다.

④ **수면계 점검시기**

㉮ 보일러를 가동하기 전

㈏ 보일러를 가동하여 압력이 상승하기 시작했을 때

㈐ 2개의 수면계 수위가 서로 다를 때

㈑ 수위의 움직임이 둔하고, 수위가 의심스러울 때

㈒ 수면계의 유리를 교체 또는 보수할 때

㈓ 프라이밍, 포밍 등이 생길 때

㈔ 수위가 보이지 않을 때

⑤ **수면계 파손 원인**

㉮ 수면계의 너트를 무리하게 조였을 때

㈏ 내 · 외부에서 충격을 받았을 때

㈐ 급열 또는 급냉하였을 때

㈑ 유리관 상하 콕의 중심이 일치하지 않은 때

㈒ 유리가 노후되었을 때

제3-2장 출/제/예/상/문/제

01 수면측정장치를 취급할 때 주의사항에 대한 설명으로 틀린 것은?

① 수주 연결관은 수측 연결관의 도중에 오물이 끼기 쉬우므로 하향 경사하도록 배관한다.
② 조명은 충분하게 하고 유리는 항상 청결하게 유지한다.
③ 수면계의 콕은 누설되기 쉬우므로 6개월 주기로 분해정비하여 조작하기 쉬운 상태로 유지한다.
④ 수주관 하부의 분출관을 매일 1회 분출하여 수측 연결관의 찌꺼기를 배출한다.

해설 수주 연결관은 굽힘이 없어야 한다.

02 보일러에서 사용하는 수면계 설치기준에 관한 설명 중 잘못된 것은?

① 유리수면계는 보일러의 최고사용압력과 그에 상당하는 증기온도에서 원활이 작용하는 기능을 가져야 한다.
② 소용량 및 소형 관류 보일러에는 2개 이상의 유리수면계를 부착해야 한다.
③ 최고사용압력 1MPa 이하로서 동체 안지름이 750mm 미만인 경우에 있어서는 수면계 중 1개는 다른 종류의 수면측정장치로 할 수 있다.
④ 2개 이상으로 원격지시 수면계를 시설하는 경우에 한하여 유리수면계를 1개 이상으로 할 수 있다.

해설 소용량 및 소형 관류 보일러에는 1개 이상의 유리수면계를 부착한다.

03 수면계의 기능시험의 시기에 대한 설명으로 틀린 것은?

① 가마울림현상이 나타날 때
② 2개 수면계의 수위에 차이가 있을 때
③ 보일러를 가동하여 압력이 상승하기 시작했을 때
④ 프라이밍, 포밍 등이 생길 때

해설 수면계의 점검 시기는 수면계 수위에 의심이 갈 때, 수면계 수리 및 교체 후, 2개 수면계의 수위 차이가 있을 때, 압력이 상승할 때, 프라이밍이 발생할 때 등이다.

04 다음 중 압력계의 종류가 아닌 것은?

① 부르동관식 압력계
② 벨로즈식 압력계
③ 유니버설 압력계
④ 다이어프램 압력계

해설 탄성식 압력계의 종류 : 부르동관식 압력계, 벨로즈식 압력계, 다이어프램식 압력계

05 부르동관 압력계를 부착할 때 사용되는 사이펀관 속에 넣는 물질은?

① 수은 ② 증기
③ 공기 ④ 물

해설 사이폰관 : 관 내에 80℃ 이하의 물을 넣는다.

06 황동관이나 동관을 압력계로 연결하는 증기관으로 사용할 경우, 증기온도는 약 몇 ℃ 이하인가?

① 210℃ ② 260℃
③ 310℃ ④ 360℃

해설 온도가 210℃ 이상인 경우 강관을 사용해야 한다.

정답 01 ① 02 ② 03 ① 04 ③ 05 ④ 06 ①

3 급수장치

(1) 급수장치의 설치

① 2개의 급수장치 중 1개의 것은 동력을 사용하는 펌프, 다른 1개의 것은 무동력으로 작동하는 인젝터로 설치한다.

② 급수밸브는 보일러에 인접하여 체크밸브와 함께 설치한다.

(2) 급수펌프가 갖추어야 할 조건

① 작동이 확실하고 조작이 간단할 것

② 고온, 고압에도 충분히 견딜 것

③ 저부하에서도 운전효율이 좋을 것

④ 소형, 경량이고 보일러 부하 변동에 대응할 수 있을 것

⑤ 병열 설치 시 운전에 지장이 없을 것

(3) 급수펌프의 종류

① 원심식

㉮ 터빈(turbine)펌프 : 임펠러(impeller)의 원심력을 이용한 펌프로 임펠러에 안내 깃(guide vane)이 장착되어 있다.

㉯ 터빈펌프의 특징 : 가동 전 플라이밍(펌프에 물 채우는 것) 작업이 필요하다. 효율이 높고 안정된 성능을 얻을 수 있다. 구조가 간단하고 취급이 용이하므로 보수관리가 편리하다. 토출 흐름이 고르고 운전상태가 조용하다. 고속회전에 적합하며, 중 · 고압용이다.

㉰ 볼류트(volute)펌프 : 안내 깃이 없다.

② 왕복동식

㉮ 워싱톤펌프 : 증기압을 이용하며, 고압용 고점도 액체 수송용으로 적합하다.

㉯ 위어펌프 : 워싱톤펌프와 구조가 동일하다.

㉰ 플런저펌프 : 증기압을 이용하며, 고압용으로 적합하다.

※ 펌프의 동력계산

$$Hp = \frac{\gamma \times Q \times H}{76 \times \eta} \qquad PS = \frac{\gamma \times Q \times H}{75 \times \eta} \qquad KW = \frac{\gamma \times Q \times H}{102 \times \eta}$$

γ : 물의 비중량 = 1000(kg/m³)	η : 효율
H : 펌프의 전양정(m)	Q : 유량(m³/h)

③ **인젝터** : 증기의 분사력에 의한 속도 에너지를 압력에너지로 변환시켜 급수하는 것으로 급수온도는 50℃ 이하여야 한다.

㉮ 인젝터의 특징

장 점	단 점
① 구조가 간단하고 취급이 용이하다. ② 동력을 필요로 하지 않는다. ③ 설치에 넓은 장소가 필요 없다. ④ 급수가 예열되어 증발이 빠르다.	① 급수온도가 높아지면 급수가 곤란하다. ② 급수조절이 어렵다. ③ 자체로서의 양수 효율이 낮다.

㉯ 인젝터의 작동 불능의 원인

- 증기압력이 낮은 경우(0.2Mpa 이하)
- 급수온도가 높은 경우(50℃ 이상)
- 흡입 급수관에 공기가 유입되었을 때
- 인젝터 자체가 과열되었을 때
- 증기에 수분을 많이 함유하고 있을 때
- 인젝터 노즐이 확대되었을 때

④ **환원기** : 중력을 이용하는 것으로 보일러 상부 1m 이상의 위치에 응축수 탱크에서 증기의 압력과 물의 압력으로 급수하는 장치이다(주로 소용량에 사용).

(4) 급수밸브

보일러의 급수차단 및 역류를 방지하기 위한 것으로 관경은 전열면적 10m² 초과 시 호칭지름 20A 이상, 전열면적 10m² 이하 시 호칭지름 15A 이상으로 한다.

① 정지밸브

㉮ 글로브밸브(스톱밸브) : 유량조절용으로 많이 사용한다.

㉯ 슬루스밸브(사절밸브, 게이트밸브) : 유체의 차단에 많이 사용한다.

② 역지밸브(check valve)

㉮ 스윙식(swing)

㉯ 리프트식(lift)

③ 콕 : 유량 조절용으로 가장 신속히 개폐할 수 있다(각도 0°~90°).

(5) 급수내관

보일러 수위보다 50mm 정도의 아래에 긴 내관을 설치하여 균형있는 급수를 행하는 관

① 급수내관의 장점

㉮ 부동팽창의 영향을 방지할 수 있다.

㉯ 물의 순환을 좋게 할 수 있다.

㉰ 급수를 예열시켜 공급할 수 있다.

※ 펌프공동현상(cavitaion, 캐비테이션) : 중간에 공기가 차는 것(심한 소음과 진동충격)

※ 펌프공동현상 방지방법 : 펌프의 회전수를 줄인다. 만곡부를 줄인다(파이프의 구부러짐). 2단 이상의 펌프를 사용한다. 펌프의 흡입 양정을 작게 한다. 관경을 크게 한다.

제3-3장 출/제/예/상/문/제

01 증기의 압력에너지를 이용하여 피스톤을 작동시켜 급수를 행하는 비동력 펌프는?

① 워싱턴펌프
② 기어펌프
③ 볼류트펌프
④ 디퓨저펌프

해설 비동력펌프 : 워싱턴펌프, 웨어펌프

02 인젝터의 작동불량 원인과 관계가 먼 것은?

① 부품이 마모되어 있는 경우
② 내부노즐에 이물질이 부착되어 있는 경우
③ 체크밸브가 고장 난 경우
④ 증기압력이 높은 경우

해설 증기압력이 너무 낮은 경우(0.2 MPa 이하) 작동불량의 원인이 됨

03 보일러 급수펌프 중 비용적식 펌프로서 원심펌프인 것은?

① 워싱턴펌프
② 웨어펌프
③ 플런저펌프
④ 벌류트펌프

해설 벌류트펌프는 원심펌프 중 가이드 베인이 없는 펌프이다.

04 보일러의 급수장치에 해당되지 않는 것은?

① 비수방지관 ② 급수내관
③ 원심펌프 ④ 인젝터

해설 비수방지관은 송기장치이다.

05 보일러 예비 급수장치인 인젝터의 특징을 설명한 것으로 틀린 것은?

① 구조가 간단하다.
② 설치장소를 많이 차지하지 않는다.
③ 증기압이 낮아도 급수가 잘 이루어진다.
④ 급수온도가 높으면 급수가 곤란하다.

해설 증기압이 낮으면(0.2MPa 이하) 급수 불능의 원인이 된다.

06 보일러수의 급수장치에서 인젝터의 특징으로 틀린 것은?

① 구조가 간단하고 소형이다.
② 급수량의 조절이 가능하고 급수효율이 높다.
③ 증기와 물이 혼합하여 급수가 예열된다.
④ 인젝터가 과열되면 급수가 곤란하다.

해설 인젝터는 급수량 조절이 어렵고 급수효율이 낮다.

07 보일러 급수배관에서 급수의 역류를 방지하기 위하여 설치하는 밸브는?

① 체크밸브 ② 슬루스밸브
③ 글로브밸브 ④ 앵글밸브

해설 체크밸브는 역류방지기능을 한다.

08 보일러 급수내관의 설치 위치로 옳은 것은?

① 보일러의 기준수위와 일치하게 설치한다.
② 보일러의 상용수위보다 50mm 정도 높게 설치한다.

정답 01 ① 02 ④ 03 ④ 04 ① 05 ③ 06 ② 07 ① 08 ④

③ 보일러의 안전저수위보다 50mm 정도 높게 설치한다.
④ 보일러의 안전저수위보다 50mm 정도 낮게 설치한다.

해설 급수내관은 보일러 수위보다 50mm 정도 아래에 설치한 긴 내관이다.

09 급수펌프에서 송출량이 $10m^3$/min이고, 전양정이 8m일 때, 펌프의 소요마력은? (단, 펌프 효율은 75%이다.)

① 15.6PS ② 17.8PS
③ 23.7PS ④ 31.6PS

해설
$$PS=\frac{1000\times10\times8}{75\times60\times0.75}=23.7$$

10 보일러 급수장치의 일종인 인젝터의 장점으로 틀린 것은?

① 급수 예열 효과가 있다.
② 구조가 간단하고 소형이다.
③ 설치에 넓은 장소를 요하지 않는다.
④ 급수량 조절이 양호하여 급수의 효율이 높다.

해설 인젝터는 급수량 조절이 어렵고 급수효율이 낮다.

정답 09 ③ 10 ④

4 송기(送氣)장치

(1) 주증기밸브

증기를 개폐시키는 밸브로 보일러 위에 위치한다(글로우버 밸브형식인 앵글밸브를 설치).

(2) 신축이음

온도 변화에 따라 관은 항상 팽창과 수축을 반복한다. 이러한 신축을 흡수하는 장치이다.

① **루프형(곡관형)** : 고압의 옥외증기 배관용으로 관지름의 6배 크기의 굽힘 반지름을 만들어 사용하는 것으로 응력을 수반하는 결점이 있다.

② **슬리브형(미끄럼형)** : 신축이음 자체에서 응력이 생기지 않고 슬리브의 미끄럼에 의해 신축을 흡수하는 형식으로 단식과 복식 2가지 종류가 있다.

③ **벨로즈형(주름형, 파형)** : 설치 장소를 적게 차지하고 누설이 없으며 고압 배관에는 사용이 부적당하다(응축수로 인한 부식의 우려가 있다).

④ **스위블형** : 2개 이상의 엘보, 티 등을 사용하여 나사산의 회전에 의한 신축을 흡수하는 것으로 라디에이터용으로 많이 사용한다.

※ 신축이음 허용길이가 큰 순서 : 루프 〉 슬리브 〉 벨로즈 〉 스위블

※ 신축이음은 강관 30m, 동관 20m 마다 1개씩 설치한다.

(3) 증기헤더

발생증기를 한 곳에 저장하여 각 사용처에 균등한 공급을 하며, 헤더의 크기는 헤더에 부착되는 증기관의 가장 큰 지름의 2배이다.

(4) 증기축열기

증기량이 충분할 때 그 증기를 일시저장하였다가 과부하 시에 재사용하는 장치이다.

(5) 감압밸브

고압관과 저압관의 사이에 감압밸브를 설치하여 고압측의 압력 변동에 관계없이 저압측압력을 항상 일정하게 유지시킨다.

① **설치 목적** : 고압증기와 저압증기를 동시에 사용, 고압증기를 감압해 저압증기로 유지, 저압증기의 압력을 항상 일정하게 유지함

② **감압밸브의 종류** : 밸브의 작동방법에 따라 다이어프램형, 벨로즈형, 피스톤형의 3가지가 있다.

(6) 증기트랩

증기관 내에 발생한 응축수를 자동적으로 배출하여 수격작용을 방지한다.

① 트랩의 조건

㉮ 부식과 마모가 없고 내구성이 좋아야 함

㉯ 마찰 저항이 작을 것

㉰ 동작이 정확할 것

㉱ 응축수를 연속적으로 배출할 수 있을 것

㉲ 사용 정지 후에도 응축수를 배출할 수 있을 것

② 트랩의 종류

㉮ 기계적 트랩(버킷, 다량트랩(플루트트랩)) : 증기와 응축수의 비중차 이용

㉯ 온도조절 트랩(바이메탈, 벨로즈) : 증기와 응축수의 온도차 이용

㉰ 열역학적 트랩(디스크, 오리피스트랩) : 증기와 응축수의 열역학적 성질을 이용

㉱ 열동식 트랩 : 저압용 방열기(라디에이터)나 관말 트랩용으로 사용

(7) 스트레이너

관 내 불순물을 걸러 주는 것으로 Y형, U형, V형이 있다.

(8) 기수분리기

① 기능 : 보일러에서 발생한 증기 중에 포함된 수분을 제거하는 장치로 관 내 부식이나 수격작용을 방지한다.

② 기수분리기의 종류

㉮ 배플식 : 관성력 이용

㉯ 스크레버식 : 장애판 이용

㉰ 건조 스크린식 : 금속망 이용

㉱ 사이클론식 : 원심력 이용

(9) 비수방지관

증기 속 습기를 제거하여 건증기를 얻기 위한 것으로 동 내부 증기 취출구에 설치하며 취출구 구멍의 면적은 주증기밸브면적의 1.5배 이상이다.

① 설치 시 이점

㉮ 건증기를 얻을 수 있다.

㉯ 동 내 수면안정으로 수위를 정확히 측정할 수 있다.

㉰ 수격작용을 방지한다.

㉱ 비수(프라이밍)현상을 방지한다.

제3-4장 출/제/예/상/문/제

01 배관의 신축이음 종류가 아닌 것은?

① 슬리브형 ② 벨로즈형
③ 루프형 ④ 파일럿형

해설 신축이음의 종류에는 루프, 슬리브, 벨로즈, 스위블형이 있다

02 증기트랩을 기계식 트랩, 온도조절식 트랩, 열역학적 트랩으로 구분할 때 온도조절식 트랩에 해당하는 것은?

① 버킷 트랩
② 플루트 트랩
③ 열동식 트랩
④ 디스크형 트랩

해설 트랩의 종류
- 기계식 트랩 : 증기와 포화수의 비중차에 의해 분리(종류 : 버켓식, 플루트식(다량트랩))
- 온도조절식 트랩 : 증기와 포화수의 온도차에 의해 분리(종류 : 벨로즈식, 바이메탈식, 열동식)
- 열역학적 트랩 : 증기와 포화수의 열역학적 특성차에 의해 분리(종류 : 오리피스식, 디스크식)

03 배관의 신축이음 중 지웰이음이라고도 불리며, 주로 증기 및 온수난방용 배관에 사용되나, 신축량이 너무 큰 배관에는 나사이음부가 헐거워져 누설의 염려가 있는 신축이음 방식은?

① 루프식
② 벨로즈식
③ 볼 조인트식
④ 스위블식

해설 스위블형은 2개 이상의 엘보, 티를 사용한다.

04 보일러 운전자가 송기 시 취할 사항으로 맞는 것은?

① 증기헤더, 과열기 등의 응축수는 배출되지 않도록 한다.
② 송기 후에는 응축수 밸브를 완전히 열어둔다.
③ 기수공발이나 수격작용이 일어나지 않도록 주의한다.
④ 주증기관은 스톱밸브를 신속히 열어 열 손실이 없도록 한다.

해설 증기를 송기 시 수격작용이 일어나지 않도록 주의 한다.

05 보일러 송기 시 주증기밸브 작동요령 설명으로 잘못된 것은?

① 만개 후 조금 되돌려 놓는다.
② 빨리 열고 만개 후 3분 이상 유지한다.
③ 주증기와 노 내에 소량의 증기를 공급하여 예열한다.
④ 송기하기 전 주증기밸브 등의 드레인을 제거한다.

해설 주증기밸브는 3분에 1회전 정도로 천천히 열고 만개 후 조금 되돌려 놓는다.

06 신축곡관이라고도 하며 고온, 고압용 증기관 등의 옥외 배관에 많이 쓰이는 신축이음은?

① 벨로즈형 ② 슬리브형
③ 스위블형 ④ 루프형

해설 옥외배관은 신축흡수가 큰 루프형을 많이 사용한다.

정답 01 ④ 02 ③ 03 ④ 04 ③ 05 ② 06 ④

07 보일러 배관 중에 신축이음을 하는 목적으로 가장 적합한 것은?

① 증기 속의 이물질을 제거하기 위하여
② 열팽창에 의한 관의 파열을 막기 위하여
③ 보일러수의 누수를 막기 위하여
④ 증기 속의 수분을 분리하기 위하여

해설 신축이음은 신축을 흡수하여 관의 파열을 막아준다.

08 보일러의 기수분리기를 가장 옳게 설명한 것은?

① 보일러에서 발생한 증기 중에 포함되어 있는 수분을 제거하는 장치
② 증기 사용처에서 증기 사용 후 물과 증기를 분리하는 장치
③ 보일러에 투입되는 연소용 공기 중의 수분을 제거하는 장치
④ 보일러 급수 중에 포함되어 있는 공기를 제거하는 장치

해설 기수분리기는 증기 중에 포함된 수분을 제거하는 장치이다.

09 신축곡관이라고 하며 강관 또는 동관을 구부려서 구부림에 따른 신축을 흡수하는 이음쇠는?

① 루프형 신축이음쇠
② 슬리브형 신축이음쇠
③ 스위블형 신축이음
④ 벨로즈형 신축이음쇠

해설 신축곡관식은 루프형이다.

10 강관재 루프형 신축이음은 고압에 견디고, 고장이 적어 고온·고압용 배관에 이용되는데 이 신축이음의 곡률반경은 관지름의 몇 배 이상으로 하는 것이 좋은가?

① 2배 ② 3배
③ 4배 ④ 6배

해설 루프형은 관지름 6배 크기의 굽힘 반지름을 만든다.

11 증기보일러에서 송기를 개시할 때 증기밸브를 급히 열면 발생할 수 있는 현상으로 가장 적당한 것은?

① 캐비테이션 현상
② 수격작용
③ 역화
④ 수면계의 파손

해설 주증기밸브를 급히 열면 수격작용이 발생한다.

12 벨로즈형 신축이음쇠에 대한 설명으로 틀린 것은?

① 설치 공간을 넓게 차지하지 않는다.
② 고온, 고압 배관의 옥내배관에 적당하다.
③ 일명 팩레스(pack less)신축이음쇠라고도 한다.
④ 벨로즈는 부식되지 않는 스테인리스, 청동제품 등을 사용한다.

해설 벨로즈형 신축이음쇠는 고온, 고압 배관의 옥내배관에는 부적당하다.

정답 07 ② 08 ① 09 ① 10 ④ 11 ② 12 ②

13 **증기난방 배관시공 시 환수관이 문 또는 보와 교차할 때 이용되는 배관형식으로 위로는 공기, 아래로는 응축수를 유통시킬 수 있도록 시공하는 배관은?**

① 루프형 배관
② 리프트 피팅 배관
③ 하트포드 배관
④ 냉각 배관

해설 환수관이 문 또는 보와 같은 장애물에 부딪치는 경우에는 루프형 배관을 한다.

14 **증기축열기(steam accumulator)에 대한 설명으로 옳은 것은?**

① 송기압력을 일정하게 유지하기 위한 장치
② 보일러 출력을 증가시키는 장치
③ 보일러에서 온수를 저장하는 장치
④ 증기를 저장하여 과부하 시에는 증기를 방출하는 장치

해설 증기축열기란 저부하 시에 잉여 증기를 저장하여 과부하 시에 증기를 방출하여 부족한 증기를 방출하는 장치이다.

15 **온도 조절식 트랩으로 응축수와 함께 저온의 공기도 통과시키는 특성이 있으며, 진공환수식 증기배관의 방열기 트랩이나 과말 트랩으로 사용되는 것은?**

① 버킷 트랩
② 열동식 트랩
③ 플로트 트랩
④ 매니폴드 트랩

해설 방열기에는 주로 열동식 트랩을 사용한다.

16 **증기트랩이 갖추어야 할 조건에 대한 설명으로 틀린 것은?**

① 마찰저항이 클 것
② 동작이 확실할 것
③ 내식, 내마모성이 있을 것
④ 응축수를 연속적으로 배출할 수 있을 것

해설 증기트랩은 마찰저항이 적고 동작이 확실하며 내식, 내마모성이 있어야 한다.

17 **보일러 부속장치에 관한 설명으로 틀린 것은?**

① 기수분리기 : 증기 중에 혼입된 수분을 분리하는 장치
② 수트블로어 : 보일러 동 저면의 스케일, 침전물 등을 밖으로 배출하는 장치
③ 오일스트레이너 : 연료 속의 불순물 방지 및 유량계 펌프 등의 고장을 방지하는 장치
④ 스팀 트랩 : 응축수를 자동으로 배출하는 장치

해설 수트블로어는 전열면에 부착된 그을음을 제거하는 장치이다.

18 **증기사용압력이 같거나 또는 다른 여러 개의 증기사용 설비의 드레인관을 하나로 묶어 한 개의 트랩으로 설치한 것을 무엇이라고 하는가?**

① 플루트 트랩
② 버킷 트랩핑
③ 디스크 트랩
④ 그룹 트랩핑

해설 드레인관을 하나로 묶어 트랩으로 만든 것을 그룹 트랩핑이라 한다.

정답 13 ① 14 ④ 15 ② 16 ① 17 ② 18 ④

19 보일러에서 발생한 증기를 송기할 때의 주의사항으로 틀린 것은?

① 주증기관 내의 응축수를 배출시킨다.
② 주증기밸브를 서서히 연다.
③ 송기한 후에 압력계의 증기압 변동에 주의한다.
④ 송기한 후에 밸브의 개폐상태에 대한 이상유무를 점검하고 드레인밸브를 열어 놓는다,

해설 증기를 송기한 후에는 드레인밸브는 닫는다.

20 증기, 물, 기름 배관 등에 사용되며 관 내의 이물질, 찌꺼기 등을 제거할 목적으로 사용되는 것은?

① 플로트밸브
② 스트레이너
③ 세정밸브
④ 분수밸브

정답 19 ④ 20 ④

여열장치(폐열회수장치)

(1) 과열기

연소가스의 여열(폐열)을 이용하여 건포화증기를 압력변화 없이 온도만 높여 과열증기를 얻는 것

① 과열기의 특징

㉮ 과열온도는 높을수록 좋다(탄소강관 400~450℃, 몰리브덴강 600℃).

㉯ 고온부식이 일어나기 쉽다(V : 바나듐성분으로 인해).

㉰ 열효율을 높여준다.

㉱ 수격작용을 방지한다.

㉲ 같은 압력의 증기에 비해 보유열량이 많은 증기를 얻는다.

㉳ 관 내 마찰저항을 감소시켜 열손실을 줄여준다.

② 과열기의 종류

㉮ 연소가스 흐름에 의한 분류

- 병류식 : 증기와 연소가스의 흐름이 같은 방향
- 향류식 : 증기와 연소가스의 흐름이 반대 방향
- 혼류식 : 병류식과 향류식의 병합, 열 이용율이 가장 양호하다.

㉯ 전열방식에 의한 분류

- 접촉(대류) 과열기 : 연소가스의 대류열을 이용
- 복사 과열기 : 복사열을 이용
- 접촉 복사 과열기 : 복사열과 대류열을 동시에 이용
- 재열기 : 온도가 떨어진 증기를 다시 가열하여 과열도를 높여준다.
- 절탄기 : 배기가스의 폐열을 이용하여 급수를 예열하는 장치

[절탄기의 장 · 단점]

장 점	단 점
① 연료의 절감 ② 응력발생을 감소 ③ 증기발생량의 증가 ④ 불순물의 일부 제거	① 저온부식이 발생 ② 통풍력 감소 ③ 청소, 점검, 수리가 곤란함

• 공기예열기 : 배기가스의 폐열을 이용하여 연소용 공기를 예열하는 장치로 전열식, 재생식, 증기식 등이 있다.

[공기예열기의 장 · 단점]

장 점	단 점
① 연소효율이 높아짐	① 저온부식이 발생
② 적은 과잉공기로도 연료의 완전연소 가능	② 통풍력 감소
③ 수분 많은 저질탄의 연소에 유효	③ 청소, 점검, 수리가 곤란함

※ 여열장치(폐열회수장치)의 설치순서 : 증발기 → 과열기 → 재열기 → 절탄기 → 공기예열기

제3-5장 출/제/예/상/문/제

01 **절탄기에 대한 설명 중 옳은 것은?**

① 절탄기의 설치방식은 혼합식과 분배식이 있다.
② 절탄기의 급수예열온도는 포화온도 이상으로 한다.
③ 연료의 절약과 증발량의 감소 및 열효율을 감소시킨다.
④ 급수와 보일러수의 온도차 감소로 열응력을 줄여 준다.

해설 절탄기는 급수와 보일러수의 온도차를 감소시켜 열응력을 줄여준다.

02 **급수예열기(절탄기, economizer)의 형식 및 구조에 대한 설명으로 틀린 것은?**

① 설치 방식에 따라 부속식과 집중식으로 분류한다.
② 급수의 가열도에 따라 증발식과 비증발식으로 구분하며, 일반적으로 증발식을 많이 사용한다.
③ 평관급수예열기는 부착하기 쉬운 먼지를 함유하는 배기가스에서도 사용할 수 있지만 설치 공간이 넓어야 한다.
④ 핀 튜브 급수예열기를 사용할 경우 배기가스의 먼지 성상에 주의할 필요가 있다.

해설 절탄기의 형식은 급수의 가열도에 따라 증발식과 비증발식으로 구분하며, 일반적으로 비증발식을 많이 사용한다.

03 **과열증기에서 과열도는 무엇인가?**

① 과열증기온도와 포화증기온도와의 차이다.
② 과열증기온도에 증발열을 합한 것이다.
③ 과열증기의 압력과 포화증기의 압력 차이다.
④ 과열증기온도에 증발열을 뺀 것이다.

해설 과열도 = 과열증기온도 − 포화증기온도

04 **절탄기(economizer) 및 공기예열기에서 유황(S) 성분에 의해 주로 발생되는 부식은?**

① 고온부식 ② 저온부식
③ 산화부식 ④ 점식

해설 절탄기, 공기예열기는 저온부식이 발생한다.

05 **다음 중 과열기에 관한 설명으로 틀린 것은?**

① 연소방식에 따라 직접연소식과 간접연소식으로 구분된다.
② 전열방식에 따라 복사형, 대류형, 양자 병용형으로 구분된다.
③ 복사형 과열기는 관열관을 연소실 내 또는 노벽에 설치하여 복사열을 이용하는 방식이다.
④ 과열기는 일반적으로 직접연소식이 널리 사용된다.

해설 과열기는 간접연소식이 많이 사용된다.

06 **공기예열기에서 전열 방법에 따른 분류에 속하지 않는 것은?**

① 전도식 ② 재생식
③ 히트파이프식 ④ 열팽창식

해설 전열 방법에 따른 분류에는 재생식, 전도식, 히트파이프식이 있다.

정답 01 ④ 02 ② 03 ① 04 ② 05 ④ 06 ④

07 과열기의 형식 중 증기와 열가스 흐름의 방향이 서로 반대인 과열기의 형식은?

① 병류식 ② 대향류식
③ 증류식 ④ 역류식

해설 증기와 열가스의 흐름의 방향이 서로 반대인 경우에는 대향류식(향류식)이다.

08 공기예열기에 대한 설명으로 틀린 것은?

① 보일러의 열효율을 향상시킨다.
② 불완전연소를 감소시킨다.
③ 배기가스의 열손실을 감소시킨다.
④ 통풍저항이 작아진다.

해설 공기예열기는 통풍력 감소 즉, 통풍 저항이 크다.

09 보일러의 폐열회수장치에 대한 설명 중 가장 거리가 먼 것은?

① 공기예열기는 배기가스와 연소용 공기를 열교환하여 연소용 공기를 가열하기 위한 것이다.
② 절탄기는 배기가스의 여열을 이용하여 급수를 예열하는 급수예열기를 말한다.
③ 공기예열기의 형식은 전열방법에 따라 전도식과 재생식, 히트파이프식으로 분류된다.
④ 급수예열기는 설치하지 않아도 되지만 공기예열기는 반드시 설치하여야 한다.

해설 급수예열기(절탄기)도 반드시 설치하여야 한다.

10 보일러의 여열을 이용하여 증기보일러의 효율을 높이기 위한 부속장치로 맞는 것은?

① 버너, 댐퍼, 송풍기
② 절탄기, 공기예열기, 과열기
③ 수면계, 압력계, 안전밸브
④ 인젝터, 저수위 경보장치, 집진장치

해설 배기가스의 여열을 이용하여 보일러 열효율을 높이기 위한 부속장치에는 과열기, 재열기, 절탄기, 공기예열기 등이 있다.

11 연도에서 폐열회수장치의 설치순서가 옳은 것은?

① 재열기 → 절탄기 → 공기예열기 → 과열기
② 과열기 → 재열기 → 절탄기 → 공기예열기
③ 공기예열기 → 과열기 → 절탄기 → 재열기
④ 절탄기 → 과열기 → 공기예열기 → 재열기

해설 연소가스의 여열을 이용하여 열효율을 높여주는 폐열회수장치의 순서는 과열기 → 재열기 → 절탄기 → 공기예열기가 된다.

12 다음 열효율 증대장치 중에서 고온부식이 잘 일어나는 장치는?

① 공기예열기
② 과열기
③ 증발전열면
④ 절탄기

해설 과열기, 재열기는 고온부식이 발생한다.

13 과열기의 종류 중 열가스 흐름에 의한 구분 방식에 속하지 않는 것은?

① 병류식 ② 접촉식
③ 향류식 ④ 혼류식

해설 복사식, 접촉식, 복사대류식은 전열방식에 따른 분류이다.

정답 07 ② 08 ④ 09 ④ 10 ② 11 ② 12 ② 13 ②

6 분출장치

(1) 분출장치

슬러지의 농축이나 침전과 스케일에 의한 부분적 과열사고를 예방하기 위해 불순물을 배출하는 장치

① 분출 종류

㉮ 수면분출(연속분출) : 수면에 설치하여 관수 중의 부유물, 유지분 등 불순물을 제거함

㉯ 수저분출(단속분출) : 동저부에 설치하여 침전된 슬러지를 제거함

※ 개방 순서는 급개형 밸브를 열고 서개형 밸브를 연다(잠글 때는 역순이다).

※ 수저 분출장치 위치 : 보일러 → 급개형 밸브 → 서개형 밸브

② 분출 목적

㉮ 농축을 방지

㉯ 관수의 PH를 조절(급수의 8~9, 보일러수의 10.5~11.8)

㉰ 캐리오버 현상을 방지

㉱ 스케일, 슬러지의 생성을 방지

㉲ 관수의 분출로 대류열을 향상시킴

③ 분출 시기

㉮ 보일러를 가동하기 전

㉯ 운전 중인 보일러의 경우 부하가 가장 가벼울 때

㉰ 비수(프라이밍), 포밍의 발생 시

㉱ 수위가 고수위일 때

㉲ 관수의 농축이 심할 때

④ 분출 시 주의사항

㉮ 2명이 1조가 되어 실시한다.

㉯ 분출은 가급적 가동 전, 부하가 가장 가벼울 때 실시한다.

㉰ 1일 1회 이상 실시한다.

㉱ 2대의 보일러를 동시에 분출해서는 안 된다.

⑤ 분출 밸브 설치

㉮ 최소한 0.7MPa(kg/cm^2) 이상에 견딜 것

㉯ 보일러 가까이에 서개형 밸브, 그 뒤에 급개형 밸브를 설치

㉰ 밸브는 침전물이나 퇴적물이 쌓이지 않는 구조일 것

㉣ 호칭 25~65A를 사용(주철제 보일러는 20~70A)

㉤ 전열 면적 $10m^2$ 이하의 경우 20A

㉥ 보일러 최고사용압력의 1.25배 이상을 버틸 것

※ 분출량 : $L = \dfrac{\text{급수량} \times \text{급수고형분}}{\text{허용고형분} - \text{급수고형분}} (ppm)$

$$L = \frac{W(1-R)d}{r-d}$$

W : 1일 급수량	r : 보일러관수 허용농도
d : 급수허용농도	R : 응축수회수율

(2) 수트블로어 장치(soot blower)

보일러 전열면 외부나 수관 주위에 부착되어 있는 그을음과 재를 제거하는 장치이다.

① 수트블로어 사용 시 주의사항

㉮ 보일러 부하가 50% 이하일 때는 사용하지 말 것

㉯ 댐퍼를 열어 통풍력을 크게 한다.

㉰ 드레인 후 작업한다.

㉱ 한 곳에 집중적으로 사용하지 말 것

② 종류

㉮ 롱레트랙터블형 : 보일러의 과열기나 수관 등 고온 전열면에 사용한다.

㉯ 숏트레트랙터블형 : 연소실 노벽에 부착되어 있는 이물질 제거에 사용한다.

㉰ 정치회전형 : 보일러의 저온 전열면에 사용한다.

㉱ 건형 : 보일러의 전열면에 주로 사용한다.

㉲ 공기예열기 클리너형 : 공기예열기에 주로 사용한다.

제3-6장 출/제/예/상/문/제

01 분사관을 이용해 선단에 노즐을 설치하여 청소하는 것으로 주로 고온의 전열면에 사용하는 수트블로어의 형식은?

① 롱레트랙터블형(long retractable)
② 로터리형(rotary)
③ 건형(gun)
④ 에어히터클리너형(air heater cleaner)

해설 롱레트랙터블형(삽입형) : 고온부인 과열기나 수관부용

02 수트블로어 사용에 관한 주의사항으로 틀린 것은?

① 분출기 내의 응축수를 배출시킨 후 사용할 것
② 부하가 적거나 소화 후 사용하지 말 것
③ 원활한 분출을 위해 분출하기 전 연도 내 배풍기를 사용하지 말 것
④ 한 곳에 집중적으로 사용하여 전열면에 무리를 가하지 말 것

해설 원활한 분출을 위해 배풍기를 사용한다.

03 보일러 분출장치의 분출시기로 적절하지 않은 것은?

① 보일러 가동 직전에
② 프라이밍, 포밍현상이 일어날 때
③ 연속가동 시 열부하가 가장 높을 때
④ 관수가 농축되어 있을 때

해설 보일러부하가 가장 낮을 때가 분출시기이다.

04 다음 중 수트블로어의 종류가 아닌 것은?

① 장발형
② 건타입형
③ 정치회전형
④ 콤버스터형

해설 수트블로어(soot blower)의 종류 : 장발형(롱레트랙터블형), 단발형(숏트레트랙터블형), 건타입형, 정치회전형

05 수트블로어에 관한 설명으로 잘못된 것은?

① 전열면 외측의 그을음 등을 제거하는 장치이다.
② 분출기 내의 응축수를 배출시킨 후 사용한다.
③ 부하가 50% 이하인 경우에만 블로우한다.
④ 블로우 시에는 댐퍼를 열고 흡입통풍을 증가시킨다.

해설 보일러부하가 50% 이하인 경우에는 사용하지 말 것

06 보일러 전열면의 그을음을 제거하는 장치는?

① 수저분출장치
② 수트블로어
③ 절탄기
④ 인젝터

해설 수트블로어는 보일러 전열면 외부나 수관 주위의 그을음을 제거하는 장치이다.

정답 01 ① 02 ③ 03 ③ 04 ④ 05 ③ 06 ②

07 수트블로어(soot blower) 사용 시 주의 사항으로 거리가 먼 것은?

① 한 곳으로 집중하여 사용하지 말 것
② 분출기 내의 응축수를 배출시킨 후 사용할 것
③ 보일러 가동을 정지 후 사용할 것
④ 연도 내 배풍기를 사용하여 유인통풍을 증가시킬 것

해설 그을음 제거는 부하가 적을 때 해야 하며, 가동을 정지 후에 해서는 안 된다.

08 분출밸브의 최고사용압력은 보일러 최고사용압력의 몇 배 이상이어야 하는가?

① 0.5배 ② 1.0배
③ 1.25배 ④ 2.0배

해설 분출밸브는 스케일, 그 밖의 침전물이 퇴적되지 않는 구조의 것으로 보일러의 최고사용압력의 1.25배 이상이어야 한다.

09 보일러 분출 시의 유의사항 중 틀린 것은?

① 분출 도중 다른 작업을 하지 말 것
② 안전저수위 이하로 분출하지 말 것
③ 2대 이상의 보일러를 동시에 분출하지 말 것
④ 계속 운전 중인 보일러의 경우 부하가 가장 클 때 분출할 것

10 상용 보일러의 점화 전 준비 사항에 관한 설명으로 틀린 것은?

① 수저분출밸브 및 분출 콕의 기능을 확인하고, 조금씩 분출되도록 약간 개방하여 둔다.
② 수면계에 의하여 수위가 적정한지 확인한다.
③ 급수배관의 밸브가 열려있는지, 급수펌프의 기능은 정상인지 확인한다.
④ 공기빼기밸브는 증기가 발생하기 전까지 열어 놓는다.

해설 수저분출밸브 및 분출 콕은 빠르게 분출되도록 완전히 개방한다.

11 보일러 부속장치에 관한 설명으로 틀린 것은?

① 기수분리기 : 증기 중에 혼입된 수분을 분리하는 장치
② 수트블로어 : 보일러 동 저면의 스케일, 침전물 등을 밖으로 배출하는 장치
③ 오일스트레이너 : 연료 속의 불순물 방지 및 유량계 펌프 등의 고장을 방지하는 장치
④ 스팀 트랩 : 응축수를 자동으로 배출하는 장치

해설 수트블로어는 전열면에 부착된 그을음을 제거하는 장치이다.

12 다음 중 보일러수 분출의 목적이 아닌 것은?

① 보일러수의 농축을 방지한다.
② 프라이밍, 포밍을 방지한다.
③ 관수의 순환을 좋게 한다.
④ 포화증기를 과열증기로 증기의 온도를 상승시킨다.

해설 분출의 목적은 농축과 프라이밍 및 포밍을 방지하여 관수의 순환을 촉진하기 위함이다.

정답 07 ③ 08 ③ 09 ④ 10 ① 11 ② 12 ④

7 통풍장치

(1) 통풍의 종류

① 자연통풍

㉮ 연돌의 높이를 이용한 통풍으로 배가가스 속도는 3~4m/sec 정도이다.

㉯ 배기가스와 공기의 비중차를 이용한 통풍방식이다.

㉰ 자연통풍은 연돌 높이와 연소가스의 온도에 따라 일정한 한도를 가진다.

② 강제통풍

㉮ 압입통풍

- 연소실 입구에 송풍기를 설치한 것으로 배기가스의 속도는 8m/sec 정도이다.
- 연소용 공기를 노의 앞에서 불어 넣는 방식으로 송풍기의 고장이 적고 점검 및 보수가 용이하다.

㉯ 흡입(유인)통풍

- 연도의 끝이나 연돌 하부에 송풍기를 설치한 것으로 배기가스의 속도는 10m/sec 정도이다.
- 연도 내의 압력은 대기압보다 낮다.
- 매연이 많이 발생하므로 송풍기 고장이 잦다.

㉰ 평형통풍

- 압입통풍과 유인통풍을 절충한 형식으로 배기가스의 속도는 10m/sec 이상이다.
- 연소용 공기를 연소실로 밀어 넣는 방식이다.
- 통풍 저항이 큰 대형 보일러에 많이 사용한다.

(2) 통풍력

① 통풍력을 증가시키기 위한 조건

㉮ 연돌이 높고 연돌상부 단면적이 클수록 증가한다.

㉯ 배기가스 온도가 높을수록 증가한다.

㉰ 굴곡부가 적을수록(3개소 이내) 증가한다.

㉱ 공기의 습도가 낮을수록 증가한다.

② 이론 통풍력 계산공식

$$이론통풍력z = 273 \times H(\frac{\gamma_a}{T_a} - \frac{\gamma_g}{T_g})mmAq$$

$$= 355 \times H(\frac{1}{T_a} - \frac{1}{T_g})mmAq$$

H : 연돌높이	γ_a : 외기 비중량
γ_g : 배기가스 비중량	T_a : 외기 절대온도
T_g : 배기가스 절대온도	

※ 실제통풍력 = 이론통풍력 × 0.8

③ 연돌 상부단면적의 계산공식

F=[G×(1+0.0037t[℃])×P1 /P2] ÷ (W×3600)

F=단면적	G=배기가스량
W=유속	P_1, P_2=표준 상태, 배기가스의 압력

(3) 송풍기

① 송풍기의 용량은 정격부하에서 필요한 이론공기량의 140%를 공급할 수 있는 용량 이하여야 한다.

② 송풍기 용량 계산

$$Hp = \frac{P \times Q}{76 \times \eta}$$

$$PS = \frac{P \times Q}{75 \times \eta}$$

$$KW = \frac{P \times Q}{102 \times \eta}$$

P : 풍압, Q : 풍량, η :효율

③ 송풍기의 종류

㉮ 원심력 송풍기

- 플레이트형 송풍기 : 경향 날개 6~12개의 철판제로 직선 날개로 구성되어 있다.
  - 효율이 비교적 높다.
  - 풍압이 낮다.
  - 마모에 강하다.
  - 플레이트 교체가 용이하다.
  - 풍량이 많지 않다.
- 다익형 송풍기 : 전향 날개 60~90개로 구성되어 있으며 날개폭이 좁다.
  - 효율은 낮으나 풍량이 많다.
  - 풍압이 낮다.
  - 소형, 경량이다.
  - 고온, 고압에 부적당하다.
  - 설치 면적을 적게 차지한다.
- 터보형 송풍기 : 후향 날개 16~24개로 구성되어 있다.
  - 효율이 높다.
  - 풍압이 높다.
  - 고압, 대용량에 적합하다.
  - 적은 동력으로 사용 가능하다.
  - 대형이며 가격이 비싸다.

㉯ 축류형 송풍기 : 프로펠러형과 디스크형이 있으며 환기, 배기용으로 많이 사용한다.

- 효율이 비교적 높다.
- 풍압이 낮다.
- 풍량이 많다.
- 소음이 적고, 고속운전에 적합하다.
- 소형, 경량이다.

(4) 댐퍼

① 댐퍼의 설치 목적

㉮ 통풍력을 조절한다.

㉯ 배기가스의 흐름을 차단한다.

㉰ 주연도에서 부연도로의 가스의 흐름을 전환한다.

② 댐퍼의 종류

㉮ 버터플라이 댐퍼 : 소형 덕트에 주로 사용

㉯ 스플리티 댐퍼 : 풍량 조절용

㉰ 다익 댐퍼 : 대형 덕트에 주로 사용

③ 댐퍼의 형식

㉮ 회전식 : 댐퍼판의 회전에 의해 통풍력을 조절한다.

㉯ 승강식 : 댐퍼판의 올림 내림에 의해 통풍력을 조절한다.

제3-7장 출/제/예/상/문/제

01 보기에서 설명한 송풍기의 종류는?

> • 경향 날개형이며 6~12매의 철판제 직선날개를 보스에서 방사한 스포우크에 리벳죔을 한 것이며, 측판이 있는 임펠러와 측판이 없는 것이 있다.
> • 구조가 견고하며 내마모성이 크고 날개를 바꾸기도 쉬우며 회진이 많은 가스의 흡출통풍기, 미분탄 장치의 배탄기 등에 사용된다.

① 터보송풍기
② 다익송풍기
③ 축류송풍기
④ 플레이트 송풍기

해설 송풍기의 종류
• 다익형(실로코형) : 전향날개형(날개 각도 〉 90°)
• 방사형(플레이트형) : 경향(방사형)날개형이며 6~12매의 철판제 직선날개형(날개각도 = 90°)
• 터보형 : 후향날개형(날개각도 〈 90°)

02 통풍 방식에 있어서 소요 동력이 비교적 많으나 통풍력 조절이 용이하고 노내압을 정압 및 부압으로 임의로 조절이 가능한 방식은?

① 흡인통풍
② 압입통풍
③ 평형통풍
④ 자연통풍

해설 자연통풍에 관한 내용이다.

03 보일러 통풍에 대한 설명으로 잘못된 것은?

① 자연통풍은 일반적으로 별도의 동력을 사용하지 않는, 연돌에 인한 통풍을 말한다.
② 평형통풍은 통풍조절은 용이하나 통풍력이 약하여 주로 소용량 보일러에서 사용한다.
③ 압입통풍은 연소용 공기를 송풍기로 노 입구에서 대기압보다 높은 압력으로 밀어 넣고 굴뚝의 통풍작용과 같이 통풍을 유지하는 방식이다.
④ 흡입통풍은 크게 연소가스를 직접 통풍기에 빨아들이는 직접흡입식과 통풍기로 대기를 빨아들이게 하고 이를 인젝터로 보내어 그 작용에 의해 연소가스를 빨아들이는 간접흡입식이 있다.

해설 평형통풍은 주로 대용량 보일러에 사용된다.

04 보일러의 연소장치에서 통풍력을 크게 하는 조건으로 틀린 것은?

① 연돌의 높이를 높인다.
② 배기가스 온도를 높인다.
③ 연도의 굴곡부를 줄인다.
④ 연돌의 단면적을 줄인다.

해설 연돌의 단면적을 크게 하면 통풍력을 증대시킬 수 있다.

정답 01 ④ 02 ④ 03 ② 04 ④

05 다음과 같은 특징을 갖고 있는 통풍방식은?

> • 연도의 끝이나 연돌하부에 송풍기를 설치한다.
> • 연도 내의 압력은 대기압보다 작게 유지된다.
> • 매연이나 부식성이 강한 배기가스가 통과하므로 송풍기의 고장이 자주 발생한다.

① 자연통풍 ② 압입통풍
③ 흡입통풍 ④ 평형통풍

해설 흡입통풍에 관한 내용이다.

06 보일러 연도에 설치하는 댐퍼의 설치 목적과 관계가 없는 것은?

① 매연 및 그을음의 제거
② 통풍력의 조절
③ 연소가스 흐름의 차단
④ 주연도와 부연도가 있을 때 가스의 흐름을 전환

해설 댐퍼 : 통풍력을 조절하고, 연소가스의 흐름을 차단한다.

07 통풍력을 증가시키는 방법으로 옳은 것은?

① 연도는 짧게, 연돌은 낮게 설치한다.
② 연도는 길게, 연돌의 단면적을 작게 설치한다.
③ 배기가스의 온도는 낮춘다.
④ 연도는 짧게, 굴곡부는 적게 한다.

해설 굴곡부는 3개소 이내이다.

08 보일러 배기가스의 자연통풍력을 증가시키는 방법으로 틀린 것은?

① 연도의 길이를 짧게 한다.
② 배기가스 온도를 낮춘다.
③ 연돌 높이를 증가시킨다.
④ 연돌의 단면적을 크게 한다.

해설 자연통풍력을 증가시키려면 배기가스 온도를 높게 해야 한다.

09 자연통풍 방식에서 통풍력이 증가되는 경우가 아닌 것은?

① 연돌의 높이가 낮은 경우
② 연돌의 단면적이 큰 경우
③ 연도의 굴곡수가 적은 경우
④ 배기가스의 온도가 높은 경우

해설 연돌의 높이가 높은 경우 통풍력이 증가된다.

10 다음 중 보일러에서 연소가스의 배기가 잘 되는 경우는?

① 연도의 단면적이 작을 때
② 배기가스 온도가 높을 때
③ 연도에 급한 굴곡이 있을 때
④ 연도에 공기가 많이 침입될 때

해설 배기가스 온도가 높을 때, 연도에 굴곡이 적을 때, 연도의 단면적이 클 때 연소가스의 배기가 잘 된다.

11 원심형 송풍기에 해당하지 않는 것은?

① 터보형 ② 다익형
③ 플레이트형 ④ 프로펠러형

해설 원심식에는 플레이트식, 터보식, 다익형이 있다.

12 연소가스와 대기의 온도가 각각 250℃, 30℃이고 연돌의 높이가 50m일 때 이론 통풍력은 약 얼마인가?(단, 연소가스와 대기의 비중량은 각각 1.35kg/Nm^3, 1.25kg/Nm^{3}이다.)

① 21.08mmAq ② 23.12mmAq
③ 25.02mmAq ④ 27.36mmAq

해설 $273 \times 50 \times (\frac{1.25}{30+273} - \frac{1.35}{250+273}) = 21.08mmAq$

정답 05 ③ 06 ① 07 ④ 08 ② 09 ① 10 ② 11 ④ 12 ①

8 집진(매연제거)장치

(1) 설치목적

연돌로 배출되는 그을음, 분진, 비산회 등의 매연을 제거하여 대기오염을 방지한다.

(2) 집진장치의 종류

① 건식 집진장치

㉮ 원심력식 : 먼지의 크기가 비교적 클 경우 사용하는 것으로 집진 효율이 좋아 가장 많이 쓰이며, 원심력을 이용한다.

㉯ 중력식 : 배출가스를 용적이 큰 침강실에 끌어 들여 그 내부의 가스 유속을 0.5~1m/sec 정도로 해 주면 분진이 중력작용에 의해 침강하는 원리를 이용하여 분진을 가스와 분리시키는 방식이다.

㉰ 관성력식 : 분진을 함유한 배출가스를 5~10m/sec의 속도로 흐르게 하면서 장애물을 이용하여 흐름의 방향을 바꾸어 주는 관성력을 이용한 방식이다.

② 습식(세정식) 집진장치 : 함유가스를 세정액에 충분히 접촉시켜 액에 의해 포집하는 것으로 건식법과 비해 높은 집진율을 얻을 수 있다. 종류에는 아래의 것들이 있다.

㉮ 가압수식 : 벤튜리 제트, 사이클론 스크레버 형식, 충전탑

㉯ 유수식

㉰ 회전식

③ 여과식 집진장치 : 백 필터(bag filter)로 알려져 있으며 집진 효율이 높아 가장 많이 사용되며 내면 여과방식과 표면 여과방식으로 나뉜다.

④ 전기식 집진장치 : 코트럴 집진장치가 대표적이며 미세입자의 포집이 용이하고 가장 높은 집진율을 얻는다.

(3) 매연농도의 측정장치

① 매연의 발생 원인

㉮ 연료의 연소 방법이 미숙할 때

㉯ 통풍력이 부족하거나 과대할 때

㉰ 연료와 연소용 공기의 혼합이 불량할 때

㉱ 연소실의 온도가 너무 낮을 때

㉲ 연료의 질이 나쁠 때

㉥ 연소장치가 사용 연료와 맞지 않을 때

㉦ 공기비가 1.03배 이하일 때

② 매연의 발생 방지대책

㉮ 연료의 연소 방법을 개선한다.

㉯ 통풍력을 적당하게 유지시킨다.

㉰ 연료와 연소용 공기의 혼합이 잘 되도록 한다.

㉱ 연소실의 온도를 고온으로 유지한다.

㉲ 양질의 연료를 사용한다.

㉳ 연소장치를 개선한다.

㉴ 무리한 연소를 방지한다.

③ 매연농도계의 종류

㉮ 링겔만 매연농도계 : 0번에서 5번까지 6가지 종류로 구분된 농도표

• 아래 표를 관측자로부터 16m 떨어진 위치에 놓고, 관측자와 연돌과의 거리가 약 30~39m 정도의 위치에서 연돌 상단의 입구로부터 30~45cm에 떨어진 위치의 매연 농도를 비교 측정하는 것으로 1, 2번이 가장 양호한 연소이다.

농도번호	0	1	2	3	4	5
농도율(%)	0%	20%	40%	60%	80%	100%
연기색	무색	엷은회색	회색	엷은흑색	흑색	암흑색

㉯ 바카라치(스모크 테스트) : 0번부터 9번까지 10가지 종류가 있다.

제3-8장 출/제/예/상/문/제

01 다음 중 매연 발생의 원인이 아닌 것은?

① 공기량이 부족할 때
② 연료와 연소장치가 맞지 않을 때
③ 연소실의 온도가 낮을 때
④ 연소실의 용적이 클 때

해설 연소실 용적이 적을 때 매연이 발생한다.

02 집진 효율이 대단히 좋고, 미세한 입자도 처리할 수 있는 집진 장치는?

① 관성력 집진기
② 전기식 집진기
③ 원심력 집진기
④ 멀티사이크론식 집진기

해설 전기식의 집진효율이 제일 높다.

03 링겔만 농도표는 무엇을 계측하는데 사용되는가?

① 배출가스의 매연 농도
② 중유 중의 유황 농도
③ 미분탄의 입도
④ 보일러 수의 고형물 농도

해설 링겔만 매연농도계는 배출가스의 매연 농도를 측정할 수 있다.

04 충전탑은 어떤 집진법에 해당되는가?

① 여과식 집진법 ② 관성력식 집진법
③ 세정식 집진법 ④ 중력식 집진법

해설 세정식 집진장치 : 충전탑, 사이클론 스크러버, 벤투리 스크러버, 제트 스크러버

05 세정식 집진장치 중 하나인 회전식 집진장치의 특징에 관한 설명으로 틀린 것은?

① 가동부분이 적고 구조가 간단하다.
② 세정용수가 적게 들며, 급수 배관을 따로 설치할 필요가 없으므로 설치공간이 적게 든다.
③ 집진물을 회수할 때 탈수, 건조 등을 수행할 수 있는 별도의 장치가 필요하다.
④ 비교적 큰 압력손실을 견딜 수 있다.

해설 세정용수가 많이 들며 급수배관을 따로 설치할 필요가 있다.

06 다음 중 여과식 집진장치의 종류가 아닌 것은?

① 유수식 ② 원통식
③ 평판식 ④ 역기류 분사식

해설 여과식에는 원통식, 평판식, 완전 자동형인 역기류 분사식이 있다.

07 다음 집진장치 중 가압수를 이용한 집진장치는?

① 포켓식
② 임펠러식
③ 벤투리 스크레버식
④ 타이젠 와셔식

해설 가압수식 집진장치의 종류 : 벤튜리 스크레버, 사이클론 스크레버, 제트 스크레버, 충전탑

08 집진장치 중 집진효율은 높으나 압력손실이 낮은 형식은?

① 전기식 집진장치

정답 01 ④ 02 ② 03 ① 04 ③ 05 ② 06 ① 07 ③ 08 ①

② 중력식 집진장치
③ 원심력식 집진장치
④ 세정식 집진장치

해설 전기식 집진장치의 특징 : 집진효율(90~99.5% 정도)이 높고 압력손실이 낮다.

09 가압수식 집진장치의 종류에 속하는 것은?

① 백필터 ② 세정탑
③ 코트렐 ④ 배플식

해설 가압수식 집진장치의 종류 : 벤튜리 스크레버, 사이클론 스크레버, 제트 스크레버, 충전탑(세정탑)

10 사이클론 집진기의 집진율을 증가시키기 위한 방법으로 틀린 것은?

① 사이클론의 내면을 거칠게 처리한다.
② 블로우 다운방식을 사용한다.
③ 사이클론 입구의 속도를 크게 한다.
④ 분진박스와 모양은 적당한 크기와 형상으로 한다.

해설 집진율을 증가시키기 위하여 사이클론의 내면을 매끈하게 하여 마찰손실을 줄인다.

11 보일러 집진장치의 형식과 종류를 짝지은 것 중 틀린 것은?

① 가압수식－제트 스크러버
② 여과식－충격식 스크러버
③ 원심력식－사이클론
④ 전기식－코트렐

해설 여과식 집진장치에는 대표적으로 백 필터가 있다.

12 집진장치의 종류 중 건식집진장치의 종류가 아닌 것은?

① 가압수식 집진기 ② 중력식 집진기
③ 관성력식 집진기 ④ 원심력식 집진기

해설 가압수식 : 습식 집진장치

13 세정식 집진장치 중 하나인 회전식 집진장치의 특징에 관한 설명으로 가장 거리가 먼 것은?

① 구조가 대체로 간단하고 조작이 쉽다.
② 급수배관을 따로 설치할 필요가 없으므로 설치공간이 적게 든다.
③ 집진물을 회수할 때 탈수, 여과, 건조 등을 수행할 수 있는 별도의 장치가 필요하다.
④ 비교적 큰 압력손실을 견딜 수 있다.

해설 회전식은 습식이므로 급수배관을 설치해야 한다.

14 함진 배기가스를 액방울이나 액막에 충돌시켜 분진 입자를 포집 분리하는 집진장치는?

① 중력식 집진장치
② 관성력식 집진장치
③ 원심력식 집진장치
④ 세정식 집진장치

해설 세정식 집진장치에 대한 내용이다.

15 분진가스를 집전기 내에 충돌시키거나 열가스의 흐름을 반전시켜 급격한 기류의 방향전환에 의해 분진을 포집하는 집진장치는?

① 중력식 집진장치
② 관성력식 집진장치
② 사이클론식 집진장치
④ 멀티사이클론식 집진장치

16 가압수식을 이용한 집진장치가 아닌 것은?

① 제트 스크러버
② 충격식 스크러버
③ 벤튜리 스크러버
④ 사이클론 스크러버

해설 충격식 스크레버는 회전식이다.

정답 09 ② 10 ① 11 ② 12 ① 13 ② 14 ④ 15 ② 16 ②

9 자동제어

(1) 자동제어의 목적

① 경제적인 증기를 얻는다.

② 효율적인 운전으로 연료비가 감소한다.

③ 보일러의 운전을 안전하게 한다.

④ 인건비를 절감한다.

(2) 자동제어의 동작순서

검출 → 비교 → 판단 → 조작

(3) 자동제어의 종류

① **시퀀스제어** : 미리 정해진 순서에 따라 순차적으로 제어의 각 단계가 진행되는 제어방식으로 작동 명령에 의해서 수행되는 제어이다.

② **피드백제어** : 보일러에 주로 사용된다.

㉮ 출력 측의 신호를 입력 측으로 되돌려 보내 입·출력의 편차를 비교 수정하는 제어

㉯ 자동제어 계통의 요소나 그 요소 집단의 출력신호를 입력신호로 계속해서 되돌아오게 하는 폐회로 제어

㉰ 피드백제어의 구성요소

- 목표치 : 제어계 외부에서 주어진 값
- 제어대상 : 제어장치를 장착하는 대상물
- 제어량 : 제어하고자 하는 목적의 양
- 검출부 : 제어량을 검출하여 신호로 만드는 역할을 하는 부분
- 조절부 : 조작신호를 만들어 조작부로 보내는 부분
- 조작부 : 조작신호를 받아서 조작량으로 변환하는 부분
- 제어편차 : 목표 값에서 제어량을 뺀 값
- 외란 : 목표 값의 변경 등 제어계를 혼란시키는 외부작용

③ **정치제어** : 목표 값이 일정한 값을 갖는 제어

④ **추치제어** : 제어 목표량을 목표 값에 맞추는 제어방식

㉮ 추종제어 : 시간에 따라 임의로 변화되는 값으로 부여한 제어

㉯ 프로그램제어 : 목표 값이 시간에 따라 미리 결정된 일정한 제어

㉰ 케스케이드제어 : 1차 제어장치가 제어명령, 2차 제어장치가 제어량을 조절

㉱ 비율제어 : 2개 이상의 제어 값의 값이 정해진 비율로 제어

(4) 자동제어의 동작

① 불연속동작

㉮ on-off동작 : 조작량이 2개인 동작

㉯ 다위치동작 : 3개 이상의 정해진 값 중 하나를 취하는 방식

㉰ 불연속속도동작 : 일정한 속도로 정·역 방향으로 번갈아 작동시키는 방식

② 연속동작

㉮ 비례동작(P동작) : 제어편차에 비례하는 동작(잔류편차가 남는 동작)

㉯ 적분동작(I동작) : 제어편차의 크기와 지속시간에 비례하는 동작 잔류편차는 안 남으나 제어의 안정성은 떨어짐

㉰ 미분동작(D동작) : 제어편차 변화속도에 비례하는 동작

㉱ 복합동작 : 2개 이상으로 조합된 동작

㉲ 비례적분미분동작(PID동작) : 잔류편차(off set)를 제거

(5) 자동제어의 신호전달방식

① 전기식

㉮ 신호의 전달 지연이 없으며 배선이 용이하다.

㉯ 가장 먼 거리까지 전송이 가능하다.

㉰ 보존에 기술이 필요하다.

㉱ 전송길이 : 0.3~10km

② 유압식

㉮ 조작력이 매우 크다.

㉯ 조작속도가 크다.

㉰ 인화의 위험이 크다.

㉱ 전송길이 : 300m 정도

③ 공기식

㉮ 비교적 신호전달 거리가 짧고 신호전달 지연이 있다.

㉯ 위험성이 없으며 배관이 용이하다.

㉰ 보존이 용이하다.

㉱ 전송길이 : 100~150m

(6) 보일러 자동제어(ABC: Automatic Boiler Control)

제어명	제어량	조작량
증기온도제어(S.T.C)	증기온도	전열량
자동급수제어(F.W.C)	보일러수위	급수량
자동연소제어(A.C.C)	증기압력	연료량, 공기량
	노 내 압력	연소 가스량

※ 코프스식 수위제어기 : 바이메탈의 열팽창을 이용한 자동급수 조절장치

- 1요소식 : 수위만 검출
- 2요소식 : 수위와 증기량 검출
- 3요소식 : 수위, 증기량, 급수량 검출

(7) 인터록제어

① **초과압력 인터록** : 증기압력이 제한압력을 초과할 경우 전자밸브를 작동시킨다.

② **저수위 인터록** : 보일러 수위가 저수위가 되는 경우 전자밸브를 작동하여 연료를 차단한다(연료차단 50~100초전 경보 울림).

③ **저연소 인터록** : 운전 중 연소상태 불량으로 저연소 상태로 조절되지 않으면 전자밸브를 작동하여 연료공급을 차단하여 연소를 중지시킨다.

④ **프리퍼지 인터록** : 점화 전 송풍기가 작동되지 않으면 전자밸브가 작동하여 연료를 차단, 연소가 중단된다.

⑤ **불착화 인터록** : 보일러 운전 중 실화가 될 경우 전자밸브를 작동하여 노 내에 연료공급을 차단한다.

제3-9장 출/제/예/상/문/제

01 **미리 정해진 순서에 따라 순차적으로 제어의 각 단계가 진행되는 제어방식으로 작동 명령이 타이머나 릴레이에 의해서 수행되는 제어는?**

① 시퀀스제어 ② 피드백제어
③ 프로그램제어 ④ 캐스케이드제어

해설
- 시퀀스제어 : 미리 정해진 순서에 따라 순차적으로 제어가 진행되는 제어 방식
- 피드백제어 : 피드백에 의해 제어량을 목표값과 비교하여 일치시키도록 정정 동작을 하는 제어
- 프로그램제어 : 목표값이 시간에 따라 미리 결정된 일정한 제어
- 캐스케이드제어 : 1차 제어장치가 제어명령을 발하고 2차 제어장치가 이 명령을 바탕으로 제어량을 조절하는 측정제어

02 **보일러의 인터록제어 중 송풍기 작동 유무와 관련이 가장 큰 것은?**

① 저수위 인터록 ② 불착화 인터록
③ 저연소 인터록 ④ 프리퍼지 인터록

해설 프리퍼지 인터록은 송풍기 작동 유무와 관련이 있다.

03 **보일러 자동제어에서 3요소식 수위제어의 3가지 검출요소와 무관한 것은?**

① 노 내 압력 ② 수위
③ 증기유량 ④ 급수유량

해설 3요소는 수위, 증기량, 급수이다.

04 **다음 자동제어에 대한 설명에서 온-오프(on-off) 제어에 해당되는 것은?**

① 제어량이 목표값을 기준으로 열거나 닫는 2개의 조작량을 가진다.
② 비교부의 출력이 조작량에 비례하여 변화한다.
③ 출력편차량의 시간 적분에 비례한 속도로 조작량을 변화시킨다.
④ 어떤 출력편차의 시간 변화에 비례하여 조작량을 변화시킨다.

해설 on-off 동작은 2위치 동작이다.

05 **보일러 자동제어에서 급수제어의 약호는?**

① A.B.C ② F.W.C
③ S.T.C ④ A.C.C

해설
- A.B.C : 보일러자동제어
- S.T.C : 증기온도제어
- A.C.C : 연소제어

06 **자동제어의 신호전달방법에서 공기압식의 특징으로 맞는 것은?**

① 신호전달거리가 유압식에 비하여 길다.
② 온도제어 등에 적합하고 화재의 위험이 많다.
③ 전송 시 시간지연이 생긴다.
④ 배관이 용이하지 않고 보존이 어렵다.

해설 공기압식은 신호전달 지연이 있다.

07 **보일러의 제어장치 중 연소용 공기를 제어하는 설비는 자동제어에서 어디에 속하는가?**

① F.W.C ② A.B.C
③ A.C.C ④ A.F.C

해설
- A.B.C : 보일러 자동제어
- S.T.C : 증기 온도제어
- A.C.C : 연소제어

정답 01 ① 02 ④ 03 ① 04 ① 05 ② 06 ③ 07 ③

08 보일러의 자동제어에서 연소제어 시 조작량과 제어량의 관계가 옳은 것은?

① 공기량-수위
② 급수량-증기온도
③ 연료량-증기압
④ 전열량-노내압

해설 증기압 제어를 위해 연료량과 공기량을 조작한다.

09 보일러의 자동제어 신호전달 방식 중 전달거리가 가장 긴 것은?

① 전기식 ② 유압식
③ 공기식 ④ 수압식

해설 전기식 : 10㎞ 정도, 유압식 : 300m 정도, 공기식 : 100~150m 정도

10 보일러 자동제어의 급수제어(F.W.C)에서 조작량은?

① 공기량 ② 연료량
③ 전열량 ④ 급수량

해설 수위제어를 위해 급수량을 조작한다.

11 보일러의 자동제어 중 제어동작이 연속동작에 해당하지 않는 것은?

① 비례동작 ② 적분동작
③ 미분동작 ④ 다위치동작

해설
- 불연속동작 : 2위치(ON-OFF)동작, 다위치동작
- 연속동작 : 비례(P)동작, 적분(I)동작, 미분(D)동작

12 목표 값이 시간에 따라 임의로 변화되는 것은?

① 비율제어
② 추종제어
③ 프로그램제어
④ 캐스케이드제어

해설 시간에 따라 임의로 변화되는 값으로 부여한 제어를 추종제어라 한다.

13 제어장치에서 인터록(inter lock)이란?

① 정해진 순서에 따라 차례로 동작이 진행되는 것
② 구비조건에 맞지 않을 때 작동을 정지시키는 것
③ 증기압력의 연료량, 공기량을 조절하는 것
④ 제어량과 목표치를 비교하여 동작시키는 것

해설 lock이란 잠그는 것 즉, 정지시키는 것을 의미한다.

14 보일러의 자동연소제어와 관련이 없는 것은?

① 증기압력제어
② 온수온도제어
③ 내압제어
④ 수위제어

해설 수위제어는 급수제어이다.

15 보일러의 자동제어에서 제어량에 따른 조작량의 대상으로 옳은 것은?

① 증기온도 : 연소가스량
② 증기압력 : 연료량
③ 보일러수위 : 공기량
④ 노내압력 : 급수량

해설 증기압제어를 위해 연료량과 공기량을 조작한다.

정답 08 ③ 09 ① 10 ④ 11 ④ 12 ② 13 ② 14 ④ 15 ②

CHAPTER 04

보일러의 열효율 및 열정산

제4장 보일러의 열효율 및 열정산

1 보일러의 열효율

(1) 효율(η) : $\dfrac{\text{입열} - \text{손실열}}{\text{입열}} \times 100\%$

: 전열효율×연소효율×100%

: $\dfrac{\text{실제증발량} \times (\text{증기엔탈피} - \text{급수엔탈피})}{\text{시간당연료사용량} \times \text{저위발열량}} \times 100\%$

(2) 상당증발량(G_e) : $\dfrac{G \times (h'' - h')}{539}(kg/h)$

G : 매시간당 실제증발량(kg/h)	h'' : 증기엔탈피(kcal/kg)
h' : 급수 엔탈피(kcal/kg)	

(3) 증발계수 : $\dfrac{G_e}{G} = \dfrac{(h'' - h')}{539}$

(4) 보일러의 마력

① 상당증발량으로 환산 : 15.56kg/h

② 시간당 발열량으로 환산 : 15.56×539=8.435kcal/h

(5) 전열면 실제증발율 : $\dfrac{G}{H_A} kg/m^2h$

전열면 상당증발율 : $\dfrac{G_e}{H_A} kg/m^2h$

(6) 증발배수 = $\dfrac{G}{H_A}(kg/kg\text{연료})$

환산증발배수 = $\dfrac{G_e}{H_A}(kg/kg\text{연료})$

(7) 화격자 연소열 = $\frac{G_f}{Ar}(kg/m^2 \cdot h)$

A_r : 화격자 면적(m^2)	V : 연소실 면적(m^3)
η_c : 연소효율	η_f : 전열효율
H_A : 전열 면적	

(8) 전열면열부하 = $\frac{G(h''-h')}{H_A}(kcal/m^2 \cdot h)$

(9) 연소실 열발생율 = $\frac{G_f \times (H_l + 공기현열 + 연료현열)}{V}(kcal/m^3 \cdot h)$

(10) 온수보일러의 공급열 $Q = G \cdot C \cdot \Delta t$

G : 온수 공급량(kg/h)	C : 온수비열(kcal/kg℃)
t_1, t_2 : 입구 및 출구온도(℃)	Δt : $t_2 - t_1$
H_l : 연료의 저위발열량(kg/h)	

2 보일러의 열정산

(1) 열정산의 정의

열 장치에 공급된 열량과 소비된 열량과의 관계를 명백히 하는 것으로 어떤 경우에도 입열의 총량과 출열의 총량은 같아야 한다.

(2) 열정산의 목적

보일러 내의 열 흐름을 측정하여 열손실을 줄이고 조업조건을 개선하여 열효율을 향상시키기 위함이다.

① 열의 이동 상태를 파악하여 경제적 사용 가능
② 열 설비의 성능을 파악하여 효율을 증진
③ 조업방법을 개선
④ 열 설비의 개조에 참고 자료

(3) 열정산의 입 · 출열 항목

① 입열 항목
㉮ 연료의 연소열
㉯ 연료의 현열
㉰ 공기의 현열
㉱ 급수의 현열
㉲ 노 내 분입 증기열

② 출열 항목
㉮ 발생 증기의 보유열(유용하게 이용할 수 있는 열)
㉯ 배기가스의 손실열(가장 크다)
㉰ 방사, 전도(흡수열)에 의한 손실열
㉱ 불완전연소에 의한 손실열
㉲ 미연분에 의한 손실열

(4) 열정산의 시험기준

① **발열량** : 발열량은 원칙적으로 고위발열량을 기준으로 하고 저위발열량을 사용 시에는 기존 발열량을 분명히 표시하여야 한다.
② **기준온도** : 시험 시의 외기온도를 기준으로 한다.
③ **시험부하** : 시험부하는 정격부하로 하고 필요 시 1/4, 1/2, 3/4 등의 부하로 시험한다.
④ **공기** : 원칙적으로 수증기를 포함하는 것으로 한다.
⑤ **단위** : 열정산은 사용 시의 연료 단위량으로 사용한다(kcal/kg, kcal/h 등).
⑥ **시험용 보일러** : 시험용 보일러는 다른 보일러와 무관한 상태에서 시험한다.

(5) 열정산의 계산 기준

① 측정은 10분마다 하고, 측정시간은 1시간 이상으로 한다.
② 열 계산은 사용한 연료 1kg에 대하여 계산한다.
③ 압력의 변동은 ±7% 이내로 한다.
④ 증기의 건도는 98%(단, 주철제는 97%)로 한다.
⑤ 연료의 비중은 0.963kg/L로 한다.
⑥ 벙커C유의 발열량은 9,750kcal/kg으로 한다.

제4장 출/제/예/상/문/제

01 **보일러의 마력을 옳게 나타낸 것은?**

① 보일러 마력=15.65 × 매시 상당증발량
② 보일러 마력=15.65 × 매시 실제증발량
③ 보일러 마력=15.65 ÷ 매시 실제증발량
④ 보일러 마력=매시 상당증발량 ÷ 15.65

해설 보일러 마력은 상당증발량을 15.65로 나눈 값이다.

02 **열정산의 방법에서 입열항목에 속하지 않는 것은?**

① 발생증기의 흡수열
② 연료의 연소열
③ 연료의 현열
④ 공기의 현열

해설
- 입열항목 : 공기의 현열, 연료의 현열, 연료의 연소열
- 출열항목 : 배기가스에 의한 손실열, 방사에 의한 손실열, 미연소가스에 의한 손실열

03 **급수온도 30℃에서 압력 1MPa 온도 180℃의 증기를 1시간당 10000kg 발생시키는 보일러에서 효율은 약 몇 %인가?(단, 증기엔탈피는 664kcal/kg, 표준상태에서 가스사용량은 500m³/h, 이 연료의 저위발열량은 15000kcal/m³이다.)**

① 80.5% ② 84.5%
③ 87.65% ④ 91.65%

해설
$$효율 = \frac{10000\times(664-30)}{500\times15000}\times100 = 84.53\%$$

04 **보일러의 열정산 목적이 아닌 것은?**

① 보일러의 성능개선자료를 얻을 수 있다.
② 열의 행방을 파악할 수 있다.
③ 연소실의 구조를 알 수 있다.
④ 보일러 효율을 알 수 있다.

해설 연소실의 구조는 알 수 없다.

05 **상당증발량=Ge(kg/h), 보일러 효율=η, 연료소비량=B(kg/h), 저위 발열량=Hl(Kcal/kg), 증발잠열=539(Kcal/kg)일 때, 상당증발량(Ge)을 옳게 나타낸 것은?**

① $Ge=\dfrac{539\eta HI}{B}$

② $Ge=\dfrac{BHI}{539\eta}$

③ $Ge=\dfrac{\eta BHI}{539}$

④ $Ge=\dfrac{539\eta B}{HI}$

해설
$$보일러효율 = \frac{상당증발량\times539}{연료사용량\times저위발열량}\times100$$

06 **급수온도 21℃에서 압력 14kgf/cm², 온도 250℃의 증기를 1시간당 14000kg을 발생하는 경우의 상당증발량은 약 몇 kg/h인가?(단, 발생증기의 엔탈피는 635kcal/kg이다.)**

① 15948kgf/cm²
② 25326kgf/cm²
③ 3235kgf/cm²
④ 48159kgf/cm²

해설
$$\frac{14000\times(635-21)}{539} = 15948.05\,kg/h$$

정답 01 ④ 02 ① 03 ② 04 ③ 05 ③ 06 ①

07 육상용 보일러 열정산 방식에서 증기의 건도는 몇 % 이상인 경우에 시험함을 원칙으로 하는가?

① 98% 이상
② 93% 이상
③ 88% 이상
④ 83% 이상

해설 증기의 건도는 98% 이상(단, 주철제는 97%)이다.

08 매시간 1000kg의 LPG를 연소시켜 15000kg/h의 증기를 발생하는 보일러의 효율(%)은 약 얼마인가?(단, LPG의 총발열량은 12980kcal/kg, 급수엔탈피는 18kcal/kg이다.)

① 79.8　② 84.6
③ 88.4　④ 94.2

해설 $\frac{15000 \times (750-18)}{1000 \times 12980} \times 100 = 84.6\%$

09 환산증발배수에 관한 설명으로 가장 적합한 것은?

① 연료 1kg이 발생시킨 증발능력을 말한다.
② 보일러에서 발생한 순수 열량을 표준상태의 잠열로 나눈 값이다.
③ 보일러의 전열면적 $1m^2$당 1시간 동안의 실제증발량이다.
④ 보일러 전열면적 $1m^2$당 1시간 동안의 보일러 열출력이다.

해설 $환산증발배수 = \frac{환산증발량}{매시 연료사용량}(kg/kg)$

10 1보일러 마력을 열량으로 환산하면 몇 kcal/h인가?

① 8435kcal/h
② 9435kcal/h
③ 7435kcal/h
④ 10173kcal/h

해설 시간당 발생열량으로 환산 시 8435kcal/h이다.

11 시간당 100kg의 중유를 사용하는 보일러에서 총손실 열량이 200000kcal/h일 때 보일러의 효율은 얼마인가?

① 75%　② 80%
③ 85%　④ 90%

해설 $(1-\frac{200000}{100 \times 10000}) \times 100 = 80\%$

12 엔탈피가 25kcal/kg인 급수를 받아 1시간당 20000kg의 증기를 발생하는 경우 이 보일러의 매시 환산증발량은 몇 kg/h인가?(단, 발생증기의 엔탈피는 725kcal/kg이다.)

① 3,246kg/h　② 6,493kg/h
③ 12,987kg/h　④ 25,974kg/h

해설 $\frac{20000 \times (725-25)}{539} = 25974\ kg/h$

13 난방 및 온수 사용열량이 400,000kcal/h인 건물에, 효율 80%인 보일러로서 저위발열량 10,000kcal/Nm^3인 기체 연료를 연소시키는 경우, 시간당 소요연료량은 약 몇 Nm^3/h인가?

① 45　② 60
③ 56　④ 50

해설 $\frac{400000}{x \times 10000} \times 100 = 80$에서,

$x = \frac{400000 \times 100}{10000 \times 80} = 50\ Nm^3/h$

정답 07 ① 08 ② 09 ① 10 ① 11 ② 12 ④ 13 ④

14 보일러 효율이 85%, 실제증발량이 5t/h이고 발생증기의 엔탈피 656kcal/kg, 급수온도의 엔탈피는 56kcal/kg, 연료의 저위발열량 9750kcal/kg일 때 연료소비량은 약 몇 kg/h인가?

① 316 ② 362
③ 389 ④ 405

해설
$$\frac{5000(656-56)}{x \times 9750} = 85$$
$$x = \frac{5000(656-56) \times 100}{85 \times 9750} = 362\,\text{kg}/h$$

15 보일러 2마력을 열량으로 환산하면 약 몇 kcal/h인가?

① 10,780 ② 13,000
③ 15,650 ④ 16,870

해설
$8435 \times 2 = 16870$kcal/h
또는 $15.65 \times 539 \times 2 = 16870$kcal/h

16 전열면적이 30m^{2}인 수직 연관 보일러를 2시간 연소시킨 결과 3000kg의 증기가 발생하였다. 이 보일러의 증발률은 약 몇 kg/m^2 · h인가?

① 20 ② 30
③ 40 ④ 50

해설
$$\frac{\frac{3000}{2}}{30} = 50\,\text{kg/m}^2h$$

17 어떤 보일러의 3시간 동안 증발량이 4500kg이고, 그 때의 급수 엔탈피가 25kcal/kg, 증기엔탈피가 680kcal/kg이라면 상당증발량은 약 몇 kg/hr인가?

① 551 ② 1,684
③ 1,823 ④ 3,051

해설
$$\frac{1500 \times (680-25)}{539} = 1823\,\text{kcal}/h$$

18 1보일러 마력은 몇 kg/h의 상당증발량의 값을 가지는가?

① 15.65 ② 79.8
③ 539 ④ 860

해설
1보일러 마력의 상당(환산)증발량 값은 15.65kg/h이다.

19 보일러 증발율이 80kg/m^2 · h이고, 실제증발량이 40t/h일 때, 전열 면적은 약 몇 m^{2}인가?

① 200
② 320
③ 450
④ 500

해설
$$80 = \frac{40 \times 1000}{x}$$
$$x = \frac{40 \times 1000}{80} = 500\text{m}^2$$

20 원칙적으로 육상용 보일러의 열정산은 정격부하 이상에서 정상 상태로 적어도 몇 시간 이상의 운전 결과에 따르는가?(단, 액체 또는 기체연료를 사용하는 소형보일러에서 인수 · 인도 당사자 간의 협정이 있는 경우는 제외)

① 0.5시간
② 1시간
③ 1.5시간
④ 2시간

해설
열정산은 2시간 이상의 운전 결과에 따르며 시험부하는 원칙적으로 정격부하로 한다.

정답 14 ② 15 ④ 16 ④ 17 ③ 18 ① 19 ④ 20 ④

21 어떤 보일러의 5시간 동안 증발량이 5000 kg이고, 그 때의 급수엔탈피가 25kcal/kg, 증기엔탈피가 675kcal/kg이라면 상당증발량은 약 몇 kg/h인가?

① 1106 ② 1206
③ 1304 ④ 1451

해설
$$\frac{\frac{5000}{5}\times(675-25)}{539}=1206\,\text{kg}/h$$

22 1기압 하에서 20℃의 물 10kg을 100℃의 증기로 변화시킬 때 필요한 열량은 얼마인가?(단, 물의 비열은 1kcal/kg · ℃이다.)

① 6190kcal ② 6390kcal
③ 7380kcal ④ 7480kcal

해설 10×1×(100－20)+539×10＝6190kcal

23 상당증발량이 6000kg/h, 연료소비량이 400kg/h인 보일러의 효율은 약 몇 %인가?(단, 연료의 저위발열량은 9700kcal/kg이다.)

① 81.3% ② 83.4%
③ 85.8% ④ 79.2%

해설
$$\frac{6000\times539}{400\times9700}\times100=83.4\%$$

24 정격압력이 12kgf/cm^{2}일 때 보일러의 용량이 가장 큰 것은?(단, 급수온도는 10℃, 증기엔탈피는 663.8kcal/kg이다.)

① 실제증발량 1200kg/h
② 상당증발량 1500kg/h
③ 정격출력 800000kcal/h
④ 보일러 100마력(B－Hp)

해설
- 실제증발량 : $\frac{1200\times(663.8-10)}{539}=1465\,kg/h$
- 상당증발량 : $\frac{800000}{539}=1484\,kg/h$
- 보일러마력 : 15.65×100＝1565kg/h

25 어떤 보일러의 시간당 발생증기량을 Ga, 발생증기의 엔탈피를 i_2, 급수엔탈피를 i_1라 할 때, 다음 식으로 표시되는 값(Ge)은?

$$G_e=\frac{G_a(i_2-i_1)}{539}\,(\text{kg/h})$$

① 증발률
② 보일러 마력
③ 연소효율
④ 상당증발량

해설 상당증발량 ＝
$$\frac{\text{매시증발량}\times(\text{증기엔탈피}-\text{급수엔탈피})}{539}[kg/h]$$

26 보일러 증기발생량이 5t/h, 발생증기엔탈피는 650kcal/kg, 연료사용량이 400kg/h, 연료의 저위발열량이 9750kcal/kg일 때 보일러 효율은 약 몇 %인가?(단, 급수 온도는 20℃이다.)

① 78.8% ② 80.8%
③ 82.4% ④ 84.2%

해설
$$\frac{5\times1000\times(650\times20)}{400\times9750}\times100=80.8\%$$

27 보일러 효율이 85%, 실제증발량이 5t/h이고, 발생증기의 엔탈피 656kcal/kg, 급수온도의 엔탈피는 56kcal/kg, 연료의 저위발열량이 9750kcal/kg일 때 연료 소비량은 약 몇 kg/h인가?

① 316 ② 362
③ 389 ④ 405

정답 21 ② 22 ① 23 ② 24 ④ 25 ④ 26 ② 27 ②

해설 $\frac{5\times1000\times(656-56)}{x[\mathrm{kg}/h]\times9750}\times100=85\%$

$x[\mathrm{kg}/h]=\frac{5\times1000\times(656-56)\times100}{9750\times85}=362\,\mathrm{kg}/h$

28 보일러에서 실제증발량(kg/h)을 연료 소모량(kg/h)으로 나눈 값은?

① 증발배수 ② 전열면증발량
③ 연소실열부하 ④ 상당증발량

29 증발량 3500kgf/h인 보일러의 증기엔탈피가 640kcal/kg이고, 급수의 온도는 20℃이다. 이 보일러의 상당증발량은 얼마인가?

① 약 3786kgf/h ② 약 4156kgf/h
③ 약 2760kgf/h ④ 약 4026kgf/h

해설 $\frac{3500\times(640-20)}{539}=4026\ kgf/h$

30 보일러의 상당증발량을 옳게 설명한 것은?

① 일정 온도의 보일러수가 최종의 증발 상태에서 증기가 되었을 때의 중량
② 시간당 증발된 보일러수의 중량
③ 보일러에서 단위시간에 발생하는 증기 또는 온수의 보유열량
④ 시간당 실제증발량이 흡수한 전열량을 온도 100℃의 포화수를 100℃의 증기로 바꿀 때의 열량으로 나눈 값

31 연소효율이 95%, 전열효율이 85%인 보일러의 효율은 약 몇 %인가?

① 90 ② 81
③ 70 ④ 61

해설 $(0.95\times0.85)\times100=80.75\%$

32 효율이 82%인 보일러로 발열량 9800kcal/kg의 연료를 15kg 연소시키는 경우의 손실 열량은?

① 80360kcal ② 32500kcal
③ 26460kcal ④ 120540kcal

해설 $(1-0.82)\times15\times9800=26460$

33 매시간 425kg의 연료를 연소시켜 4800kg/h의 증기를 발생시키는 보일러의 효율은 약 얼마인가? (단, 연료의 발열량 : 9750kcal/kg, 증기엔탈피: 676kcal/kg, 급수온도 : 20℃이다.)

① 75% ② 80%
③ 85% ④ 90%

해설 $\eta=\frac{4800\times(676-20)}{425\times9750}\times100=75\%$

34 1보일러 마력에 대한 설명으로 옳은 것은?

① 0℃의 물 539kg을 1시간에 100℃의 증기로 바꿀 수 있는 능력이다.
② 100℃의 물 539kg을 1시간에 같은 온도의 증기로 바꿀 수 있는 능력이다.
③ 100℃의 물 15.65kg을 1시간에 같은 온도의 증기로 바꿀 수 있는 능력이다.
④ 0℃의 물 15.65kg을 1시간에 100℃의 증기로 바꿀 수 있는 능력이다.

해설 1보일러 마력이란 시간당 15.65kg의 상당증발량을 발생하는 보일러 능력이다.

35 보일러 1마력에 대한 표시로 옳은 것은?

① 전열면적 $10\mathrm{m}^2$
② 상당증발량 15.65kg/h
③ 전열면적 $8\mathrm{ft}^2$
④ 상당증발량 30.6lb/h

정답 28 ① 29 ④ 30 ④ 31 ② 32 ③ 33 ① 34 ③ 35 ②

해설 1보일러 마력은 상당증발량으로 환산 시 15.65kg/h, 열량으로 환산 시 8435kcal/h이다.

36 어떤 보일러의 증발량이 40t/h이고, 보일러 본체의 전열면적이 $580m^2$일 때 이 보일러의 증발률은?

① $14kg/m^2 \cdot h$
② $44kg/m^2 \cdot h$
③ $57kg/m^2 \cdot h$
④ $69kg/m^2 \cdot h$

해설 $\frac{40000}{580} = 68.8$

37 증기보일러의 효율 계산식을 바르게 나타낸 것은?

① 효율(%)=(상당증발량×538.8) ÷ (연료소비량×연료의 발열량) × 100
② 효율(%)=(증기소비량×538.8) ÷ (연료소비량×연료의 비중) × 100
③ 효율(%)=(급수량×538.8) ÷ (연료소비량×연료의 발열량) × 100
④ 효율(%)=급수사용량 ÷ 증기 발열량 × 100

38 보일러 열효율 정산방법에서 열정산을 위한 액체연료량을 측정할 때, 측정의 허용오차는 일반적으로 몇 %로 하여야 하는가?

① ±1.0%　② ±1.5%
③ ±1.6%　④ ±2.0%

해설 연료사용량 측정 허용오차
- 액체연료 : ±1.0%
- 기체연료 : ±1.6%
- 급수량 : ±1.0%

39 다음 중 보일러의 손실열 중 가장 큰 것은?

① 연료의 불완전연소에 의한 손실열
② 노 내 분입증기에 의한 손실열
③ 과잉 공기에 의한 손실열
④ 배기가스에 의한 손실열

40 어떤 보일러의 연소효율이 92%, 전열면 효율이 85%이면 보일러 효율은?

① 73.2%　② 74.8%
③ 78.2%　④ 82.8%

해설 0.92×0.85×100=78.2%

41 보일러 1마력을 열량으로 환산하면 약 몇 kcal/h인가?

① 15.65　② 539
③ 1078　④ 8435

해설 1보일러 마력을 상당증발량으로 환산 시 15.65kg/h, 발생열량으로 환산 시 8435kcal/h이다.

정답 36 ④ 37 ① 38 ① 39 ④ 40 ③ 41 ④

CHAPTER 05

연료 및 연소장치

1 연료

2 연소 및 연소장치

3 연소계산
(연소계산에 많이 사용하는 원자/분자량)

제5장 연료 및 연소장치

1 연료

(1) 연료의 구비조건

① 공해 요인이 적을 것

② 저장, 취급, 운반, 사용이 가능할 것

③ 연소가 용이하고 발열량이 클 것

④ 점화 및 소화가 용이할 것

⑤ 구입이 용이하고 경제적일 것

⑥ 적은 과잉공기량으로 완전연소가 가능할 것

(2) 연료의 조성

① 연료의 3대 성분 : 탄소(C), 수소(H), 산소(O)

② 가연성 3대 원소 : 탄소(C), 수소(H), 황(S)

③ 연소의 3대 조건 : 가연성 성분, 산소공급원, 점화원

④ 연료의 불순물 : 황(S), 질소(N), 수분(W : 젖은 연료), 회분(A : 저질탄)

(3) 연료의 종류

① 고체연료

㉮ 고체연료의 특징

- 연료비가 저렴하고 구하기 용이하다.
- 연료의 유지관리가 용이하다.
- 설비비 및 인건비가 적게 든다.
- 연소효율이 낮다.
- 완전연소가 곤란하고 고온을 얻을 수 없다.
- 연료의 품질이 균일하지 않고 매연발생이 심하다.
- 운반, 저장이 불편하다.

㉯ 고체연료의 종류

- 석탄
- 나무
- 목탄
- 코크스 : 유연탄을 주성분으로 한다.
- 미분탄 : 석탄을 150mesh 이하로 미립화시킨 것이다.

※ mesh=1inch^{2}당 채의 구멍수

㉰ 고체연료의 성분이 연소에 미치는 영향

- 수분 : 열손실을 가져오고, 점화가 어렵다.
- 회분 : 연소효율이 낮고, 고온부식의 원인이 된다.
- 휘발분 : 그을음이 발생하고, 역화의 원인이 된다.
- 고정탄소 : 발열량이 높아지고, 매연이 적다.

※ **연료비** : 휘발분에 대한 고정탄소의 비(고정탄소/휘발분)로 클수록 발열량은 많아지고 착화온도는 상승한다. 고정탄소가 많을수록 양질의 연료이며, 휘발분이 많을수록 저질의 연료이다.

㉱ 고체연료의 관리

- 고체연료는 실내 2m, 실외 4m 이하의 높이로 쌓는다.
- 직사일광을 피한다.
- 바닥은 1/100~1/150 정도의 구배를 주어 배수가 용이하게 한다.
- 통풍이 잘 되도록 하여야 한다.
- 연료의 종류별, 입고한 기간별로 칸막을 설치한다.
- 풍화작용을 방지한다.

※ **풍화작용** : 연료 속의 휘발성분이 공기 중의 산소와 결합하여 연료가 변질되는 현상

② 액체연료

㉮ 액체연료의 특징

- 연소효율이 높다.
- 품질이 균일하며, 발열량이 높다.
- 회분의 생성이 적다.

- 저장, 운반, 취급이 용이하다.
- 국부과열을 일으키기 쉽다.
- 역화(back fire)의 위험이 있다.
- 고체연료에 비해 가격이 비싸다.

㉯ 액체연료의 종류

- 원유 : 천연적으로 얻어지는 연료
- 가솔린(인화점 : −20~−43℃, 착화점 : 300℃, 비점 : 30~200℃, 비중 : 0.7~0.8)
- 경유(인화점 : 50~70℃, 착화점 : 257℃, 비점 : 200~350℃, 비중 : 0.83~0.88)
- 등유(인화점 : 30~60℃, 착화점 : 254℃, 비점 : 30~200℃, 비중 : 0.79~0.85)
- 중유(인화점 : 60~150℃, 착화점 : 530~580℃, 비점 : 300~350℃, 비중 : 0.85~0.98)
  - 점도가 높으면 유동성이 낮고 무화가 곤란하다.
  - A 중유는 점도가 낮아 예열이 필요 없다.
  - B, C 중유는 예열이 필요하다(80~90℃).
  - 중유를 예열함으로써 점도를 낮추어 유동성 및 무화를 좋게 하고 연소효율을 높인다.
  - 인화점 : 가연물이 외부의 불꽃에 의해 불이 붙는 최저온도
  - 착화점 : 가연물이 외부의 불꽃 없이 스스로 불이 붙는 최저온도
  - 비중은 연료의 점도를 증가시킨다.
  - 비중이 크면 연료의 발열량이 감소한다.
  - 연소 시 화염의 방사율(휘도)이 높다.
- 탄화수소 비(탄소/수소)
  - 연료의 주성분인 탄소와 수소의 비(C/H)
  - 탄화수소 비가 크면 발열량이 감소하고, 비중과 점도가 증가한다.
  - 탄화수소 비가 큰 순서 : 중유 〉 경유 〉 등유 〉 가솔린
- 중유첨가제가 연소에 미치는 영향
  - 연소촉진제 : 분무를 양호하게 한다.
  - 회분개질제 : 회분의 융점을 높여 고온부식을 방지
  - 탈수제 : 중유 속의 수분을 분리
  - 안정제 : 슬러지의 생성을 방지
  - 유동점 강하제 : 중유의 유동점을 낮추어 송유를 양호하게 한다.

※ **유동점** : 일정한 조건 아래서 냉각 시 유동할 수 있는 최저온도. 응고점의 +2.5℃이다.

③ 기체연료

㉮ 기체연료의 특징

- 연소가 안정되고 연소효율이 높다.
- 적은 과잉공기량으로 완전연소가 가능하다.
- 연소 조절이 간단하고 점화 또는 소화가 용이하다.
- 공해가 가장 적고 회분 등의 연소잔재물이 거의 없다.
- 수송, 저장, 취급이 불편하다.
- 가격이 비싸고 시설비가 많이 든다.
- 화재 및 폭발의 위험성이 크다.

㉯ 기체연료의 종류

- 액화천연가스(LNG)
  - 주성분은 CH_4(메탄), C_2H_6(에탄)
  - 액화 온도는 −162℃
  - 임계온도는 −80℃
- 액화석유가스(LPG)
  - 주성분은 프로판(65~70%), 부탄(25~30%)
  - 완전연소하는데 많은 공기량이 필요하다.
  - 비중이 공기보다 무거워 누설 시 밑 부분에 정체한다.
  - 상온, 상압에서 쉽게 액화한다.
  - 기체연료 중 발열량이 가장 크다.
  - 무색, 무취이며 공기보다 무겁다.
  - 누설 시 폭발, 화재의 위험이 크다.
  - 유황, 회분이 없어 대기오염이 적다.
- 도시가스
  - 주성분은 석유분해가스, 액화석유가스, 천연가스의 혼합
  - 발열량이 비교적 좋음
  - 기체연료 중 가스보일러용 연료로 사용하기에 적합하다.
- 고로가스
  - 주성분은 일산화탄소, 이산화탄소, 질소의 혼합
  - 용광로에서 철광석을 용융, 환원시킬 때 코크스를 연소해 배출되는 가스이다.
  - 발열량이 낮다.
- 수성가스 : 수소, 일산화탄소의 혼합

㉰ 기체연료의 저장 : 가스 홀더(gas holder)에 저장

※ 가스 홀더의 종류
- 유수식 홀더 : 수조 중에 원통을 엎어놓은 것
- 무수식 홀더 : 원통과 그 내벽을 상하로 움직이는 피스톤과 지붕판으로 구성됨
- 고압 홀더 : 원통형의 내압 홀더

제5-1장 출/제/예/상/문/제

01 연료의 인화점에 대한 설명으로 가장 옳은 것은?

① 가연물을 공기 중에서 가열했을 때 외부로부터 점화원 없이 발화하여 연소를 일으키는 최저온도
② 가연성 물질이 공기 중의 산소와 혼합하여 연소할 경우에 필요한 혼합가스의 농도 범위
③ 가연성 액체의 증기 등이 불씨에 의해 불이 붙는 최저온도
④ 연료의 연소를 계속시키기 위한 온도

해설
- 인화점 : 가연성 액체가 불씨에 의해 불이 붙는 최저온도
- 착화점 : 가연성 액체가 불씨 없이 불이 붙는 최저온도

02 고체연료와 비교하여 액체연료 사용 시의 장점을 잘못 설명한 것은?

① 인화의 위험성이 없으며 역화가 발생하지 않는다.
② 그을음이 적게 발생하고 연소효율도 높다.
③ 품질이 비교적 균일하며 발열량이 크다.
④ 저장 및 운반 취급이 용이하다.

03 다음 연료 중 단위중량당 발열량이 가장 큰 것은?

① 등유　② 경유
③ 중유　④ 석탄

해설 등유 : 11000kcal/kg, 경유 : 11050kcal/kg, 중유 : 10000kcal/kg, 석탄 : 4600kcal/kg

04 보일러용 연료 중에서 고체연료의 일반적인 주성분은?(단, 중량 %를 기준으로 한 주성분을 구한다.)

① 탄소　② 산소
③ 수소　④ 질소

해설 고체연료의 주성분인 탄소(C) 함량은 약 50~60% 정도이다.

05 다음 중 연소 시에 매연 등의 공해물질이 가장 적게 발생되는 연료는?

① 액화천연가스
② 석탄
③ 중유
④ 경유

해설 천연가스는 공해물질이 적게 배출된다.

06 기체연료의 일반적인 특징을 설명한 것으로 잘못된 것은?

① 적은 공기비로 완전연소가 가능하다.
② 수송 및 저장이 편리하다.
③ 연소효율이 높고 자동제어가 용이하다.
④ 누설 시 화재 및 폭발의 위험이 크다.

해설 기체연료는 수송 및 저장이 까다롭다.

07 다음 중 액화천연가스(LNG)의 주성분은 어느 것인가?

① CH_4　② C_2H_6
③ C_3H_8　④ C_4H_{10}

해설 액화천연가스(LNG)의 주성분 : CH_4(메탄)

정답 01 ② 02 ① 03 ② 04 ① 05 ① 06 ② 07 ①

08 다음 중 LPG의 주성분이 아닌 것은?

① 부탄 ② 프로판
③ 프로필렌 ④ 메탄

해설 LPG(액화석유가스)의 주성분 : 프로판(C_3H_8), 부탄(C_4H_{10}), 프로필렌(C_3H_6)

09 보일러 연료의 구비조건으로 틀린 것은?

① 공기 중에 쉽게 연소할 것
② 단위 중량당 발열량이 클 것
③ 연소 시 회분 배출량이 많을 것
④ 저장이나 운반, 취급이 용이할 것

해설 회분 배출량이 적어야한다.

10 고체연료와 비교하여 액체연료 사용 시의 장점을 잘못 설명한 것은?

① 인화의 위험성이 없으며 역화가 발생하지 않는다.
② 그을음이 적게 발생하고 연소효율도 높다.
③ 품질이 비교적 균일하며 발열량이 크다.
④ 저장 중 변질이 적다.

해설 인화의 위험성이 있으며 역화가 발생한다.

11 연료의 가연 성분이 아닌 것은?

① N ② C
③ H ④ S

해설 연료의 가연 성분은 탄소(C), 수소(H), 황(S) 등이다.

12 천연가스의 비중이 약 0.64라고 표시되었을 때, 비중의 기준은?

① 물 ② 공기
③ 배기가스 ④ 수증기

해설 비중의 기준은 물이다.

13 액체연료의 주요 성상으로 가장 거리가 먼 것은?

① 비중 ② 점도
③ 부피 ④ 인화점

해설 부피는 연료의 측정량을 나타낸다.

14 고체연료에 대한 연료비를 가장 잘 설명한 것은?

① 고정탄소와 휘발분의 비
② 회분과 휘발분의 비
③ 수분과 회분의 비
④ 탄소와 수소의 비

해설
$$\text{연료비} = \frac{\text{고정탄소}}{\text{휘발분}}$$

15 석탄의 함유 성분이 많을수록 연소에 미치는 영향에 대한 설명으로 틀린 것은?

① 수분 : 착화성이 저하된다.
② 회분 : 연소효율이 증가한다.
③ 고정탄소 : 발열량이 증가한다.
④ 휘발분 : 검은 매연이 발생하기 쉽다.

해설 회분은 연소효율을 저하시킨다.

정답 08 ④ 09 ③ 10 ① 11 ① 12 ① 13 ③ 14 ① 15 ②

2 연소 및 연소장치

(1) 연소

연소 중의 가연물(탄소(C), 수소(H), 황(S))이 공기 중의 산소와 급격한 산화 반응에 의해 발열 반응하여 열과 빛을 발생하는 현상이다.

(2) 연소의 3대 조건

① 가연물(연료 : 탄소, 수소, 황)

② 산소(공기)

③ 점화원(불꽃)

(3) 완전연소에 필요한 조건

① 연소실 온도를 높게 유지한다.

② 연소시간을 충분히 한다.

③ 연료와 공기가 잘 혼합되게 한다.

(4) 연소의 형태

① 고체연료의 연소

㉮ 표면연소 : 코크스, 목탄 등이 있으며 표면이 빨갛게 빛나면서 연소한다.

㉯ 분해연소 : 석탄, 나무 등이 있으며 연소초기에 화염을 내면서 연소한다.

② 액체연료의 연소

㉮ 증발연소 : 휘발유, 경유, 등유 등이 있으며 증발하면서 연소한다.

㉯ 분해연소 : B-C 중유의 주 연소형식

③ 기체연료의 연소

㉮ 확산연소 : 연료와 산소가 확산 혼합하면서 연소한다.

㉯ 예혼합연소 : 연료와 산소가 미리 혼합되어 연소한다.

(5) 연소장치

① 고체연료 연소장치

㉮ 화격자 연소 : 석탄 등을 화격자 위에 공급하는 방식

- 수(수동) 분 : 계단식, 이동식 등이 있다.
- 기계분(스토크) : 산포식, 쇄상식, 계단식, 하입식 등이 있다.

㉯ 미분탄 연소 : 석탄을 200mesh 이하로 미세하게 분쇄하여 미분탄 버너에 공급하는 방식

- 미분탄 연소장치의 특징
  - 적은 공기비로 연소효율이 좋다.
  - 연소조절이 용이하다.
  - 액체, 기체 연료와 혼합연소가 가능하다.
  - 연료 손실이 적다.
  - 폭발의 위험성이 있다.
  - 회의 날림이 많다.
  - 보수, 유지, 설비비가 많이 들어간다.
- 미분탄 연소방법
  - L형 연소 : 선회류 버너를 사용하며 화염이 짧다.
  - U형 연소 : 편평류 버너를 사용하며 2차 공기와 연료를 같이 분사한다.
  - 코너 탭 연소 : 사각형 노의 네 모서리에서 연소한다.
  - 슬래그 탭(slag tap) : 1차로에서 고부하 연소하고, 2차로에 들어가 미연분을 연소한다.

※ 슬래그 탭의 특징

- 적은 공기비로 연소효율이 좋다.
- 높은 온도의 연소가스를 얻을 수 있다.
- 회의 날림이 적다.
- 전열면 손상이 적다.
- 연속운전 시간이 길다.

㉰ 유동층 연소 : 화격자 연소와 미분탄 연소의 중간 형태이다.

② 액체연료 연소장치

㉮ 연소방식 : 중질유(중유)는 무화(霧化)연소 방식으로 하고 경질유(경유, 등유)는 기화연소 방식으로 한다. 기화연소 방식에는 포트식, 심지식, 증발식이 있다.

㉯ 무화(霧化)의 목적

- 중유의 단위중량당 표면적을 넓게 하기 위해
- 적은 과잉공기로 완전연소가 가능하다.
- 공기와의 혼합을 양호하게 한다.

㉰ 버너의 선정 시 고려사항

- 노의 구조에 적합할 것
- 버너 용량이 보일러 용량에 적합할 것
- 연소제어 시 버너의 형식과의 관계를 고려할 것
- 부하변동에 따른 유량조절 범위를 고려할 것

㉱ 버너의 종류

- 유압(압력) 분무식 버너
  - 작동방식 : 0.5~2MPa(5~20kg/cm^2) 정도의 고압으로 연료유에 압력을 가하여 노즐을 통해 고속 분출을 무화시키는 방식
  - 대용량의 버너 제작이 가능하고 유지보수가 간단하다.
  - 무화 매체가 필요 없고 분무 상태가 좋다.
  - 분무 각도는 40~90°
  - 유량조절범위가 좁다(환류식 1:3, 비환류식 1:2).
  - 흡입 효과가 적어 보염장치가 필요하다.
- 회전식 버너
  - 작동방식 : 0.3~0.5MPa(3~5kg/cm^2) 정도의 압으로 고속 회전하는 컵의 내부에 연료유를 공급하여 그 주위에서 분출되는 1차 공기로 무화하는 방식
  - 설비가 간단하고 자동화가 용이하다.
  - 분무 각도는 40~80°
  - 유량조절범위가 넓은 편이다(1:5).
  - 유량조절범위 내에서는 무화가 양호하다.
  - 고점도의 연료는 무화가 곤란하므로 예열하여 사용한다.
- 저압 기류식 버너
  - 작동방식 : 0.005~0.02MPa(0.05~0.2kg/cm^2) 정도의 압으로 무화시키는 방식
  - 무화가 양호하다.
  - 분무 각도는 30~60°
  - 유량조절범위가 넓은 편이다(1:5).
  - 공기(증기)압이 높을수록 무화 공기(증기)량이 줄어든다.
- 고압 기류식 버너
  - 작동방식 : 0.2~0.7MPa(2~7kg/cm^2) 정도의 압으로 무화시키는 방식
  - 점도가 높아도 무화가 가능하다.
  - 분무 각도는 30°

- 유량조절범위가 크다(1:10).
- 외부 혼합식에 비해 내부 혼합식이 무화가 잘 된다.

• 건(Gun) 타입 버너
- 작동방식 : 0.7MPa(7kg/cm^2) 정도의 고압으로 노즐에 공급하는 방식
- 구조가 간단하다.
- 소형으로 전자동 연소가 용이하다(ON/OFF 방식).
- 가정용 버너로 많이 사용한다.
- 소음기준은 70폰 이하이다.

• 증발식(기화식) 버너
- 연료는 경유를 주로 사용한다.
- 유량 조절범위가 넓은 편이다(1:5).
- 산업용으로는 부적합하다.

• 초음파 버너 : 진동 무화식 버너이다.

㉤ 연료공급장치 : 액체연료를 버너까지 공급하는 일련의 모든 장치

• 오일저장탱크 : 일정 기간 연소할 연료를 저장하는 탱크, 크기에 따라 옥외, 지하 또는 옥내저장소에 설치

• 오일스트레이너 : 관 내를 흐르는 오일 중의 이물질을 제거하는 장치로서 종류에는 Y형, U형, V형 등이 있다.

• 오일 펌프 : 연료를 목적지까지 운반하기 위한 이송 펌프와 연료에 압력을 주기 위한 유압용 펌프가 있으며 오일 펌프의 종류에는 스크루 펌프, 플러저 펌프, 기어펌프 등이 있다.

• 오일서비스탱크 : 오일저장탱크에서 1차 예열된 오일을 이송 펌프로 넘겨받아 2차 예열을 하여 버너에 공급하는 탱크로서 보일러 측면에서 2m 이상 간격을 두고, 버너 중심에서 1.5m 이상 높은 곳에 설치

• 유(오일)예열기 : 버너에 공급되는 오일의 분무를 순조롭게 하기 위하여 중유의 점도를 낮게 해주는 장치

㉥ 보염장치

• 특징
- 화염의 형상을 조절하고 안정된 착화를 돕는다.
- 분사연료와 연소용 공기와의 혼합을 촉진한다.
- 연소가스의 체류시간을 지연시켜 전열효율을 촉진한다.

– 안정된 연소를 유지시켜 준다.
– 국부과열을 방지한다.

• 종류
  – 스테빌라이저(Stabilizer) : 보염기라 하며, 화염의 안정화, 화염의 형상 조절, 화염의 취소 방지를 위한 장치
  – 윈드박스(wind box) : 버너 주위에 설치한 밀폐된 상자로 2차 공기를 받아들여 일정한 압력으로 노 내에 공급하는 장치
  – 버너타일(burner tile) : 연소실 입구 버너 주위에 내화벽돌을 원형으로 쌓은 것으로 화염의 형상을 조절하고 화염을 안정시켜주는 장치
  – 컴버스터(combuster) : 연소실의 한 부분으로 저온의 노에서도 안정된 연소를 유지시켜주는 장치
  – 가이드베인(guide vane) : 여러 개의 안전 날개를 설치하여 날개 각도를 조절하여 윈드박스에 공기를 공급하는 장치

③ 기체연료 연소장치

㉮ 확산연소방식 : 연료와 공기가 따로 연소실에 공급되어 노즐 입구에서 혼합하여 분사 연소하는 방법으로 외부 혼합형이다.

• 확산연소방식의 특징 : 조작 범위가 광범위하다. 화염이 길어진다. 매연이 발생한다.

㉯ 예혼합연소방식 : 연료와 공기를 버너 내에서 미리 혼합하여 분사 · 연소하는 방법으로 내부 혼합형이다.

• 예혼합연소방식의 특징 : 조작범위가 좁다. 화염이 짧아진다. 화염의 온도가 높고, 역화의 위험이 크다.

㉰ 외부 혼합식 가스버너의 종류

• 링(ring)형 가스버너 : 링에 다수의 노즐을 설치한 것으로 기름과 가스연료가 서로 상호 간섭 없이 잘 혼합되어 연소시키는 버너
• 통(center fire)형 가스버너 : 2중관으로 구성되어 중심부에서는 기름이 분사되고 외측에서는 가스가 분사되는 형태로 기름과 가스를 동시에 연소시키는 버너
• 스크롤(scroll)형 가스버너 : 링에 다수의 노즐을 설치한 것으로 기름과 가스연료가 서로 간섭 없이 잘 혼합되어 연소시키는 버너
• 다분기관(multi spot)형 가스버너 : 링형 가스버너와 유사하나 노즐부의 수열 면적을 작게 하여 열분해로 인한 연료의 탄화를 방지하는 것으로 LPG용 가스버너로 많이 사용

제5-2장 출/제/예/상/문/제

01 액체연료의 연소용 공기 공급방식에서 1차 공기를 설명한 것으로 가장 적합한 것은?

① 연료의 무화와 산화반응에 필요한 공기
② 연료의 후열에 필요한 공기
③ 연료의 예열에 필요한 공기
④ 연료의 완전연소에 필요한 부족한 공기를 추가로 공급하는 공기

해설
- 1차 공기 : 버너 내로 진입되며 연료의 무화용
- 2차 공기 : 연소실 내로 진입되며 연료의 완전연소용

02 기체연료의 연소방식과 관계가 없는 것은?

① 확산연소방식
② 예혼합연소방식
③ 포트형과 버너형
④ 회전분무식

해설 기체연료 연소방식
- 확산연소방식 : 포트형, 버너형
- 혼합연소방식 : 고압 · 저압 · 송풍버너

03 액체연료 중 경질유에 주로 사용하는 기화연소 방식의 종류에 해당하지 않는 것은?

① 포트식
② 심지식
③ 증발식
④ 무화식

해설
- 경질유 : 기화연소방식
- 중질유 : 무화연소방식

04 연소방식을 기화연소방식과 무화연소방식으로 구분할 때 일반적으로 무화연소방식을 적용해야하는 연료는?

① 톨루엔 ② 중유
③ 등유 ④ 경유

해설
- 기화연소방식 : 등유, 경유와 같은 경질유 연소방식
- 무화연소방식 : 중유와 같은 중질유 연소방식

05 연소의 3대 조건이 아닌 것은?

① 이산화탄소 공급원
② 가연성 물질
③ 산소 공급원
④ 점화원

해설 연소의 3대 요소는 점화원, 가연물, 산소이다.

06 다음 중 고체연료의 연소방식에 속하지 않는 것은?

① 화격자연소방식
② 확산연소방식
③ 미분탄연소방식
④ 유동층연소방식

해설 확산연소방식과 예혼합연소방식은 기체연료 연소방식이다.

07 보일러의 부속설비 중 연료공급계통에 해당하는 것은?

① 콤버스터 ② 버너 타일
③ 수트블로어 ④ 오일 프리히터

해설 연료공급 장치에는 급유량계, 오일 프리히터, 버너, 서비스탱크 등이 있다.

정답 01 ① 02 ④ 03 ④ 04 ② 05 ① 06 ② 07 ④

08 중유 연소에서 버너에 공급되는 중유의 예열온도가 너무 높을 때 발생되는 이상 현상으로 거리가 먼 것은?

① 카본(탄화물) 생성이 잘 일어날 수 있다.
② 분무상태가 고르지 못할 수 있다.
③ 역화를 일으키기 쉽다.
④ 무화 불량이 발생하기 쉽다.

해설 중유의 예열온도가 너무 낮을 때 점도가 높아서 무화가 불량해진다.

09 액체연료의 유압분무식 버너의 종류에 해당되지 않는 것은?

① 플런저형 ② 외측반환유형
③ 직접분사형 ④ 간접분사형

해설 유압분무식에는 플런저식, 외측반환식, 직접분사식이 있다.

10 오일 프리히터의 사용 목적이 아닌 것은?

① 연료의 점도를 높여 준다.
② 연료의 유동성을 증가시켜 준다.
③ 완전연소에 도움을 준다.
④ 분무상태를 양호하게 한다.

해설 오일 프리히터는 연료의 점도를 낮추어 주기 위해 사용한다.

11 가스버너에 리프팅(Lifting) 현상이 발생하는 경우는?

① 가스압이 너무 높은 경우
② 버너부식으로 염공이 커진 경우
③ 버너가 과열된 경우
④ 1차 공기의 흡인이 많은 경우

해설 가스압이 너무 높은 경우에 리프팅 현상이 발생하고, 버너가 과열된 경우에는 역화가 발생한다.

12 유압분무식 오일버너의 특징에 관한 설명으로 틀린 것은?

① 대용량 버너의 제작이 가능하다.
② 무화매체가 필요 없다.
③ 유량조절 범위가 넓다.
④ 기름의 점도가 크면 무화가 곤란하다.

해설 유압분무식 오일버너는 유량조절범위(1:3)가 좁아서 부하변동이 큰 보일러에는 부적합하다.

13 유류연소 시의 일반적인 공기비는?

① 0.95~1.1 ② 1.6~1.8
③ 1.2~1.4 ④ 1.8~2.0

해설 고체연료의 공기비 : 1.4~2.0, 액체연료의 공기비 : 1.2~1.4, 기체연료의 공기비 : 1.1~1.3

14 연료 중 표면연소하는 것은?

① 목탄 ② 경유
③ 석탄 ④ LPG

해설 고체연료의 연소
- 표면연소 : 코크스, 목탄(숯)
- 분해연소 : 석탄, 장작

15 액체연료 중 경질유에 주로 사용하는 기화연소 방식의 종류에 해당하지 않는 것은?

① 포트식 ② 심지식
③ 증발식 ④ 무화식

해설 기화연소방식에는 포트식, 심지식, 증발식 3가지가 있으며, 중질유(중유) 연소방식은 무화연소방식을 사용한다.

16 보일러 연소실이나 연도에서 화염의 유무를 검출하는 장치가 아닌 것은?

① 스테빌라이저 ② 플레임 로드
③ 플레임 아이 ④ 스텍 스위치

정답 08 ④ 09 ④ 10 ① 11 ① 12 ① 13 ③ 14 ① 15 ④ 16 ①

해설 스테빌라이저는 보염장치이다.

17 **오일 버너의 화염이 불안정한 원인과 가장 무관한 것은?**

① 분무 유압이 비교적 높을 경우
② 연료 중에 슬러지 등의 협잡물이 들어있을 경우
③ 무화용 공기량이 적절치 않을 경우
④ 연료용 공기의 과다로 노 내 온도가 저하될 경우

해설 분무 유압이 낮을 경우에 화염이 불안정하다.

18 **액체연료 연소장치에서 보염장치(공기조절장치)의 구성 요소가 아닌 것은?**

① 바람상자
② 보염기
③ 버너 팁
④ 버너타일

해설 보염장치에는 바람상자, 보염기, 버너 타일, 컴버스터 등이 있다. 버너 팁은 연소장치의 구성 요소가 아니다.

19 **오일 프리히터의 종류에 속하지 않는 것은?**

① 증기식 ② 직화식
③ 온수식 ④ 전기식

해설 오일 프리히터의 종류 : 증기식, 온수식, 전기식

20 **연료의 연소에서 환원염이란?**

① 산소 부족으로 인한 화염이다.
② 공기비가 너무 클 때의 화염이다.
③ 산소가 많이 포함된 화염이다.
④ 연료를 완전연소시킬 때의 화염이다.

해설 환원염 : 불완전연소로 화염 중에 CO(일산화탄소)가 포함된 화염이다.

21 **중유의 성상을 개선하기 위한 첨가제 중 분무를 순조롭게 하기 위하여 사용하는 것은?**

① 연소촉진제 ② 슬러지 분산제
③ 회분개질제 ④ 탈수제

해설 연소촉진제란 중유의 분무상태를 양호하게 하여 연소상태를 좋게 하기 위한 첨가제이다.

22 **유류버너의 종류 중 기압(MPa)의 분무매체를 이용하여 연료를 분무하는 형식의 버너로서 2유체 버너라고도 하는 것은?**

① 고압기류식 버너
② 유압식 버너
③ 회전식 버너
④ 환류식 버너

해설 고압기류식 버너에 대한 설명이다.

23 **중유예열기의 가열하는 열원의 종류에 따른 분류가 아닌 것은?**

① 전기식 ② 가스식
③ 온수식 ④ 증기식

해설 중유예열기의 가열하는 열원의 종류에는 전기식, 증기식, 온수식이 있다.

24 **보일러에서 보염장치의 설치목적에 대한 설명으로 틀린 것은?**

① 화염의 전기전도성을 이용한 검출을 실시한다.
② 연소용 공기의 흐름을 조절하여 준다.
③ 화염의 형상을 조절한다.
④ 확실한 착화가 되도록 한다.

해설 화염의 전기전도성을 이용한 화염을 검출을 실시하는 것은 플레임 로드로 화염검출장치이다.

정답 17 ① 18 ③ 19 ② 20 ① 21 ① 22 ① 23 ② 24 ①

3 연소계산(연소계산에 많이 사용하는 원자/분자량)

원소명	원소기호	원자량	분자식	분자량
탄소	C	12	C	12
수소	H	1	H_2	2
산소	O	16	O_2	32
질소	N	14	N_2	28
황	S	32	S	32

(1) 고위발열량(H_h)계산

① C + O_2 ⇒ CO_2 = 97200(kcal/kmol)
1kmol 1kmol 1kmol
12kg 32kg 44kg

C 1kg당 발열량 : 97200(kcal/kmol) ÷ 12(kg/kmol) = 8100(kcal/kg)

② H_2 + $\frac{1}{2}O_2$ ⇒ H_2O= 68000(kcal/kmol)
1kmol 0.5kmol 1kmol
2kg 16kg 18kg

H 1kg당 발열량 : 68000(kcal/kmol) ÷ 2(kg/kmol)= 34000(kcal/kg)

※ $H_2+\frac{1}{2}O_2 \rightarrow H_2O$(수증기) = 57200(kcal/kmol)
(저위발열량)

③ S + O_2 ⇒ SO_2 = 80000(kcal/kmol)
1kmol 1kmol 1kmol
32kg 32kg 64kg

S 1kg당 발열량 : 80000(kcal/kmol) ÷ 32(kgkmol) = 2500(kcal/kg)

④ (고위발열량)$H_h = 8100C + 34000(H - \frac{0}{8}) + 2500S$ (kcal/kg)

※ $(H - \frac{0}{8})$: 유효수소

(2) 저위발열량(H_l)계산

(저위발열량)$H_l = H_h - 600(9H + W)$

(3) 이론산소량(O_o)계산

① $C \quad + \quad O_2 \quad \Rightarrow CO_2$

1kmol	1kmol	1kmol
22.4Nm^3	22.4Nm^3	22.4Nm^3
12kg	32kg	44kg

C 1kg당 이론산소량 $= 22.4\text{Nm}^3 \div 12\text{kg} = 1.867(\text{Nm}^3/\text{kg})$
$= 32\text{kg} \div 12\text{kg} = 2.667(\text{kg}/\text{kg})$

② $H_2 \quad + \quad \frac{1}{2}O_2 \quad \Rightarrow H_2O$

1kmol	$\frac{1}{2}$kmol	1kmol
22.4Nm^3	11Nm^3	22.4Nm^3
2kg	16kg	18kg

H 1kg당 이론산소량 $= 11.2\text{Nm}^3 \div 2\text{kg} = 5.6(\text{Nm}^3/\text{kg})$
$= 16\text{kg} \div 12\text{kg} = 8(\text{kg}/\text{kg})$

③ $S \quad + \quad O_2 \quad \Rightarrow \quad SO_2$

1kmol	1kmol	1kmol
22.4Nm^3	22.4Nm^3	22.4Nm^3
32kg	32kg	64kg

S 1kg당 이론산소량 $= 22.4\text{Nm}^3 \div 32\text{kg} = 0.7(\text{Nm}^3/\text{kg})$
$= 32\text{kg} \div 32\text{kg} = 1(\text{kg}/\text{kg})$

∴ 이론산소량$(O_0) = 1.867C + 5.6(H - \frac{0}{8}) + 0.7S\,(\text{Nm}^3/\text{kg})$
$= 2.667C + 8\left(H - \frac{0}{8}\right) + 1S(\text{kg}/\text{kg})$

(4) 이론공기량(A_0) 계산

공기 $1\,Nm^3$중 $O_2 = 0.21Nm^3(21\%)$, $N_2 = 0.79Nm^3(79\%)$

공기 $1Kg$중 $O_2 = 0.232Kg(23.2\%)$, $N_2 = 0.768Kg(76.8\%)$

① C: $1.867 \times \frac{100}{21} = 8.89(Nm^3/kg) \leftarrow$ 체적비율
$2.667 \times \frac{100}{23.2} = 11.49g(kg/kg) \leftarrow$ 중량비율

② $H: 5.6 \times \frac{100}{21} = 26.67(Nm^3/kg)$

$8 \times \frac{100}{23.2} = 34.5(kg/kg)$

③ $S: 0.7 \times \frac{100}{21} = 3.33(Nm^3/kg)$

$1 \times \frac{100}{23.2} = 4.31(kg/kg)$

$\therefore$ 이론공기량$(A_0) = 8.89C + 26.67(H - \frac{0}{8}) + 3.33S(Nm^3/kg)$

$= 11.49C + 34.5(H - \frac{0}{8}) + 4.31S(Kg/Kg)$

(5) 실제공기량(A) 계산

연료를 완전연소시키기 위해서는 이론공기량만으로는 불충분하므로 이론공기량에 과잉공기량을 더한 공기량 즉, 실제공기량이 필요하다.

실제공기량(A) = 이론공기량(A_0) + 과잉공기량
= 이론공기량(A_0) × 공기비(m)

과잉공기량 $= A - A_0$
$= mA_0 - A_0$
$= (m-1)A_0 \ Nm^3/kg$

과잉공기율(%) $= (m-1) \times 100\%$

(6) 공기비(m)

실제공기량과 이론공기량의 비

$$\text{공기비}(m) = \frac{A(\text{실제공기량})}{A_0(\text{이론공기량})}$$

(7) 공기비(m) 구하는 식

① 완전연소시 : $m = \frac{N_2}{N_2 - 3.76\,O_2}$

$m = \frac{21}{21 - O_2}$

② 불완전연소시 : $m = \frac{N_2}{N_2 - 3.76(O_2 - 0.5\,CO)}$

※$N_2 = 100 - (CO_2 + O_2 + CO)$

③ CO_2 max법 : $m = \frac{CO_{2\,max(\%)}}{CO_2(\%)}$

(8) 공기비(m)가 연소에 미치는 영향

① 공기비(m)가 클 경우

㉮ 배기가스량이 많아져서 열손실이 증가한다.

㉯ 연소실 온도가 낮아진다.

- 배기가스 중 NO_2의 발생이 심하여 대기오염을 일으킨다.
- 배기가스 중 SO_3의 함유량 증가로 저온부식을 일으킨다.

② 공기비(m)가 적을 경우

㉮ 연료가 불완전연소한다.

㉯ 미연분에 의해 열손실이 발생한다.

㉰ 미연분에 의해 매연이 발생한다.

㉱ 미연소가스에 의해 가스폭발이 일어날 수 있다.

(9) 배기가스 구하는 식

실제배기가스량(G) = $G_o + (m-1)A_o$(G_o : 이론배기가스량)

제5-3장 출/제/예/상/문/제

01 수소 15%, 수분 0.5%인 중유의 고위발열량이 10000Kcal/Kg이다 중유의 저위발열량은 몇 Kcal/Kg인가?

① 8795 ② 8984
③ 9085 ④ 9187

해설 저위발열량 = 10,000−600×(9×0.15+0.005) = 9,187kcal/kg

02 메탄(CH_4) 1Nm^3의 연소에 소요되는 이론공기량이 9.52Nm^3이고, 실제공기량이 11.43Nm^3일 때 공기비(m)는 얼마인가?

① 1.5 ② 1.4
③ 1.3 ④ 1.2

해설 $\frac{11.43}{9.52} = 1.2$

03 건 배기가스 중의 이산화탄소분 최댓값이 15.7%이다. 공기비를 1.2로 할 경우 건 배기가스 중의 이산화탄소분은 몇 %인가?

① 11.21% ② 12.07%
③ 13.08% ④ 17.58%

해설
$$공기비 = \frac{CO_2 max\%}{CO_2\%}$$
$$1.2 = \frac{15.7}{x} \quad x = \frac{15.7}{1.2} = 13.08\%$$

04 연료의 연소 시 과잉공기계수(공기비)를 구하는 올바른 식은?

① $\frac{연소가스량}{이론공기량}$ ② $\frac{실제공기량}{이론공기량}$
③ $\frac{배기가스량}{사용공기량}$ ④ $\frac{사용공기량}{배기가스량}$

해설 과잉공기계수(공기비)는 이론공기량에 대한 실제공기량의 비이다.

05 프로판 가스가 완전연소될 때 생성되는 것은?

① CO와 C_3H_8 ② C_4H_{10}와 CO_2
③ CO_2와 H_2O ④ CO와 CO_2

해설 프로판 가스의 연소반응식 :
$C_3H_8 + 5O_5 \rightarrow 3CO_2 + 4H_2O$

06 기체연료의 발열량 단위로 옳은 것은?

① kcal/m^2 ② kcal/cm^2
③ kcal/mm^2 ④ kcal/Nm^3

해설 기체연료의 발열량 단위는 kcal/Nm^3이다.

07 연료를 연소시키는데 필요한 실제공기량과 이론공기량의 비 즉, 공기비를 m이라 할 때, 다음 식이 뜻하는 것은?

(m−1) × 100%

① 과잉공기율
② 과소공기율
③ 이론공기율
④ 실제공기율

해설
• 과잉공기비 = (m − 1)
• 과잉공기율 = (m − 1)×100%

08 프로판(C_3H_8) 1kg이 완전연소하는 경우 필요한 이론산소량은 약 몇 Nm^3인가?

① 3.47 ② 2.55
③ 1.25 ④ 1.50

정답 01 ④ 02 ④ 03 ③ 04 ② 05 ③ 06 ④ 07 ① 08 ②

해설

$$C_3H_8 + 5O_2$$
1kmol 5kmol
(44kg, 22Nm³)(5×22.4Nm³)

$$\rightarrow 3CO_2 + 4H_2O$$
3kmol 4kmol
(3×22.4Nm³)(4×22.4Nm³)

$$\frac{5\times22.4}{44} = 2.55\ Nm^3$$

09 탄소(C) 1kmol이 완전연소하여 탄산가스(CO_2)가 될 때, 발생하는 열량은 몇 kcal인가?

① 29200 ② 57600
③ 68600 ④ 97200

해설

$$C + O_2$$
1kmol 1kmol
(12kg) (32kg, 22.4Nm³)

$$\rightarrow CO_2 + 972000\,kcal/kmol$$
1kmol
(44kg, 22.4Nm³)

10 어떤 액체연료를 완전연소시키기 위한 이론공기량이 10.5Nm³/kg이고, 공기비가 1.4인 경우 실제공기량은?

① 7.5Nm³/kg ② 11.9Nm³/kg
③ 14.7Nm³/kg ④ 16.0Nm³/kg

해설 실제공기량 = 1.4×10.5 = 14.7Nm²/kg

11 프로판(propane)가스의 연소식은 다음과 같다. 프로판가스 10kg을 완전연소시키는데 필요한 이론산소량은?

$$C_3H_8 + 5O_2 \rightarrow 3CO_2 + 4H_2O$$

① 약 11.6Nm³
② 약 13.8Nm³
③ 약 22.4Nm³
④ 약 25.5Nm³

해설

$$C_3H_8 + 5O_2 \rightarrow 3CO_2 + 4H_2O$$

1kmol 5kmol
44kg 5×22.4Nm³
1kg 2.545Nm³
10×2.545 = 25.45Nm³

12 공기비를 m, 이론공기량을 Ao라고 할 때, 실제공기량 A를 계산하는 식은?

① A=m · Ao
② A=m / Ao
③ A=1 / (m · Ao)
④ A=Ao−m

해설

$$공기비(m) = \frac{실제공기량(A)}{이론공기량(A_0)}$$

13 보일러용 오일연료에서 성분분석 결과 수소 12.0%, 수분 0.3%라면, 저위발열량은? (단, 연료의 고위발열량은 10600kcal/kg이다.)

① 6500kcal/kg
② 7600kcal/kg
③ 8590kcal/kg
④ 9950kcal/kg

해설

$$H_l = 10600 - 600(9\times0.12 + 0.003)$$
$$= 9950.2\,kcal/kg$$

정답 09 ④ 10 ③ 11 ④ 12 ① 13 ④

CHAPTER 06

난방부하 및 난방설비

제6장 난방부하 및 난방설비

1 난방부하

(1) 난방부하

실내의 온도 · 습도를 설계 조건으로 유지하기 위하여 손실된 열량과 같은 양의 열량을 실내에 공급하여야 하는 열량

(2) 난방부하의 계산

① 상당방열면적에 의한 계산

㉮ 상당방열면적은 E.D.R(Equivalent Direct Radiation)이라고 하며 표준방열량을 말하는 것으로 방열면적 $1m^2$를 1E.D.R라 한다.

㉯ 표준방열량

- 증기의 경우에는 주철제 방열기를 설치한 실내의 온도가 21℃이고 방열기에 102℃의 증기를 공급하였을 때의 방열량을 말하며 $650kcal/m^2h$이다.
- 온수의 경우에는 주철제 방열기를 설치한 실내의 온도가 18℃이고 방열기 내의 평균 온수 온도가 80℃일 때의 방열량을 말하며 $450kcal/m^2h$이다.

㉰ 방열기의 계산

소요방열량 = 방열계수 × 온도차

$$방열면적(A) = \frac{q}{q_r}$$

$$방열기쪽수(n) = \frac{q}{q_r \times As}$$

q : 방열기 방열량($Kcal/m^2h$)	q_r : 난방부하(Kcal/h)
A_s : 방열기쪽 당면적	

② 주형 방열기의 호칭 기호

㉮ 2주형 방열기 : II

㉯ 3주형 방열기 : III

㉰ 3세주형 방열기 : 3, 3C

㉱ 5세주형 방열기 : 5, 5C

㉲ 벽걸이 수평형 : W-H

㉳ 벽걸이 수직형 : W-V

③ 방열기의 도시 기호

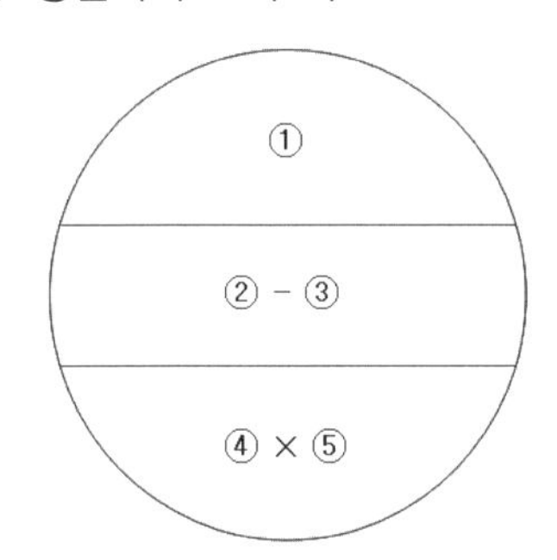

① 방열기 쪽(section) 수
② 방열기 종류별 기호
③ 방열기 높이(mm)
④ 입구 관경(mm)
⑤ 출구 관경(mm)

④ 방열기의 설치

㉮ 외기에 접한 창문 아래쪽에 설치한다.

㉯ 기둥형은 벽에서 50~60mm, 벽걸이형은 바닥에서 150mm 떨어지게 설치한다.

㉰ 대류방열기는 바닥으로부터 하부까지 90mm 이상 높게 설치한다.

⑤ 길드 방열기 : 주철관에 핀이 부착된 것으로 일종의 관 방열기

⑥ 대류 방열기

㉮ 강관과 철판 핀으로 제작된 것

㉯ 철판 핀을 정사각형 모양으로 만들어 강관에 일정 간격으로 끼워 넣어 만든다.

㉰ 1단, 2단, 3단으로 구성되어 있다. 1단의 것을 베이스 보드 히트라 한다.

⑦ 보일러 전부하

$$H_m = H_1 + H_2 + H_3 + H_4 \ (kcal/h)$$

H_m : 보일러전부하
H_1 : 난방부하
H_2 : 급탕부하
H_3 : 배관부하
H_4 : 예열부하

제6-1장 출/제/예/상/문/제

01 난방부하 계산과정에서 고려하지 않아도 되는 것은?

① 난방형식
② 주위환경 조건
③ 유리창의 크기 및 문의 크기
④ 실내와 외기의 온도

해설 난방형식은 관련이 없다.

02 난방부하가 2250kcal/h인 경우 온수방열기의 방열면적은 몇 m^2인가?(단, 방열기의 방열량은 표준방열량으로 한다.)

① 3.5 ② 4.5
③ 5.0 ④ 8.3

해설
$$방열면적 = \frac{2250}{450} = 5.0m^2$$

03 난방부하가 5600kcal/h, 방열기 계수 $7kcal/m^2 \cdot h \cdot ℃$ 송수 온도 80℃, 환수 온도 60℃, 실내온도 20℃일 때 방열기의 소요 방열면적은 몇 m^2인가?

① 8 ② 16
③ 24 ④ 32

해설
$$방열면적 = \frac{5,000}{7 \times (\frac{80+60}{2} - 20)} = 16㎡$$

04 어떤 건물의 소요 난방부하가 54600kcal/h이다. 주철제 방열기로 증기난방을 한다면 약 몇 쪽(section)의 방열기를 설치해야 하는가?(단, 표준방열량으로 계산하며, 주철제 방열기의 쪽 당 방열면적은 $0.24m^2$이다.)

① 330쪽 ② 350쪽
③ 380쪽 ④ 400쪽

해설
$650 \times 0.24 \times x = 54600$
$x = 350$쪽

05 〈보기〉와 같은 부하에 대해서 보일러의 "정격출력"을 올바르게 표시한 것은?

〈보 기〉
H1 : 난방부하
H2 : 급탕부하
H3 : 배관부하
H4 : 시동부하

① H1+H2
② H1+H2+H3
③ H1+H2+H4
④ H1+H2+H3+H4

해설 정격출력 = H1 + H2 + H3 + H4

06 온수난방을 하는 방열기의 표준방열량은 몇 $kcal/m^2 \cdot h$ 인가?

① 440 ② 450
③ 460 ④ 470

해설 온수방열기 표준방열량 = $450kcal/m^2h$

07 다음 중 난방부하의 단위로 옳은 것은?

① kcal/kg ② kcal/h
③ kg/h ④ $kcal/m^2 \cdot h$

해설 난방부하란 난방을 목적으로 실내온도를 보존하기 위해 공급되는 열량, 단위는 kcal/h이다.

정답 01 ① 02 ③ 03 ② 04 ② 05 ④ 06 ② 07 ②

08 방열기 설치 시 벽면과의 간격으로 가장 적합한 것은?

① 50mm　② 80mm
③ 100mm　④ 150mm

해설 주형(기둥형) 방열기는 벽면에서 50~60mm 떨어지게 설치한다.

09 난방부하가 15000kcal/h이고, 주철제 증기 방열기로 난방 한다면 방열기 소요 방열면적은 약 몇 m^2인가?(단, 방열기의 방열량은 표준방열량으로 한다.)

① 16　② 18
③ 20　④ 23

해설 $650\,kcal/hm^2 \times x[m^2] = 15000\,kcal/h$

$x = \frac{15000}{650} = 23\,m^2$

10 주철제 벽걸이 방열기의 호칭 방법은?

① W－형×쪽수
② 종별－치수×쪽수
③ 종별－쪽수×형
④ 치수－종별×쪽수

해설
- 주철제 방열기 호칭 방법 : 종별-형×쪽수
- 주철제 벽걸이 방열기 호칭 방법 : W-형×쪽수

11 보일러 용량 결정에 포함될 사항으로 거리가 먼 것은?

① 난방부하　② 급탕부하
③ 배관부하　④ 연료부하

해설 정격부하＝난방부하＋급탕부하＋배관부하＋예열부하

12 난방부하를 구성하는 인자에 속하는 것은?

① 관류 열손실
② 환기에 의한 취득열량
③ 유리창으로 통한 취득열량
④ 벽, 지붕 등을 통한 취득열량

해설 난방부하＝열관류율×벽체면적×(실내온도－외기온도)

13 다음 방열기 도시기호 중 벽걸이 종형 도시기호는?

① W－H　② W－V
③ W－Ⅱ　④ W－Ⅲ

해설 V－수직형, H－수평형

14 난방부하가 2250kcal/h인 경우 온수방열기의 방열면적은?(단, 방열기의 방열량은 표준방열량으로 한다.)

① $3.5m^2$　② $4.5m^2$
③ $5.0m^2$　④ $8.3m^2$

해설 $방열면적 = \frac{2250}{450} = 5m^2$

정답 08 ① 09 ④ 10 ① 11 ④ 12 ① 13 ② 14 ③

2 난방설비

(1) 온수난방설비

방열기 입·출구 온수의 온도차에 의한 현열을 이용하는 난방방식

① 온수난방의 분류

㉮ 온수공급방법

- 상향공급식 : 주관이 위로 올라가면서 각층으로 분기
- 하향공급식 : 주관이 아래로 내려가면서 각층으로 분기

㉯ 배관방식

- 단관식 : 공급관과 복귀관이 동일 배관
- 복관식 : 공급관과 복귀관이 완전 분리된 배관

㉰ 온수의 온도

- 고온수식 : 온도 100℃ 이상의 온수사용(밀폐식 팽창탱크 사용)
- 보통온수식 : 온도 100℃ 미만의 온수사용(개방식 팽창탱크 사용)

㉱ 온수순환방법

- 중력순환식 : 온수의 비중차에 의한 자연순환식
- 강제순환식 : 순환펌프 등에 의한 강제순환식

※ 온수난방의 특징
- 난방부하의 변동에 따라 온도조절이 쉽다.
- 예열시간이 길지만 식는 시간도 길다.
- 동결의 염려가 적다.
- 방열면적이 넓고 취급이 쉽다.
- 건축물의 높이에 제한을 받는다.

(2) 증기난방설비

증기의 기화잠열을 이용하는 난방으로 시설 규모가 큰 건물에 유리하다.

① 증기난방의 분류

㉮ 증기공급방법

- 상향공급식 : 올라가면서 각 층으로 증기를 공급하는 방식
- 하향공급식 : 내려가면서 각 층으로 증기를 공급하는 방식

> ※ 증기난방의 특징
> - 열 운반 능력이 크다.
> - 예열시간이 짧다.
> - 온수난방에 비하여 쾌적하지 않다.
> - 방열면적이 온수난방보다 적어도 된다.

㉯ 배관방식

- 단관식 : 증기관과 응축수관이 동일 배관으로 소규모 난방에 많이 사용
- 복관식 : 증기관과 응축수관을 분리하여 시공한 것으로 대규모 난방에 많이 사용

㉰ 사용 증기압력

- 고압식 : 증기압 $1kg/cm^2$ 이상
- 저압식 : 증기압 $1kg/cm^2$ 미만(0.35 kg/cm^2 정도 사용)

> ※ 고압증기 난방과 비교한 저압증기 난방의 특징
> - 방열기 온도가 낮다.
> - 증기 누설의 염려가 적다.
> - 증기의 장거리 수송이 어렵다.
> - 관경이 크고 설비 관리가 쉽다.

㉱ 응축수 환수방법

- 중력식 : 응축수를 중력 작용으로 환수
- 기계식 : 펌프에 의해 환수
- 진공식 : 진공 급수펌프로 환수관 내 응축수와 공기를 흡인 순환

> ※ 진공식의 특징
> - 환수를 원활하게 하여 순환이 빠르다.
> - 기울기에 크게 상관하지 않는다.
> - 방열기 설치 장소에 제한을 받지 않는다.
> - 환수관의 직경을 작게 할 수 있다.
> - 방열량 조절이 용이하다.

㉲ 환수관의 배관법

- 건식환수관 : 환수주관을 보일러 수면보다 높게 배관
- 습식환수관 : 환수주관을 보일러 수면보다 낮게 배관

(3) 복사(패널) 난방

천장이나 벽, 바닥 등에 코일을 매설하여 온수, 증기, 온풍, 전열 등의 열매체를 이용하여 복사열에 의해 실내를 난방한다.

① 복사난방의 패널

㉮ 패널의 설치 위치에 따라 바닥패널, 천장패널, 벽패널 등으로 구분한다.

㉯ 패널의 재료는 강관, 동관, 폴리에틸렌관 등을 사용한다.

㉰ 패널 한 식의 길이는 40~60m 정도이다.

② 복사난방의 특징

㉮ 장점

- 실내온도분포가 균일하고 쾌감도가 좋다.
- 실내공간의 이용도가 높다.
- 동일 방열량에 대한 열손실이 적다.
- 천장이 높거나 환기를 자주하는 실내난방에 적합하다.
- 공기의 대류가 적어 공기의 오염도가 적다.

㉯ 단점

- 외기온도의 급변에 대해 대응하기 곤란하다.
- 배설배관이므로 시공 및 고장의 발견, 수리 등이 어렵다.
- 마감면 표면에 균열이 발생하기 쉽다.
- 단열재를 사용하여 가열면의 손실을 줄여야 한다.
- 설비비가 많이 든다.

(4) 지역난방

고압의 증기 또는 고온수를 이용하여 일정지역의 다수 건물에 공급하여 난방하는 대규모 집단 난방 방식이다.

① 장점

㉮ 각 건물에 보일러가 필요 없어 건물의 유효면적이 넓어진다.

㉯ 설비의 고도화에 따라 대기오염이 감소된다.

㉰ 연료비와 인건비를 줄일 수 있다.

㉱ 보일러 설치하는 경우에 비해 열효율이 좋다.

㉲ 고압증기, 고온수를 사용하므로 관지름을 작게 할 수 있다.

② 단점

㉮ 고온수 사용 시 관 내 저항 손실이 크다.

㉯ 경사가 높은 지역에는 부적합하다.

㉰ 설비비가 많이 든다.

제6-2장 출/제/예/상/문/제

01 온수난방에서 역귀환 방식을 채택하는 주된 이유는?

① 각 방열기에 연결된 배관의 신축을 조정하기 위해서
② 각 방열기에 연결된 배관 길이를 짧게 하기 위해서
③ 각 방열기에 공급되는 온수를 식지 않게 하기 위해서
④ 각 방열기에 공급되는 유량분배를 균등하게 하기 위해서

해설 역귀환 방식 : 각 층의 온수순환(유량)을 균등하게 할 목적으로 쓰인다.

02 온수난방 배관시공 시 배관 구배는 일반적으로 얼마 이상이어야 하는가?

① 1/100 ② 1/150
③ 1/200 ④ 1/250

해설 온수난방의 구배는 1/250이다.

03 진공환수식 증기난방에 대한 설명으로 틀린 것은?

① 환수관의 직경을 작게 할 수 있다.
② 방열기의 설치장소에 제한을 받지 않는다.
③ 중력식이나 기계식보다 증기의 순환이 느리다.
④ 방열기의 방열량 조절을 광범위하게 할 수 있다.

해설 진공환수식은 중력식이나 기계식보다 증기의 순환이 빠르다.

04 다음 중 복사난방의 일반적인 특징이 아닌 것은?

① 외기온도의 급변화에 따른 온도조절이 곤란하다.
② 배관길이가 짧아도 되므로 설비비가 적게 든다.
③ 방열기가 없으므로 바닥면의 이용도가 높다.
④ 공기의 대류가 적으므로 바닥면의 먼지가 상승하지 않는다.

해설 복사난방법은 설비비가 많이 든다.

05 지역난방의 일반적인 장점으로 거리가 먼 것은?

① 각 건물마다 보일러 시설이 필요 없고, 연료비와 인건비를 줄일 수 있다.
② 시설이 대규모이므로 관리가 용이하고 열효율 면에서 유리하다.
③ 지역난방설비에서 배관의 길이가 짧아 배관에 의한 열손실이 적다.
④ 고압증기나 고온수를 사용하여 관의 지름을 작게 할 수 있다.

해설 배관의 길이가 길어 열손실이 크다.

06 증기난방과 비교하여 온수난방의 특징을 설명한 것으로 틀린 것은?

① 난방부하의 변동에 따라서 열량 조절이 용이하다.
② 예열시간이 짧고 가열 후에 냉각시간도 짧다.

정답 01 ④ 02 ④ 03 ③ 04 ② 05 ③ 06 ②

③ 방열기의 화상이나 공기 중의 먼지 등이 눌어붙어 생기는 나쁜 냄새가 적어 실내의 쾌적도가 높다.
④ 동일 발열량에 대하여 방열 면적이 커야 하고 관경도 굵어야 하기 때문에 설비비가 많이 드는 편이다.

해설 온수난방은 예열시간이 길다.

07 **증기난방의 중력환수식에서 복관식인 경우 배관 기울기를 적당한 것은?**

① $\frac{1}{50}$ 정도의 순 기울기
② $\frac{1}{100}$ 정도의 순 기울기
③ $\frac{1}{150}$ 정도의 순 기울기
④ $\frac{1}{200}$ 정도의 순 기울기

해설 복관식 중력환수식 난방에서 증기주관은 $\frac{1}{200}$이다.

08 **복사난방의 특징에 관한 설명으로 옳지 않은 것은?**

① 쾌감도가 좋다.
② 고장 발견이 용이하고, 시설비가 싸다.
③ 실내공간의 이용률이 높다.
④ 동일 방열량에 대한 열손실이 적다.

해설 복사난방은 고장 발견이 어렵고 시설비가 비싸다.

09 **실내의 온도분포가 가장 균등한 난방방식은 무엇인가?**

① 온풍난방
② 방열기난방
③ 복사난방
④ 온돌난방

해설 복사난방의 특징 : 실내의 온도 분포가 가장 균일하여 쾌감도가 높다.

10 **지역난방의 특징을 설명한 것 중 틀린 것은?**

① 설비가 길어지므로 배관 손실이 있다.
② 초기 시설 투자비가 높다.
③ 건물의 공간을 많이 차지한다.
④ 대기오염의 방지를 효과적으로 할 수 있다.

해설 지역난방은 건물의 공간을 적게 차지한다.

11 **증기난방에서 응축수의 환수방법에 따른 분류 중 증기의 순환과 응축수의 배출이 빠르며, 방열량도 광범위하게 조절할 수 있어서 대규모 난방에서 많이 채택하는 방식은?**

① 진공환수식 증기난방
② 복관 중력환수식 증기난방
③ 기계환수식 증기난방
④ 단관 중력환수식 증기난방

해설 진공환수식 증기난방법의 특징
- 증기의 순환과 응축수의 배출이 빠르다.
- 방열기의 방열량 조절을 광범위하게 조절할 수 있어서 대규모 난방에 많이 사용한다.

12 **온수난방 배관에서 수평주관에 지름이 다른 관을 접속하여 연결할 때 가장 적합한 관 이음쇠는?**

① 유니온
② 편심 리듀서
③ 부싱
④ 니플

해설 편심 리듀서는 온수의 순환을 좋게 하기 위해 사용한다.

정답 07 ④ 08 ② 09 ③ 10 ③ 11 ① 12 ②

13 **온수난방에 관한 설명으로 틀린 것은?**

① 단관식은 보일러에서 멀어질수록 온수의 온도가 낮아진다.
② 복관식은 방열량의 변화가 일어나지 않고 밸브의 조절로 방열량을 가감할 수 있다.
③ 역귀환 방식은 각 방열기의 방열량이 거의 일정하다.
④ 증기난방에 비하여 소요방열면적과 배관경이 작게 되어 설비비를 비교적 절약할 수 있다.

해설 증기난방에 비해 온수난방은 배관경이 크다.

14 **난방설비배관이나 방열기에서 높은 위치에 설치해야 하는 밸브는?**

① 공기빼기밸브
② 안전밸브
③ 전자밸브
④ 플로트밸브

해설 공기빼기밸브는 배관 중 높은 곳에 설치하여 공기를 배출한다.

정답 13 ④ 14 ①

MEMO

CHAPTER 07

보일러 설치시공 및 검사기준

제7장 보일러 설치시공 및 검사기준

1 보일러 설치시공기준

(1) 설치장소

① 옥내설치

㉮ 1종 관류 보일러(소형보일러), 가스용 온수보일러

㉯ 천장 및 보일러 상부에 있는 구조물까지의 거리는 1.2m 이상, 소형보일러 및 주철제 보일러의 경우에는 0.6m 이상

㉰ 보일러와 벽 및 측부에 있는 구조물까지의 거리는 0.45m 이상(소형보일러는 0.3m 이상)

㉱ 보일러 및 금속제의 굴뚝 또는 연도의 외측으로부터 0.3m 이내에 있는 가연성 물체는 금속 이외의 불연성 재료로 피복한다.

㉲ 연료를 저장할 때는 보일러 외측으로부터 2m 이상에 하도록 하고, 또는 방화격벽을 설치한다(소형보일러의 경우에는 1m 이상, 또는 반격벽으로 할 수 있다).

㉳ 보일러실은 급기구 및 환기구가 있어야 하며, 급기구는 보일러 배기가스 덕트의 유효단면적 이상이어야 하며, 도시가스를 사용하는 경우에는 환기구를 가능한 한 높이 설치한다.

㉴ 보일러는 바닥에서 10cm 이상에 설치한다.

② 옥외설치

㉮ 케이싱 등의 적절한 방지설비가 필요하다.

㉯ 노출된 절연재, 래깅 등에는 방수처리를 한다.

㉰ 증기관 및 급수관 등이 얼지 않도록 적절한 보호조치를 한다.

㉱ 빗물방지 보호판을 설치한다.

③ 보일러의 설치

㉮ 갈라지지 않아야 한다.

㉯ 부식이 되지 않도록 적절한 보호조치를 한다.

㉰ 수관식 보일러의 경우 전열면을 청소할 수 있는 구멍이 있어야 한다.

㉱ 보일러 기사의 작업장소에서 2m 이내에 한다.

㉲ 바닥 지지물에 반드시 고정한다.

④ 배관

㉮ 배관의 설치

- 배관은 외부에 노출하여 시공한다. 동관, 스테인리스 강관, 기타 내식성 재료로서 이음매 없이 설치(용접이음매를 제외한다)할 때에는 매몰하여 설치할 수 있다.
- 배관의 이음부 거리는 전기계량기, 전기개폐기와 60cm 이상, 전기점멸기, 전기접속기와의 거리는 30cm 이상, 절연선과의 거리는 10cm 이상, 절연조치가 안 된 전선과의 거리는 30cm 이상의 거리를 유지한다.

㉯ 배관의 고정

- 13mm 미만=1m마다
- 13~33mm 미만=2m마다
- 33mm 이상=3m마다 고정장치 설치

㉰ 배관의 표시

- 배관은 그 외부에 사용가스명, 최고사용압력 및 가스흐름방향을 표시한다.
- 지상배관은 부식방지 도장 후 표면 색상을 황색으로 도색한다.

(2) 급수장치

① 급수장치의 종류

㉮ 주펌프(인젝터를 포함) 및 보조펌프세트를 갖춘 급수장치가 있어야 한다.

- 전열면적 $12m^2$ 이하, 전열면적 $14m^2$ 이하의 가스용 온수보일러, 전열면적 $100m^2$ 이하의 관류 보일러에는 보조펌프를 생략할 수 있다.
- 주펌프 및 보조펌프는 물을 각각 단독으로 공급할 수 있어야 한다.

㉯ 주펌프 세트는 급수펌프 또는 인젝터여야 한다(최고사용압력 0.25MPa 미만, 화격자면적 $0.6m^2$ 이하, 전열면적 $12m^2$ 이하는 예외).

② 급수밸브와 체크밸브 : 급수관에는 보일러에 인접하여 급수밸브와 체크밸브를 설치한다.

㉮ 최고사용압력 0.1MPa 미만의 보일러에서는 체크밸브를 생략할 수 있다.

③ 급수밸브의 크기

㉮ 전열면적 $10m^2$ 이하=호칭 15A 이상

㉯ 전열면적 $10m^2$ 이상=호칭 20A 이상

(3) 압력방출장치

① 안전밸브의 개수

㉮ 2개 이상의 안전밸브를 설치한다. 전열면적 $50m^2$ 이하의 증기보일러에는 1개 이상이다.

㉯ 보일러와 압력방출장치 사이에 체크밸브를 설치할 경우 압력방출장치는 2개 이상이다.

② 안전밸브의 부착 : 밸브 축을 수직으로 보일러의 동체에 가능한 직접 부착한다.

③ 안전밸브 및 압력방출장치의 용량 : 자동연소제어장치 및 보일러 최고사용압력의 1.06배 이하의 압력에서 급속하게 연료의 공급을 차단한다.

④ 안전밸브 및 압력방출장치의 크기 : 호칭지름 25A 이상

㉮ 호칭지름 20A 이상으로 할 수 있는 경우
- 최고사용압력 0.1MPa(1kg/cm^2) 이하의 보일러
- 최고사용압력 0.5MPa(5kg/cm^2) 이하의 보일러로 동체의 안지름이 500mm 이하이며 동체의 길이가 1,000mm 이하의 것
- 최고사용압력 0.5MPa(5kg/cm^2) 이하의 보일러로 전열면적 2m^2 이하의 것
- 최대증발량 5t/h 이하의 관류 보일러
- 소용량강철제보일러, 소용량주철제보일러

⑤ 과열기 부착 보일러의 안전밸브 : 과열기에는 그 출구에 1개 이상의 안전밸브가 있어야 한다.

⑥ 재열기 또는 독립과열기 안전밸브 : 입구 및 출구에 각각 1개

⑦ 안전밸브의 종류 및 구조 : 안전밸브의 종류는 스프링안전밸브로 한다.

⑧ 온수발생보일러의 방출밸브와 방출관

㉮ 방출밸브 또는 안전밸브를 1개 이상 갖추어야 한다.

㉯ 손쉽게 검사할 수 있는 방출관을 갖출 때는 방출밸브로 대응할 수 있다.

㉰ 방출관에는 차단장치(밸브 등)를 부착해서는 안 된다.

㉱ 방출밸브 또는 방출관은 밀폐식 구조나 보일러 밖의 안전한 장소에 방출시킬 수 있는 구조이다.

⑨ 온수발생보일러의 방출밸브 또는 안전밸브의 크기

온도 393K(120℃) 이하의 온수발생보일러에는 방출밸브를 설치한다. 지름은 20mm 이상으로 하며 최고사용압력의 10%[그 값이 0.035MPa(0.35kgf/cm^2)] 미만인 경우에는 0.035MPa를 더한 값을 초과하지 않도록 지름과 개수를 정하여야 한다.

(4) 수면계

① 수면계의 개수

㉮ 2개(소용량 및 1종 관류 보일러는 1개) 이상의 유리수면계를 부착한다. 단관식 관류 보일러는 제외한다.

㉯ 최고사용압력 1MPa 이하, 동체 안지름 750mm 미만의 수면계 중 1개는 다른 종류의 수면측정장치로 할 수 있다.

㉰ 2개 이상의 원격지시수면계를 시설하는 경우는 유리수면계를 1개 이상으로 할 수 있다.

(5) 계측기

① 압력계

㉮ 압력계의 크기와 눈금 : 최고눈금은 최고사용압력의 1.5배 이하, 3배 이상

㉯ 압력계의 부착 : 황동관, 동관=안지름 6.5mm 이상, 강관=12.7mm 이상(단, 증기온도가 483K(210℃)를 초과할 시, 황동관 또는 동관 사용금지)

② 수위계

㉮ 보일러 동체 또는 온수의 출구 부근에 수위계를 설치한다. 코크의 핸들은 관과 평행하다.

㉯ 수위계의 최고눈금은 최고사용압력의 1배 이상, 3배 이하이다.

③ 유량계

㉮ 유량계와 전기계량기, 굴뚝 및 전기개폐기와의 거리는 60cm 이상

㉯ 전기점멸기 및 전기접속기와의 거리는 30cm 이상

㉰ 전선과의 거리는 15cm 이상을 유지

(6) 스톱밸브 및 분출밸브

① 분출밸브의 크기와 개수

호칭지름 25mm 이상, 전열면적 $10m^2$ 이하인 보일러는 호칭지름 20mm 이상 가능

(2) 분출밸브 및 코크의 모양과 강도

① 분출밸브는 스케일 또는 그 밖의 침전물이 퇴적되지 않는 구조이다.

② 최고사용압력은 보일러 최고사용압력의 1.25배 또는 최고사용압력에 1.5MPa를 더한 압력 중, 작은 쪽의 압력 이상이어야 한다.

(7) 운전성능

① 열매체 보일러의 배기가스 온도는 출구열매 온도와의 차이가 150℃ 이하이다.

② 보일러의 외벽온도는 주위온도보다 30℃를 초과하여서는 안 된다.

㉮ 보일러 배기가스 온도

보일러 용량 (t/h)	배기가스 온도차(K)
5 이하	300 이하
5 초과 20 이하	250 이하
20 초과	210 이하

③ 저수위 안전장치

㉮ 저수위 안전장치는 연료 차단 전에 경보음(70dB 이상)이 울려야 한다.

㉯ 온수발생 보일러(액상식 열매체 보일러 포함)의 온도-연소 제어장치는 최고사용온도 이내에서 연료가 차단되어야 한다.

제7-1장 출/제/예/상/문/제

01 급수탱크의 설치에 대한 설명 중 틀린 것은?

① 급수탱크를 지하에 설치하는 경우에는 지하수, 침출수 등이 유입되지 않도록 하여야 한다.
② 급수탱크의 크기는 용도에 따라 1~2시간 정도 급수를 공급할 수 있는 크기로 한다.
③ 급수탱크는 얼지 않도록 보온 등 방호조치를 하여야 한다.
④ 탈기기가 없는 시스템의 경우 급수에 공기 유입 우려로 인해 가열장치를 설치해서는 안 된다.

해설 탈기기가 없는 시스템도 가열장치를 설치한다.

02 보일러의 옥내 설치 시 보일러 동체 최상부로부터 천정, 배관 등 보일러 상부에 있는 구조물까지의 거리는 몇 m 이상이어야 하는가?

① 0.5 ② 0.8
③ 1.0 ④ 1.2

해설 천장 및 보일러 상부에 있는 구조물까지 1.2m이다.

03 보일러에서 사용하는 수면계의 설치기준에 관한 설명 중 잘못된 것은?

① 유리수면계는 보일러의 최고사용압력과 그에 상당하는 증기온도에서 원활히 작용하는 기능을 가져야 한다.
② 소용량 및 소형 관류 보일러에는 2개 이상의 유리수면계를 부착해야 한다.
③ 최고사용압력 1MPa 이하로서 동체 안지름이 750mm 미만인 경우에 있어서는 수면계 중 1개는 다른 종류의 수면측정장치로 할 수 있다.
④ 2개 이상의 원격지시수면계를 시설하는 경우에 한하여 유리수면계를 1개 이상으로 할 수 있다.

해설 소용량 및 소형 관류 보일러에는 1개 이상의 유리수면계를 부착한다.

04 보일러설치기술규격에서 보일러의 분류에 대한 설명 중 틀린 것은?

① 주철제보일러의 최고사용압력은 증기보일러의 경우 0.5MPa까지, 온수온도는 373°K까지로 국한된다.
② 일반적으로 보일러는 사용매체에 따라 증기보일러, 온수보일러 및 열매체 보일러로 분류된다.
③ 보일러의 재질에 따라 강철제 보일러와 주철제 보일러로 분류된다.
④ 연료에 따라 유류보일러, 가스보일러, 석탄보일러, 목재보일러, 폐열보일러, 특수연료보일러 등이 있다.

해설 주철제 온수보일러일 경우 온수온도 393K(120℃)이다.

05 보일러를 옥내에 설치할 때의 설치 시공기준 설명으로 틀린 것은?

① 보일러에 설치된 계기들을 육안으로 관찰하는데 지장이 없도록 충분한 조명시설이 있어야 한다.

정답 01 ④ 02 ④ 03 ② 04 ① 05 ②

② 보일러 동체에서 벽, 배관, 기타 보일러 측부에 있는 구조물(검사 및 청소에 지장이 없는 것은 제외)까지 거리는 0.6m 이상이어야 한다. 다만, 소형보일러는 0.45m 이상으로 할 수 있다.

③ 보일러실은 연소 및 환경을 유지하기에 충분한 급기구 및 환기구가 있어야 하며 급기구는 보일러 배기가스 덕트의 유효단면적 이상이어야 하고, 도시가스를 사용하는 경우에는 환기구를 가능한 높이 설치하여 가스가 누설되었을 때 체류하지 않는 구조이어야 한다.

④ 연료를 저장할 때에는 보일러 외측으로부터 2m 이상 거리를 두거나 방화격벽을 설치하여야 한다. 다만, 소형보일러의 경우는 1m 이상의 거리를 두거나 반격벽으로 할 수 있다.

해설 보일러 동체에서 벽, 배관, 기타 측부에 있는 구조물까지 거리는 0.45m 이상, 단 소형 보일러는 0.3m 이상이다.

06 보일러의 설치 · 시공기준 상 가스용 보일러의 연료 배관 시 배관의 이음부와 전기계량기 및 전기개폐기와의 유지 거리는 얼마인가?(단, 용접이음매는 제외한다.)

① 15㎝ 이상
② 30㎝ 이상
③ 45㎝ 이상
④ 60㎝ 이상

해설 가스 배관의 이음부와 전기계량기 및 전기개폐기와의 거리는 60㎝ 이상 유지해야 한다.

07 보일러 설치 · 시공 기준상 유류보일러의 용량이 시간당 몇 톤 이상이면 공급 연료량에 따라 연소용 공기를 자동조절하는 기능이 있어야 하는가?(단, 난방 보일러인 경우이다.)

① 1t/h ② 3t/h
③ 5t/h ④ 10t/h

해설 공기량 자동조절기능은 용량 5t/h 이상의 유류보일러에 설치한다.

정답 06 ④ 07 ③

2 설치 및 계속사용검사기준

(1) 설치검사기준

① 수압시험압력

㉮ 강철제 보일러

- 최고사용압력 0.43MPa(4.3kg/cm^2) 이하=최고사용압력의 2배의 압력. 단, 시험압력이 0.2Mpa(2kg/cm^2) 미만인 경우는 0.2MPa(2kg/cm^2)로 한다.
- 최고사용압력 0.43 초과 1.5MPa 이하=최고사용압력의 1.3배+0.3MPa의 압력
- 최고사용압력 1.5MPa 초과=최고사용압력의 1.5배의 압력

㉯ 주철제 보일러

- 최고사용압력 0.43MPa(4.3kg/cm^2) 이하=최고사용압력의 2배의 압력. 단, 시험압력이 0.2Mpa(2kg/cm^2) 미만인 경우는 0.2MPa(2kg/cm^2)로 한다.
- 최고사용압력 0.43MPa 초과=최고사용압력의 1.3배+0.3MPa의 압력

강철제		주철제	
0.43Mpa 이하	2배	0.20Mpa 이하	0.2Mpa
0.43~1.5Mpa 이하	1.3배+0.3Mpa	0.43Mpa 이하	2배
1.5Mpa 이상	1.5배	0.43Mpa 이상	1.3배+0.3Mpa

② 수압시험 방법

㉮ 규정된 시험수압에 도달된 후 30분이 경과된 뒤에 검사를 실시한다.

㉯ 시험수압은 규정된 압력의 6% 이상을 초과하지 않도록 한다.

③ 가스누설시험 방법

㉮ 외부누설시험 : 비눗물시험, 가스누설검사기로 누설유무를 확인한다.

④ 압력방출장치

㉮ 안전밸브 작동시험

- 안전밸브의 분출압력은 1개일 경우 최고사용압력 이하, 2개 이상인 경우 1개는 최고사용압력 이하, 기타는 최고사용압력의 1.03배 이하일 것
- 출구에 설치하는 안전밸브의 분출압력은 입구에 설치하는 안전밸브의 설정압력보다 낮게 한다.
- 발전용 보일러의 안전밸브 분출장치 압력은 0.93배 이상이다.

㉯ 방출밸브의 작동시험

- 보일러의 압력이 방출밸브의 설정압력의 50% 이하이다.
- 보일러수의 압력과 온도가 상승함을 관찰한다.
- 최고사용압력 이하에서 작동하는지 관찰한다.

(2) 계속사용검사기준

① 검사의 신청 및 준비

㉮ 검사의 준비

- 개방검사
  - 가열면에 고착물이 굳어져 달라붙지 않도록 충분히 냉각시켜야 한다.
  - 체크밸브와 증기스톱밸브는 반드시 잠근다. 급수밸브도 잠궈 놓으며 모든 배수 및 통기배관은 열어야 한다.
  - 12볼트 램프나 이동 램프를 사용한다.
  - 급수내관, 비수방지판은 동체에서 분리한다.
  - 압력방출장치 및 저수위 감지장치는 분해 정비한다.

② 검사

㉮ 개방검사

- 외부검사
  - 현저한 부식과 그루빙이 없어야 한다.
  - 시험용 해머로 두들겨 보아 이상이 없어야 한다.
  - 산화피막을 적절히 제거하고, 육안으로 관찰하였을 때 사용상 이상이 없어야 한다.
- 내부검사
  - 스케일은 제거, 관 끝부분의 손모, 취화 및 빠짐이 없어야 한다.
  - 스테이의 손상, 이음부의 현저한 부식이 없어야 하며, 침식, 스케일 등으로 드럼에 현저히 얇아진 곳이 없어야 한다.
  - 그을음을 제거한다.
  - 팽출, 균열 또는 결함 있는 용접부가 없어야 한다.
  - 균열이나 변형이 없어야 한다. 검사는 가능한 보일러 안쪽부터 시행한다.
  - 불룩해짐, 팽출, 팽대, 압궤 또는 누설이 없어야 한다.

③ 계속사용검사 중 운전성능 측정기준

㉮ 유류보일러로서 증기보일러 이외의 보일러

- 열매체 보일러는 출구 열매유 온도와 차가 150℃ 이하이다.

- 폐열회수장비가 있는 보일러는 그 출구에서 배기가스온도를 측정한다.
- 보일러용량이 MW(kcal/h)로 표시되었을 때에는 0.6978MW(600,000kcal/h)를 1t/h로 환산한다.
- 실내일 경우는 실내온도, 실외일 경우는 실외온도로 한다.

㉯ 보일러의 성능시험방법

- 측정은 매 10분마다 실시한다.
- 수위는 최초 측정 시와 최종 측정 시가 일치하여야 한다.

제7-2장 출/제/예/상/문/제

01 보일러의 검사기준에 관한 설명으로 틀린 것은?

① 수압시험은 보일러의 최고사용압력이 15kgf/cm^{2}를 초과할 때에는 그 최고사용압력의 1.5배의 압력으로 한다.
② 보일러 운전 중에 비눗물 시험 또는 가스누설검사기로 배관접속부위 및 밸브류 등의 누설유무를 확인한다.
③ 시험수압은 규정된 압력의 8% 이상을 초과하지 않도록 모든 경우에 대한 적절한 제어를 마련하여야 한다.
④ 화재, 천재지변 등 부득이한 사정으로 검사를 실시할 수 없는 경우에는 재신청 없이 다시 검사를 하여야 한다.

해설 수압시험은 시험압력에 6%를 초과하지 않아야 한다.

02 강철제 보일러의 최고사용압력이 0.43MPa 초과 1.5MPa 이하일 때 수압시험 압력 기준으로 옳은 것은?

① 0.2MPa
② 최고사용압력의 1.3배에 0.3MPa를 더한 압력
③ 최고사용압력의 1.5배의 압력
④ 최고사용압력의 2배에 0.5MPa를 더한 압력

03 보일러의 계속사용검사기준 중 내부검사에 관한 설명이 아닌 것은?

① 관의 부식 등을 검사할 수 있도록 스케일은 제거되어야 하며, 관 끝부분의 손상, 취화 및 빠짐이 없어야 한다.
② 노벽 보호부분은 벽체의 현저한 균열 및 파손 등 사용상 지장이 없어야 한다.
③ 내용물의 외부유출 및 본체의 부식이 없어야 한다. 이때 본체의 부식상태를 판별하기 위하여 보온재 등 피복물을 제거하게 할 수 있다.
④ 연소실 내부에는 부적당하거나 결함이 있는 버너 또는 스토커의 설치운전에 의한 현저한 열의 국부적인 집중으로 인한 현상이 없어야 한다.

해설 피복물을 제거해서는 안 된다.

04 열사용기자재의 검사 및 검사면제에 관한 기준에 따라 급수장치를 필요로 하는 보일러에는 기준을 만족시키는 주펌프 세트와 보조펌프 세트를 갖춘 급수장치가 있어야 하는데, 특정 조건에 따라 보조펌프 세트를 생략할 수 있다. 다음 중 보조펌프 세트를 생략할 수 없는 경우는?

① 전열면적이 10m^{2}인 보일러
② 전열면적이 8m^{2}인 가스용 온수보일러
③ 전열면적이 16m^{2}인 가스용 온수보일러
④ 전열면적이 50m^{2}인 관류 보일러

해설 보조펌프 세트를 생략할 수 있는 경우 : 전열면적 12m^2 이하의 보일러, 전열면적 14m^2 이하의 가스용 온수보일러

05 강철제 증기보일러의 최고사용압력이 2MPa일 때 수압시험압력은?

① 2MPa ② 2.5MPa
③ 3MPa ④ 4MPa

정답 01 ③ 02 ② 03 ③ 04 ③ 05 ③

해설
- 최고사용압력 0.43MPa 이하 : P×2배(2배 해도 0.2MPa 미만 시 0.2MPa)
- 최고사용압력 0.43MPa 초과~1.5MPa 이하 : P×1.3배+0.3MPa
- 최고사용압력 1.5MPa 초과 : P×1.5배

06 강철제 증기보일러의 최고사용압력이 0.4 MPa인 경우 수압시험압력은?

① 0.16MPa
② 0.2MPa
③ 0.8MPa
④ 1.2MPa

해설 최고사용압력이 0.43MPa 이하인 강철제 증기보일러의 수압시험압력은 최고사용압력의 2배이다.

07 보일러에서 수압시험을 하는 목적으로 틀린 것은?

① 분출증기압력을 측정하기 위하여
② 각종 덮개를 장치한 후의 기밀도를 확인하기 위하여
③ 수리한 경우 그 부분의 강도나 이상유무를 판단하기 위하여
④ 구조상 내부검사를 하기 어려운 곳에는 그 상태를 판단하기 위하여

해설 수압시험은 증기압 측정과는 무관하다.

08 어떤 강철제 증기보일러의 최고사용압력이 0.35MPa이면 수압시험압력은?

① 0.35MPa
② 0.5MPa
③ 0.7MPa
④ 0.95MPa

해설 최고사용압력이 0.43MPa 이하인 강철제 증기보일러의 수압시험압력은 최고사용압력의 2배이다.

정답 06 ③ 07 ① 08 ③

3 온수 보일러 설치시공 기준

(1) 적용범위

전열면적 $14m^2$ 이하의 유류 연소용 온수 보일러

(2) 용어의 정의

① 지정사용자 : 특정 열사용기자재의 시공업 지정을 받은 자

② 상향순환식 : 송수주관을 상향구배, 난방개소의 방열면을 보일러 설치기준면보다 높게

③ 하향순환식 : 송수주관을 연직으로 배관

④ 송수주관 : 보일러에서 발생된 온수를 난방개소에 매설된 방열관 및 온수탱크에 공급하는 관

⑤ 환수주관 : 환수시켜 주는 관

⑥ 급수탱크 : 급수관이 직접 보일러 또는 배관 등에 직결되지 않도록 설치된 탱크

⑦ 팽창탱크 : 체적팽창 또는 이상팽창압력을 흡수(개방식과 밀폐식이 있다)

⑧ 공기방출기 : 기포를 외기로 방출

(3) 온수보일러 설치시공

① 설치시공도면을 작성하여 시공 의뢰자에게 제공하고, 시공자는 시공도를 보관한다.

㉮ 시공도에 반드시 포함되어야 하는 사항

- 모든 배관의 크기, 치수 및 경로
- 매설 위치와 연결부
- 단열방식 및 단열재 두께, 단열재 종류
  - 밸브의 설치 위치 및 종류
  - 제조업체명, 규격 및 능력
  - 계약일자, 시공일자

② 부식방지를 위한 피막, 도장 등을 하여야 한다.

③ 보일러의 설치조건

㉮ 풍우를 방지할 수 있는 곳에 설치한다.

㉯ 통풍이 양호하고 배수가 잘되는 곳, 굴뚝과 되도록 인접한 곳에 위치시킨다.

㉰ 공기 유입구와 배출구가 있어야 하며, 강제배기기구를 병설하면 더욱 좋다. 다만 외기와 접한 창문이 있는 경우에는 이것으로 가름할 수 있다.

㉱ 콘크리트로 시공한다.

㉲ 보일러는 보일러실 바닥보다 높게 설치(10cm 이상)한다.

㉳ 보일러실은 내화구조로 시공하고, 내화구조의 것이 아닌 경우에는 내화 단열시공한다.

㉴ 본체와 천장과는 보수, 연도 설치 등에 적당한 거리를 유지한다.

(4) 수압시험압력

① 수압시험 : 실제 사용 최고압력의 2배(0.2MPa 미만일 때에는 0.2MPa)의 수압

(5) 배관 및 부속장치

① 송수주관 및 환수주관

㉮ 보일러 용량이 30,000(kcal/h) 이하 : 25A 이상

㉯ 보일러 용량이 30,000(kcal/h) 이상 : 30A 이상(호칭지름 32A)

② 배관의 보온재 시공

㉮ 배관의 보온은 KSF2803(보온보냉공사 시공표준)에 따른다.

㉯ 보온재의 시공은 수압시험을 행하여 누설부위가 없을 때 행한다.

㉰ 배관의 종류 및 진행방향을 표시한다.

③ 급탕관

㉮ 보일러 용량이 50,000(kcal/h) 이하 : 15A 이상

㉯ 보일러 용량이 50,000(kcal/h) 이상 : 20A 이상

④ 순환펌프

㉮ 보일러 본체 등의 주위 방열과 배기가스 연도의 방열 등의 영향을 받지 않는 곳에 설치한다.

㉯ 설치 위치에는 "바이패스" 회로를 설치한다. 자연순환이 가능하면 바이패스 설치는 생략 가능하다.

㉰ 공기를 제거할 수 있어야 한다.

㉱ 순환 펌프의 전원 콘센트의 거리는 최단거리로 한다.

㉲ 환수 주관부에 설치함을 원칙으로 한다.

⑤ 급수탱크 : 급수관은 수도관을 직접 보일러 또는 배관 등에 직결하여서는 안 된다.

⑥ 온수탱크

㉮ 온수탱크는 100℃의 온수에도 견딜 수 있는 재료를 사용한다.

㉯ 온수탱크에는 드레인할 수 있는 관 및 밸브가 있어야 한다.

㉰ 밀폐식은 팽창관이나 팽창 흡수장치 또는 안전밸브(방출밸브)를 설치한다.

⑦ 팽창탱크

㉮ 100℃ 이상의 온도에 견디는 재질, 온수의 수위를 쉽게 알 수 있는 재료 또는 구조일 것

㉯ 개방식의 경우 1m 이상 높은 곳에 설치한다.

㉰ 팽창탱크에 연결되는 관로에는 밸브, 체크밸브 등의 것을 설치해서는 안 된다.

㉱ 자동적으로 과잉수를 배출시킬 수 있는 구조

㉲ 팽창탱크의 용량은 보일러 및 배관 내의 보유수량이 200(L) 이하인 경우에는 20(L) 이상, 보유수량이 100(L)씩 초과할 때마다 10(L)를 가산한 용량 이상이어야 한다.

㉳ 팽창관 끝부분은 팽창탱크 바닥면보다 25mm 높게 설치한다.

⑧ 팽창관 및 방출관

㉮ 팽창관 및 방출관의 크기 : 팽창관의 크기는 다음에 따른다.

- 보일러 전열면적 $5m^2$ 미만 : 25A 이상
- 보일러 전열면적 $5m^2$ 이상 : 30A 이상
- 용량이 시간당 30,000kcal/h 이하 : 15A 이상
- 용량이 시간당 30,000~150,000kcal/h 이하 : 25A 이상
- 용량이 시간당 150,000kcal/h 초과 : 30A 이상

㉯ 팽창관 및 방출관에는 물 또는 발생증기를 차단하는 어떠한 장치도 없어야 한다.

㉰ 팽창관 및 방출관에 출구는 급수탱크 또는 팽창탱크의 물 높이보다 높아야 한다.

㉱ 적절한 보온을 하여야 한다.

㉲ 팽창관을 팽창탱크에 접속할 때에는 수평부분에 상향 기울기를 주어야 한다.

⑨ 공기방출기 : 개방식의 경우 팽창탱크보다 높게 설치한다.

⑩ 연도 : 연도의 굽힘부의 수는 3개소 이내, 수평부의 경사는 1/10 기울기 이상

제7-3장 출/제/예/상/문/제

01 **온수보일러의 수위계 설치 시 수위계의 최고 눈금은 보일러의 최고사용압력의 몇 배로 하여야 하는가?**

① 1.5배 이상 3배 이하
② 3배 이상 4배 이하
③ 4배 이상 6배 이하
④ 7배 이상 8배 이하

해설 최고사용압력의 1.5배 이상 3배 이하이다.

02 **열사용기자재 검사기준에 따라 온수발생 보일러에 안전밸브를 설치해야 되는 경우는 온수온도 몇 ℃ 이상인가?**

① 60℃ ② 80℃
③ 100℃ ④ 120℃

해설 온수온도 120℃ 초과 시 안전밸브를 사용한다.

03 **온수난방 배관 시공법에 대한 설명 중 틀린 것은?**

① 배관구배는 일반적으로 1/250 이상으로 한다.
② 배관 중에 공기가 모이지 않게 배관한다.
③ 온수관의 수평배관에서 관경을 바꿀 때는 편심이음쇠를 사용한다.
④ 지관이 주관 아래로 분기될 때는 90° 이상으로 끝 올림 구배로 한다.

해설 지관이 주관 아래로 분기될 때는 45° 이상으로 끝 내림 구배로 한다.

04 **온수보일러 개방식 팽창탱크 설치 시 주의사항으로 틀린 것은?**

① 팽창탱크에는 상부에 통기구멍을 설치한다.
② 팽창탱크 내부의 수위를 알 수 있는 구조이어야 한다.
③ 탱크에 연결되는 팽창 흡수관은 팽창탱크 바닥면과 같게 배관해야 한다.
④ 팽창탱크의 높이는 최고 부위 방열기보다 1m 이상 높은 곳에 설치한다.

해설 개방식 팽창탱크의 팽창관은 팽창탱크와 연결 시 탱크 바닥면보다 25mm 이상 높게 설치한다.

05 **온수난방법 중 고온수난방에 사용되는 온수의 온도는?**

① 100℃ 이상 ② 80℃~90℃
③ 60℃~70℃ ④ 40℃~60℃

해설 100℃ 이상을 고온수난방, 100℃ 이하를 저온수난방, 85~90℃는 보통 온수식 난방이라 한다.

06 **온수보일러에서 팽창탱크를 설치할 경우 주의사항으로 틀린 것은?**

① 밀폐식 팽창탱크의 경우 상부에 물빼기 관이 있어야 한다.
② 100℃의 혼수에도 충분히 견딜 수 있는 재료를 사용하여야 한다.
③ 내식성 재료를 사용하거나 내식 처리된 탱크를 설치하여야 한다.
④ 동결우려가 있을 경우에는 보온을 한다.

해설 밀폐식 팽창탱크는 팽창탱크 하부에 물빼기 관이 있어야 한다.

07 **온수난방 설비의 밀폐식 팽창탱크에 설치되지 않는 것은?**

① 수위계 ② 압력계
③ 배기관 ④ 안전밸브

해설 배기관은 개방식 팽창탱크에 설치한다.

정답 01 ① 02 ④ 03 ④ 04 ③ 05 ① 06 ① 07 ③

CHAPTER 08

보일러 취급 및 안전관리

제8장 보일러 취급 및 안전관리

1 보일러 가동전의 준비사항

(1) 신설 보일러의 가동 전 준비사항(수압시험 후 사용)

① 보일러 내부점검 : 급수내관, 비수방지관 등의 부속설비 부착상태를 점검하고 사용공구나 잔류물 등이 남아 있는가를 확인한다.

② 연소 관련 점검 : 연소 장애 등의 원인을 제거하고 노벽, 연소실 등의 상태를 확인한다.

③ 소다약액 보링 : 보일러 내부의 녹, 페인트, 유지분 등을 제거하기 위해 동내부에 소다 계통의 약액을 넣고 0.5kg/cm^2 이하의 압력을 가하여 2~3일간 끓여 반복 분출한다(사용 약액 : 탄산소다, 가성소다, 제3인산소다).

④ 부속장치의 점검 : 급수장치, 연소장치 등의 부속장치의 이상유무를 확인한다.

(2) 사용 중인 보일러의 가동 전 준비사항

① 보일러의 수위를 확인한다.

② 연료 및 연소장치를 확인 점검한다.

③ 각종 계기와 자동제어장치를 확인 점검한다.

④ 각종 밸브의 개폐 상태를 확인한다.

⑤ 프리퍼지, 포스트퍼지를 행한다.

㉮ 프리퍼지 : 점화 전에 내부에 남아 있는 잔류가스(미연소가스)를 배출, 역화의 발생을 방지

㉯ 포스트퍼지 : 점화 후 실화로 인해 노 내의 미연소가스가 체류할 수 있으므로 이 때의 미연소가스를 배출

(3) 기름보일러의 수동조작 점화순서

① 노 내 통풍압을 조절한다.

② 점화봉에 점화하여 연소실 내 버너 끝에 둔다.

③ 버너를 기동한다.

④ 연료밸브를 연다.

(4) 가스보일러 점화 시 주의사항

① 점화는 1회에 이루어질 수 있도록 화력이 큰 불씨를 사용한다.
② 노 내 환기에 주의하고, 실화 시에도 충분한 환기가 이루어진 뒤 재점화한다.
③ 연료 배관계통의 누설유무를 정기적으로 점검한다.
④ 전자밸브의 작동유무는 파열사고와 직결되므로 수시로 점검한다.
⑤ 가스압력이 적정하고 안정되어 있는지 점검한다.
⑥ 착화 후 연소가 불안정할 때는 즉시 가스공급을 중단한다.
⑦ 자동점화 시에 가장 먼저 확인하여야 하는 사항은 노 내 환기이다.

2 보일러 가동 중의 취급사항

(1) 증기발생 시 취급사항

① 연소 초기
㉮ 점화 후 증기발생 시까지는 연소량을 조금씩 가감한다.
㉯ 수면계의 주시를 철저히 하여야 한다.
㉰ 두 개의 수면계 수위가 다르면 즉시 수면계를 시험해 볼 것
㉱ 과열기가 설치된 보일러는 증기가 생성되기까지는 과열기 내로 물을 보내어 과열기의 과열을 방지한다.
㉲ 연도에 절탄기가 설치된 보일러에는 처음의 열 가스를 부연도로 보낸 후 증기 발생 주연도로 보내서 저온부식이나 전열면의 오손을 막아 준다.

② 증기압력이 오르기 시작할 때
㉮ 급격한 압력 상승을 방지하기 위하여 연소 상태를 잘 조절(증기 안전밸브는 증기압력이 75% 이상이 될 때 분출 시험을 한다)한다.
㉯ 압력계의 움직임을 주시한다.
㉰ 기름탱크나 서비스탱크에 기름을 가열하기 위하여 증기를 보낸다.
㉱ 맨홀 뚜껑 부분에서 증기의 누설이 없는지 확인한다.

③ 송기 시 주의사항
㉮ 주증기관 내의 응축수를 배출시킨다.
㉯ 주증기관 내에 소량의 증기를 공급하여 예열시킨다.

㉰ 주증기밸브는 천천히 열기 시작하여 3분에 1회전을 하고 만개 후 조금 되돌려 놓는다.

㉱ 항상 일정한 압력 유지를 위해 연소량을 조절한다.

(2) 연소관리

① 역화의 원인

㉮ 기름의 인화점이 낮을 때

㉯ 착화 시간이 너무 낮을 때

㉰ 1차 공기의 압력이 부족할 때

㉱ 프리퍼지가 부족할 때

㉲ 기름 내에 물이나 불순물이 함유되어 있을 때

㉳ 유압이 과대할 때

㉴ 흡입 통풍이 너무 약할 때

㉵ 공기보다 연료를 먼저 공급하였을 때

② 화염 중 불꽃이 튀는 원인

㉮ 기름의 온도가 낮을 때

㉯ 연소실 온도가 낮을 때

㉰ 분무용 공기의 압력이 낮을 때

㉱ 중유에 아스콘 성분이 많을 때

㉲ 버너 타일이 맞지 않을 때

㉳ 노즐의 분무 특성이 불량할 때

㉴ 버너 속에 카본 성분이 있을 때

③ 연소불안정의 원인

㉮ 기름의 점도가 높을 때

㉯ 기름의 온도가 너무 높을 때

㉰ 기름 내부에 수분이 포함될 때

㉱ 기름배관 내에 공기가 유입될 때

㉲ 펌프의 흡입량이 부족할 때

㉳ 연료의 공급 상태가 불안정할 때

㉴ 1차 공기량이 과대할 때

④ 점화불량의 원인

㉮ 버너의 노즐이 막혔을 때

㉯ 착화 버너와 주버너와의 타이밍이 맞지 않을 때

㉰ 1차 공기의 압력이 높거나 공기량이 과대할 때
㉱ 착화 버너의 불꽃이 불량할 때
㉲ 기름이 분사되지 않을 때
㉴ 유압이 낮을 때
㉵ 기름의 온도가 너무 낮을 때

⑤ 연료소비과대의 원인
㉮ 기름의 발열량이 낮을 때
㉯ 기름 내에 물이나 불순물이 포함될 때
㉰ 연소용 공기가 부족하거나 과대할 때
㉱ 기름의 예열 온도가 낮을 때

⑥ 공기의 공급 불량의 원인
㉮ 송풍기의 능력이 부족할 때
㉯ 윈드박스가 막혔을 때
㉰ 공기댐퍼가 불량할 때
㉱ 덕트의 저항이 증가할 때
㉲ 송풍기 회전수가 부족할 때

⑦ 버너에서 오일이 분무되지 않는 원인
㉮ 버너의 노즐이 막혔을 때
㉯ 기름이 떨어졌을 때
㉰ 분연펌프가 작동되지 않을 때
㉱ 화염검출기의 작동이 불량할 때
㉲ 유압이 너무 낮을 때
㉳ 급유관에 이물질이 있을 때

⑧ 보일러 연소 시 가마울림 방지법
㉮ 수분이 적은 연료 사용
㉯ 2차 공기를 가열하여 통풍조절을 적정하게 할 것
㉰ 연소실 내에서 연료를 신속히 연소할 것
㉱ 연소실이나 연도의 연소가스가 원활하게 흐르도록 할 것
㉲ 연도의 가스포켓을 제거할 것

3 보일러 가동 후 정지 시 취급사항

(1) 보일러 운전정지의 순서

① 연료의 공급을 정지한다.
② 연소용 공기의 공급을 정지한다.
③ 급수를 한 후 증기압력을 저하시키고 급수밸브를 닫는다.
④ 증기밸브를 닫고 드레인밸브를 연다.
⑤ 댐퍼를 닫는다.

(2) 유류 연소 수동보일러의 운전정지 시 조치사항

① 운전정지 직전에 유류예열기의 전원을 차단하고 유류예열기의 온도를 낮춘다.
② 보일러 수위를 정상수위보다 조금 높이고 버너의 운전을 정지한다.
③ 연소실 내 연도를 환기시키고 댐퍼를 닫는다.
④ 연소실에서 버너를 분리하여 청소를 하고 기름이 누설되는지 점검한다.
⑤ 화구 주위 또는 보일러실 내의 유류배관, 이음 등에 대하여 이상유무를 점검한다.
⑥ 유류저장탱크 및 서비스탱크의 유량을 조사하여 보급계획을 세운다.

(3) 보일러 긴급 냉각 시 조치사항

① 안전밸브를 열고 증기추출과 동시에 물을 넣는다.
② 연료공급 중단
③ 압입송풍기 중단
④ 보일러 내에 공기를 집어넣어 내부가 진공이 되는 것을 방지한다.
⑤ 취출밸브를 열어 보일러수를 배출한다.

제8-1장 출/제/예/상/문/제

01 사용 중인 보일러의 점화 전 주의사항으로 잘못된 것은?

① 연료계통을 점검한다.
② 각 밸브의 개폐 상태를 확인한다.
③ 댐퍼를 닫고 프리퍼지를 한다.
④ 수면계의 수위를 확인한다.

해설 프리퍼지를 할 때에는 댐퍼를 연다.

02 급유장치에서 보일러 가동 중 연소의 소화, 압력초과 등 이상 현상 발생 시 긴급히 연료를 차단하는 것은?

① 압력조절 스위치
② 압력제한 스위치
③ 감압밸브
④ 전자밸브

해설 연료차단밸브(전자밸브)

03 보일러를 비상 정지시키는 경우의 일반적인 조치사항으로 잘못된 것은?

① 압력은 자연히 떨어지게 기다린다.
② 연소공기의 공급을 멈춘다.
③ 주증기 스톱밸브를 열어 놓는다.
④ 연료공급을 중단한다.

해설 비상 정지 시 주증기밸브를 닫는다.

04 신설 보일러의 설치 제작 시 부착된 페인트, 유지, 녹 등을 제거하기 위해 소다보링(Soda Boiling)할 때 주입하는 약액 조성에 포함되지 않는 것은?

① 탄산나트륨
② 수산화나트륨
③ 불화수소산
④ 제3인산나트륨

해설 불화수소산(HF)은 산 세관 시 경질 스케일 제거에 사용된다.

05 가동 중인 보일러를 정지시킬 때 일반적으로 가장 먼저 조치해야 할 사항은?

① 증기밸브를 닫고, 드레인밸브를 연다.
② 연료의 공급을 정지한다.
③ 공기의 공급을 정지한다.
④ 댐퍼를 닫는다.

해설 보일러 정지 시 제일 먼저 연료공급을 중단한다.

06 가동 중인 보일러의 취급 시 주의사항으로 틀린 것은?

① 보일러 수가 항시 일정수위(사용수위)가 되도록 한다.
② 보일러 부하에 응해서 연소율을 가감한다.
③ 연소량을 증가시킬 경우에는 먼저 연료량을 증가시키고 난 후 통풍량을 증가시켜야 한다.
④ 보일러 수의 농축을 방지하기 위해 주기적으로 블로우 다운을 실시한다.

해설 먼저 통풍량을 증가시킨다.

정답 01 ③ 02 ④ 03 ③ 04 ③ 05 ② 06 ③

07 다음 보기 중에서 보일러의 운전정지 순서를 올바르게 나열한 것은?

〈보 기〉
㉠ 증기밸브를 닫고, 드레인밸브를 연다.
㉡ 공기의 공급을 정지시킨다.
㉢ 댐퍼를 닫는다.
㉣ 연료의 공급을 정지시킨다.

① ㉡→㉣→㉠→㉢
② ㉣→㉡→㉠→㉢
③ ㉢→㉣→㉠→㉡
④ ㉠→㉣→㉡→㉢

08 보일러의 가동 중 주의해야 할 사항으로 맞지 않는 것은?

① 수위가 안전저수위 이하로 되지 않도록 수시로 점검한다.
② 증기압력이 일정하도록 연료공급을 조절한다.
③ 과잉공기를 많이 공급하여 완전연소가 되도록 한다.
④ 연소량을 증가시킬 때는 통풍량을 먼저 증가시킨다.

해설 적은 공기량으로 연료가 완전연소가 되도록 할 것

09 보일러 운전 중 저수위로 인하여 보일러가 과열된 경우의 조치법으로 거리가 먼 것은?

① 연료공급을 중지한다.
② 연소용 공기 공급을 중단하고 댐퍼를 전개한다.
③ 보일러가 자연냉각 하는 것을 기다려 원인을 파악한다.
④ 부동 팽창을 방지하기 위해 즉시 급수를 한다.

해설 보일러가 과열된 경우 부동팽창을 방지하기 위하여 40℃ 이하로 냉각시킨다.

10 보일러의 운전정지 시 가장 뒤에 조작하는 작업은?

① 연료의 공급을 정지시킨다.
② 연소용 공기의 공급을 정지시킨다.
③ 댐퍼를 닫는다.
④ 급수펌프를 정지시킨다.

해설 연소율을 낮춘다 → 연료의 공급을 정지 → 포스트 퍼지 실시 → 연소용 공기의 공급을 정지 → 급수펌프를 정지 → 댐퍼를 닫음

11 보일러 점화 시 역화가 발생하는 경우와 가장 거리가 먼 것은?

① 댐퍼를 너무 조인 경우나 흡입통풍이 부족할 경우
② 적정공기비로 점화한 경우
③ 공기보다 먼저 연료를 공급했을 경우
④ 점화할 때 착화가 늦어졌을 경우

해설 공기비가 적정하지 않게 점화를 하면 역화가 발생한다.

12 보일러의 점화 조작 시 주의사항으로 틀린 것은?

① 연료가스의 유출속도가 너무 빠르면 실화 등이 일어나고 너무 늦으면 역화가 발생한다.
② 연소실의 온도가 낮으면 연료의 확산이 불량해지며 착화가 잘 안 된다.
③ 연료의 예열온도가 낮으면 무화불량, 화염의 편류, 그을음, 분진이 발생한다.
④ 유압이 낮으면 점화 및 분사가 양호하고, 높으면 그을음이 없어진다.

해설 유압이 낮으면 점화 및 분사가 불량해진다.

정답 07 ② 08 ③ 09 ④ 10 ③ 11 ② 12 ④

4 보일러 보존

(1) 보일러의 보존

① 만수보존법 : 휴지기간이 2~3개월인 단기보존

㉮ 보일러수에 약제를 첨가하여 내부를 완전히 만수시켜 밀폐보존하는 것

㉯ pH를 13 정도로 높게 유지

㉰ 사용약액 : 가성소다, 탄산소다, 아황산소다, 히드라진

② 건식보존법 : 휴지기간이 6개월 이상인 장기보존

㉮ 완전건조시킨 보일러 내부에 흡습제 또는 질소가스를 넣고 밀폐보존하는 것

㉯ 사용흡습제 : 실리카겔, 생석회, 염화칼슘, 활성알루미나, 오산화인

(2) 보일러의 청소

① 외부청소 방법 : 그을음, 재 등을 제거하는 것으로 스팀 쇼킹법, 워터 쇼킹법, 워싱법, 스틸 쇼트 클리닝법, 샌드블로법 등이 있다

② 내부청소 방법 : 기계적 세관법과 화학적 세관법이 있다

㉮ 기계적 세관법 : 스케일 커터, 스케일 헤머, 와이어 브러시, 스크레이퍼 등의 청소용 공구를 사용하는 방법

㉯ 화학적 세관법 : 기계적 청소가 곤란한 경우 또는 맨홀이 아주 작은 경우에 사용하는 방법

- 산세관 : 염산 5~10%의 농도에 부식억제제(inhibitor) 0.2~0.7%를 혼합하여 온도를 60±5℃로 유지하고 4~6시간 정도 순환시켜 불순물을 제거한다.
- 산(염산, 황산, 인산, 질산)의 특징
  - 취급이 용이하다.
  - 스케일 용해 능력이 비교적 크다.
  - 물에 용해가 잘 된다.
  - 가격이 싸서 경제적이다.

> ※ 산세척 후 부식억제를 위해 중화방청제(탄산소다, 가성소다, 인산소다, 히드라진)를 사용하여 중화방청처리를 할 것
> ※ 규산염이나 황산염을 많이 함유한 경질 스케일은 산에 잘 녹지 않으므로 용해촉진제인 불화수소산(HF)을 넣어 사용할 것

- 유기산 세관
  - 유기산은 중성에 가까워 부식억제제가 필요 없다.
  - 가장 안전한 세척방법이다.
  - 유기산의 수용액 온도는 90±5℃ 정도로 유지한다.
  - 유기산의 종류에는 구연산, 옥살산, 설파민산 등이 있다.
  - 구연산의 경우 농도는 3% 정도가 적당하다.
- 알칼리 세관
  - 알칼리 세척 시 가성취화(알칼리 부식)를 방지하기 위해 질산나트륨, 인산나트륨을 첨가한다.
  - 알칼리 세척 약품의 종류는 탄산소다, 가성소다, 인산소다, 암모니아가 있다.

5 보일러 급수처리 및 부식

(1) 물에 대한 용어

① 경도 : 물에 포함되어 있는 칼슘 및 마그네슘의 농도를 나타낼 때의 척도

② 탁도 : 점토 등의 현탁성에 의하여 물이 탁해진 정도

③ pH : 물에 포함되어 있는 수소이온 농도지수를 나타낼 때의 척도

④ ppm : 중량 100만분율(mg/L)

⑤ ppb : 중량 10억분율(ug/L)

⑥ epm : 100만 단위 중량 중의 용질중량 당량수

⑦ 알칼리도 : 수중에 녹아있는 탄산염, 중탄산염, 수산화물, 인산염 등의 알칼리성분 표시

(2) 급수 처리

① 목적

㉮ 보일러의 부식이나 가성취화 감소

㉯ 스케일 생성 방지

㉰ 캐리오버 방지

② 방법

㉮ 기계적인 처리법

㉯ 화학적인 처리법

㉰ 전기적인 처리법

③ 용존물 처리

㉮ 연질 스케일 산화 : 탄닌, 리그린

㉯ 스케일 산화 : 인산나트륨, 탄산나트륨

㉰ 용해 산소 제거 : 아황산나트륨, 히드라진

㉱ pH를 높일 때 : 가성소다, 탄산나트륨

㉲ pH를 낮출 때 : 황산인산, 인산나트륨

④ 보일러관 내처리

㉮ 슬러지 조정제 : 탄닌, 리그린, 녹말

㉯ 탈산소제 : 아황산나트륨, 탄닌, 히드라진

㉰ 가성취화 억제제 : 인산나트륨, 질산나트륨

㉱ 경도성분 연화제 : 인산나트륨, 탄산나트륨, 수산화나트륨

㉲ pH 및 알칼리 조정제 : 제3인산나트륨, 탄산나트륨, 수산화나트륨, 암모니아

⑤ 보일러관 외처리

㉮ 용존가스의 제거

- 탈기법 : 물을 가열하여 포화압력에 대응함. 압력을 감소시켜 제거하는 진공 탈기 방법
- 기폭법 : 탄산가스제나 철, 망간 등을 제거하는 방법

㉯ 현탁 고형물(불순물) 제거

- 자연침강법
- 여과법
- 응집법

㉰ 용해 고형물 제거

- 이온교환법
- 약제 첨가
- 증류법 : 냉각하여 응축수를 만들어 사용하는 방법. 양질의 수를 얻으나 비경제적임

※ 물리적처리 : 탈기법, 여과, 증류법
이온교환법 : 기폭법
약제첨가 : 화학법

⑥ 슬러지와 스케일

㉮ 슬러지 : 보일러 몸체 내부의 바닥에 침전하여 앙금을 이루며 쌓여있는 연질의 불순물

㉯ 스케일 : 보일러 몸체 내부에 용해되어 있는 칼슘염, 마그네슘염, 규산염 등의 농축으로 전열면 등의 과열의 원인이 된다.

- 스케일에 의한 해
  - 보일러수의 순환악화 및 통수공을 차단시킨다.
  - 연료소비량이 증대된다.
  - 과열로 인한 파열사고를 유발한다.
  - 배기가스 온도 상승으로 인한 손실을 증대시킨다.
  - 보일러 효율을 저하시킨다.
- 스케일 생성방지법
  - 급수처리를 철저히 한다.
  - 적절한 청관제의 사용하여 스케일 생성을 방지한다.
  - 보일러수의 한계 값을 유지한다.
  - 슬러지는 바로 분출시킨다.

(3) 보일러 부식

① **외부 부식** : 외부 부식은 보일러 외면의 습기가 수분 등과 접촉할 때 생기는 것으로 연료 내의 황분이나 회분 등에 의하여 발생한다.

㉮ 산화부식 : 보일러의 표면이 공기 중의 산소, 습기, 탄산가스 등과 접촉하여 산화철이 되면서 부식하는 것

㉯ 고온부식 : 중유에 포함되어 있는 바나듐(V)이 연소 시 과열기나 재열기 등 고온의 전열면이 융착하여 부식하는 것

- 고온부식 방지대책
  - 회분 개질제를 첨가하여 회분을 융점을 높인다.
  - 고온가스가 접촉되는 부분에 보호피막을 씌운다.
  - 양질의 연료를 사용하며 연료 속의 황, 바나듐을 제거 후 사용한다.
  - 연소가스 온도를 융점온도 이하로 유지한다.

㉰ 저온부식 : 연료 중의 황(S)이 연소하여 생성된 가스가 수분과 화합하여 황산이 되어 절탄기나 공기예열기 등 보일러의 저온부에 융착하여 부식하는 것

- 저온부식 방지대책
  - 노점 강하제를 사용해 황산화물의 노점을 낮출 것

- 양질의 연료를 선택할 것
- 배기가스 온도를 노점온도 이상으로 유지
- 적정 공기비로 연소할 것

② 내부 부식

㉮ 일반부식(전면식) : 물속에 용존산소가 있을 때 전면적으로 일어나는 부식이다.

㉯ 점식 : 물에 함유된 탄산가스와 산소의 작용으로 철과 화합하여 산화철이 되어 일어나는 부식(좁쌀알 크기의 반점)

- 점식이 일어나는 부분
  - 표면의 성분이 고르지 못한 강재
  - 산화철 피막이 파괴된 곳
  - 화염이 접촉하는 곳
- 점식 방지대책
  - 아연판을 매달아 둘 것
  - 산이나 용존산소를 제거할 것
  - 페인트를 칠하여 방청도장작업을 할 것

㉰ 구식(grooving) : 도량형 형태의(U, V자) 홈, 보일러 연결부위나 만곡부에 많이 발생하는 것으로 수면선 부근의 건습 작용의 반복과 외부에서의 가열로 인한 부식을 말한다.

- 구식 방지대책
  - 만곡부의 반지름을 작게 하지 말 것
  - 브리딩 스페이스(230mm 이상)를 설치할 것
  - 열응력을 적게 할 것

㉱ 알칼리 부식 : 보일러수 중에 알칼리 농도가 지나치게 농축된 부분에서 발생되며, 이를 방지하기 위해서 보일러수의 pH의 농도가 13 이상 되지 않도록 해야 한다.

제8-2장 출/제/예/상/문/제

01 보일러의 보존법 중 장기보존법에 해당하지 않는 것은?

① 가열건조법
② 석회밀폐건조법
③ 질소가스봉입법
④ 소다만수보존법

해설 가열건조법은 단기보존법이다.

02 보일러에서 발생하는 부식을 크게 습식과 건식으로 구분할 때 다음 중 건식에 속하는 것은?

① 점식 ② 황화부식
③ 알칼리부식 ④ 수소취화

해설 건식에는 고온산화, 고온부식, 황화부식이 있다.

03 보일러 내처리로 사용되는 약제의 종류에서 pH, 알칼리 조정 작용을 하는 내처리제에 해당하지 않는 것은?

① 수산화나트륨 ② 히드라진
③ 인산 ④ 암모니아

해설 pH 및 알칼리 조정제 : 탄산, 인산, 수산화나트륨, 암모니아

04 보일러의 휴지(休止) 보존 시에 질소가스 봉입보존법을 사용할 경우 질소가스의 압력을 몇 MPa 정도로 보존하는가?

① 0.2 ② 0.6
③ 0.02 ④ 0.06

해설 질소가스 봉입 시 0.06Mpa의 압력으로 한다.

05 보일러에서 발생하는 부식 형태가 아닌 것은?

① 점식 ② 수소취화
③ 알칼리 부식 ④ 래미네이션

해설 습식부식은 점식, 알칼리 부식, 수소취화 등이다.

06 부식억제제의 구비조건에 해당하지 않는 것은?

① 스케일의 생성을 촉진할 것
② 정지나 유동 시에도 부식억제효과가 클 것
③ 방식 피막이 두꺼우며 열전도에 지장이 없을 것
④ 이종금속과의 접촉부식 및 이종금속에 대한 부식촉진작용이 없을 것

해설 부식억제제는 스케일 생성을 방지할 것

07 원통보일러에서 급수의 pH 범위(25℃ 기준)로 가장 적합한 것은?

① pH3~pH5 ② pH7~pH9
③ pH11~pH12 ④ pH14~pH15

해설 보일러수의 pH는 11~12 정도 유지할 것

08 보일러에서 발생하는 고온부식의 원인이 되는 주요 물질은?

① 나트륨 ② 유황
③ 철 ④ 바나듐

해설 중유의 회분 속에 함유되어 있는 바나듐(V)은 연소에 의해서 오산화바나듐(V_2O_5)을 생성하여 고온부식을 일으킨다.

정답 01 ① 02 ② 03 ② 04 ④ 05 ④ 06 ① 07 ③ 08 ④

09 보일러 건조보존 시에 사용되는 건조제가 아닌 것은?

① 암모니아 ② 생석회
③ 실리카겔 ④ 염화칼슘

해설 건조제(흡습제)의 종류 : 생석회[산화칼슘(Ca)], 실리카 겔, 염화칼슘($CaCl_2$), 오산화인(P_2O_5), 활성 알루미나

10 보일러의 외처리 방법 중 탈기법에서 제거되는 것은?

① 황화수소 ② 수소
③ 망간 ④ 산소

해설
- 용존가스체 제거법 : 탈기법 : O_2, CO_2 제거
- 기폭법 : CO_2, Fe, Mn, NH_3, H_2S 제거

11 보일러수 중의 경도 성분을 슬러지로 만들기 위하여 사용하는 청관제는?

① 가성취화억제제
② 연화제
③ 슬러지 조정제
④ 탈산소제

해설
- 연화제 : 경도 성분을 슬러지로 만듦
- 슬러지 조정제 : 스케일 성분을 슬러지로 만듦

12 보일러수 중에 함유된 산소에 의해서 생기는 부식의 형태는?

① 점식 ② 가성취화
③ 그루빙 ④ 전면부식

해설 점식(pitting)의 발생원인 : 용존가스체인 산소 및 탄산가스

13 보일러 내 처리제에서 가성취화방지에 사용되는 약제가 아닌 것은?

① 인산나트륨 ② 질산나트륨
③ 탄닌 ④ 암모니아

해설 가성취화 방지제 : 탄닌, 리그린, 인산, 질산나트륨

14 보일러 부식에 관련된 설명 중 틀린 것은?

① 점식은 국부전지의 작용에 의해서 일어난다.
② 수용액 중에서 부식문제를 일으키는 주요인은 용존산소, 용존가스 등이다.
③ 중유 연소 시 중유 회분 중에 바나듐이 포함되어 있으면 바나듐 산화물에 의한 고온부식이 발생한다.
④ 가성취화는 고온에서 알칼리에 의한 부식현상을 말하며, 보일러 내부 전체에 걸쳐 균일하게 발생한다.

해설 가성취화는 알칼리에 의해 리벳이음 부근에 주로 발생한다.

15 보일러 내부부식에 속하지 않는 것은?

① 점식 ② 저온부식
③ 구식 ④ 알카리부식

해설 저온부식은 황분에 의한 외부부식이다.

16 보일러 내부의 건조방식에 대한 설명 중 틀린 것은?

① 건조제로 생석회가 사용된다.
② 가열장치로 서서히 가열하여 건조시킨다.
③ 보일러 내부건조 시 사용되는 기화성 부식억제제(VCI)는 물에 녹지 않는다.
④ 보일러 내부건조 시 사용되는 기화성 부식억제제(VCI)는 건조제와 병용하여 사용할 수 있다.

해설 기화성 부식억제제(VCI)는 물에 녹아 부식억제 효과를 높인다.

정답 09 ① 10 ④ 11 ② 12 ① 13 ④ 14 ④ 15 ② 16 ③

6 안전관리

(1) 안전관리의 목적

① 재해로부터 생명의 보호 및 존중을 위해

② 사전에 안전사고 발생방지를 위해

③ 생산성의 증대를 위해

④ 경제성의 증대를 위해

(2) 안전관리의 표식

① 안전색 표시사항

㉮ 백색=통로

㉯ 황적색=위험

㉰ 황색=주의

㉱ 녹색=안전, 구급구호

㉲ 청색=조심

㉳ 적색=금지

㉴ 적자색=방사능

② 화재의 등급별 소화방법

분류	A급 화재	B급 화재	C급 화재	D급 화재
명칭	일반 화재	유류가스 화재	전기 화재	금속 화재
가연물	목재, 종이	유류, 가스	전기	Mg, Al분

③ 화상

㉮ 1도 화상 : 피부에 붉은 반점이 생기는 것

㉯ 2도 화상 : 피부에 물집이 생기는 것

㉰ 3도 화상 : 피부가 검게 변한 것

④ Lux(룩스) : 광원에서 1m 떨어진 장소의 조명도

㉮ 기타 작업 : 70Lux

㉯ 보통 작업 : 150Lux

㉰ 정밀 작업 : 300Lux

㉱ 초정밀 작업 : 600Lux

⑤ 고압가스 용기의 도색 : 산소(녹색), 수소(주황색), 아세틸렌(황색)

⑥ 장갑 착용 금지작업 : 해머작업, 드릴작업, 회전기계작업, 기계톱작업, 중량물 운반작업

(3) 보일러 손상

① 마모 : 응력이 국부적으로 반복 작용에 의해 닳아 없어진 것

② 라미네이션, 블리스터

㉮ 라미네이션 : 강재가 2장의 층을 형성

㉯ 블리스터 : 강재가 높은 열을 받아 부풀어 오르거나 표면이 갈라짐

③ 팽출 : 내부의 압력에 의해 부풀어 오르는 현상(횡연관, 보일러 동저부, 수관)

④ 압궤 : 외부의 압력에 의해 짓눌린 현상(노통, 연소실, 관판)

⑤ 크랙 : 응력이 국부적으로 집중된 부분 등에 천천히 금이 가는 현상

제8-3장 출/제/예/상/문/제

01 **다음 중 보일러 손상의 하나인 압궤가 일어나기 쉬운 부분은?**

① 수관 ② 노통
③ 동체 ④ 갤웨이관

해설 압궤 : 노통이나 화실 등이 외부 압력에 의해 오목하게 들어가는 현상

02 **보일러 사고의 원인 중 보일러 취급상의 사고원인이 아닌 것은?**

① 재료 및 설계불량
② 사용압력초과 운전
③ 저수위 운전
④ 급수처리 불량

해설 재료 및 설계불량은 제작상의 원인이다.

03 **보일러의 손상에 팽출(膨出)을 옳게 설명한 것은?**

① 보일러의 본체가 화염에 과열되어 외부로 볼록하게 튀어나오는 현상
② 노통이나 화실이 외측의 압력에 의해 눌려 쭈그러져 찢어지는 현상
③ 강판에 가스가 포함된 것이 화염의 접촉으로 양쪽으로 오목하게 되는 현상
④ 고압보일러 드럼 이음에 주로 생기는 응력부식 균열의 일종

해설 팽출 : 내부 압력에 의해 부풀어 오르는 현상

04 **강판 제조 시 강괴 속에 함유되어 있는 가스체 등에 의해 강판이 두 장의 층을 형성하는 결함은?**

① 라미네이션 ② 크랙
③ 블리스터 ④ 심 리프트

해설 블리스터(bilster) : 라미네이션 결함을 갖고 있는 재료가 부풀어 오른 현상

05 **보일러에서 라미네이션(lamination)이란?**

① 보일러 본체나 수관 등이 사용 중에 내부에서 2장의 층을 형성한 것
② 보일러 강판이 화염에 닿아 불룩 튀어나온 것
③ 보일러 동에 작용하는 응력의 불균일로 동의 일부가 함몰된 것
④ 보일러 강판이 화염에 접촉하여 점식된 것

해설 라미네이션(lamination) : 보일러 강판에 2장의 층을 형성하고 있는 것

06 **보일러 사고의 원인 중 제작상의 원인에 해당되지 않는 것은?**

① 구조와 불량 ② 강도부족
③ 재료의 불량 ④ 압력초과

해설 압력초과, 저수위, 불착화, 역화, 부식 등은 취급상의 원인이다.

정답 01 ② 02 ① 03 ① 04 ① 05 ① 06 ④

1 배관재료

2 배관공작

3 배관도시

제9장 배관

1 배관재료

(1) 강관

① 종류

㉮ 재질상 종류 : 탄소강 강관, 합금강 강관, 스테인리스강 강관

㉯ 제조방법상 종류 : 단접 강관, 이음매 없는 강관, 전기저항용접 강관, 아크용접 강관

② 특징

㉮ 나사이음, 용접이음, 플랜지이음 등 접합 작업이 용이하다.

㉯ 내압성이 양호하다.

㉰ 인장강도, 내충격성이 크다.

㉱ 굽힘이 용이하다.

㉲ 가격이 저렴하다.

③ KS 규격에 의한 용도 분류

㉮ 배관용

- SPP : 배관용 탄소강 강관 : 10kg/cm^2(1MPa) 이하 사용
- SPPS : 압력배관용 탄소강 강관 : 10~100kg/cm^2(1~10MPa) 사용
- SPPH : 고압배관용 탄소강 강관 : 100kg/cm^2(10MPa) 이상 사용
- SPHT : 고온배관용 탄소강 강관 : 350℃ 초과 고온에 사용
- SPLT : 저온배관용 탄소강 강관 : 빙점 이하 저온도에 사용
- SPW : 배관용 아크용접 탄소강 강관 : 10kg/cm^2(1MPa) 이하 사용
- SPA : 배관용 합금강 강관 : 주로 고온도 배관용
- STS×TP : 배관용 스테인리스 강관 : 내식성, 내열용

㉯ 열전달용

- STLT : 저온 열교환기용 강관
- STHA : 보일러 · 열교환기용 합금강 강관
- STH : 보일러 · 열교환기용 탄소강 강관
- STS×TB : 보일러 · 열교환기용 스테인리스강 강관

㉰ 수도용
- SPPW : 수도용 아연도금 강관
- STPW : 수도용 도복장 강관

㉱ 구조용
- STA : 구조용 합금강 강관
- STM : 기계구조용 탄소강 강관
- SPS : 일반구조용 탄소강 강관

④ 스케줄번호(Sch. No) : 관의 두께를 나타내는 번호

$$10 \times P / S$$

P : 사용압력 kg/cm^2	S : 허용응력 kg/mm^2=인장강도/안전율

⑤ 강관이음법 3가지 : 나사이음, 용접이음, 플랜지이음

㉮ 플랜지이음 : 보수, 점검을 위한 관의 해체, 교환에 사용(관경 65A 이상 시 플랜지이음, 관경 50A 이하는 유니언)

⑥ 제조 방법 표시

㉮ 단접관 : -B-

㉯ 전기 저항 용접관 : -E-

㉰ 아크 용접관 : -A-

㉱ 이음매 없는 관 : -S-

⑦ 나사이음 부속의 사용처별 분류

㉮ 배관 방향 바꿀 때 : 엘보우, 벤드

㉯ 관을 분기할 때 : T, Y, 크로스(+)

㉰ 같은 관(동경) 직선 연결 시 : 소켓, 유니온, 니플, 플랜지

㉱ 이경관 연결 시 : 레듀 TU, 줄임 티이, 붓싱, 이경 엘보우

㉲ 관 끝을 막을 때 : 플러그, 캡

⑧ 이음의 크기를 표시하는 방법

㉮ 구경이 2개인 경우 지름이 큰 것을 먼저, 작은 것을 다음으로 표시

㉯ 구경이 3개인 경우 지름이 큰 것을 먼저 표시하고 다음은 동일선상에 있는 것, 그리고 나머지 순서로 표시

⑨ 나사 절삭과 결합

㉮ 나사산의 각도 : 55°

㉯ 나사의 테이퍼(기울기) : 1/16

㉰ 나사 절삭 시는 절삭유를 수시로 치며, 2~3회 나누어 절삭

㉱ 나사 결합 시는 1~2산 남겨 놓고 조립

(2) 주철관

① 종류

㉮ 배수용 주철관

㉯ 고급 주철관

㉰ 구상 흑연 주철관

② 특징

㉮ 내구력이 양호하다.

㉯ 부식이 적어 매설 배관용에 많이 사용한다.

㉰ 급수, 배수, 오수관 등에 많이 사용한다.

㉱ 강도가 크다.

※ 주철관 접합 방법

- 소켓 접합 : 누설방지를 위해서 얀(yarn)과 얀 이탈방지를 위해서 납물을 넣는다(급수관 : 1/3야안, 2/3납, 배수관 2/3야안, 1/3납).
- 기계적 접합 : 플랜지와 소켓의 장점을 위한 접합
- 빅토리 접합 : 고무링 사용
- 플랜지 접합 : 볼트 너트 사용
- 타이톤 접합 : 소켓형과 고무링 사용

(3) 동관

① 종류

㉮ 타프피치동 : 전기 전도성이 좋아 열교환기용에 적합

㉯ 인탈산동 : 일반배관용으로 용접용에 적합

㉰ 황동관 : 동과 아연(Zn)의 합금

㉱ 청동관 : 동과 주석(Sn)의 합금

② 특징

㉮ 전성, 연성이 풍부하여 가공이 용이(전성 : 잘 펴지는 성질, 연성 : 잘 늘어나는 성질).

㉯ 전기 및 열전도성이 양호, 열교환기용으로 사용

㉰ 연수에 부식되는 성질(증류수, 증기관 사용에 부적합)

㉱ 알칼리에 강하나 산성에는 약하다.

㉲ 가벼우나 외부 충격에 약하다.

㉳ 가격이 비싸다.

③ 동관 이음법

㉮ 플레어이음(압축이음) : 동관의 점검, 보수 시 용이한 이음법

㉯ 용접이음(원리 : 모세관현상)

㉰ 플랜지이음

④ 동관표준치수 : K, L, M 형(K : 가장 두꺼운 의료용 배관, L : 급배수관, 냉난방용, M : 급배수관)

⑤ 동관 이음쇠

㉮ CM 어댑터 : 한쪽은 수나사로 되어 있어 강관 부속에 나사 이음이 되고, 다른 한쪽은 동관이 삽입되어 용접하도록 되어 있는 이음쇠

㉯ CF 어댑터 : 한쪽은 암나사로 되어 있어 강관의 수나사와 연결되고, 다른 한쪽은 동관이 삽입되어 용접하도록 구성되어 있는 이음쇠

⑥ 동관용접

㉮ 연납과 경납의 구분온도 : 450℃

㉯ 경납 용접재 종류 3가지 : 인동납, 은납, 황동납

㉰ 연납(동관)이음 시 작업 공구 3가지 : 통관 튜브커터, 리이머, 확관기, 싸이징 툴, 쇠톱, 샌드페이퍼

(4) 연관

① 종류

㉮ 수도의 분기관용 연관

㉯ 배수관용 연관

㉰ 가스관용 연관

② 특징

㉮ 전성, 연성이 동관보다 우수하며, 가공이 용이하다.

㉯ 내식성이 크다.

㉰ 중량이 무거워 수평배관에 사용이 곤란하다.

㉱ 해수나 천연수에 사용된다.

㉲ 산에는 강하지만 알칼리에 약하다.

③ 연관 이음법

㉮ 플라스턴 접합법 : 수전 소켓 접합, 맨더린 접합, 지관 접합, 직선 접합, 맞대기 접합

㉯ 연관 녹는 온도 : 327℃

㉰ 플라스턴 녹는 온도 : 232℃

(5) 스테인리스 강관

① 기계적 성질이 양호하다.

② 내식성이 크다.

③ 충격성이 양호하다.

④ 나사식, 용접식, 플랜지이음법 등이 있다.

⑤ 동결에 대한 저항이 크다.

(6) 알루미늄관

① 열전도율이 크다.

② 전연성, 가공성이 양호하다.

③ 내식성이 크다.

④ 산, 알칼리, 해수에 약하다.

(7) 경질염화비닐관(Poly Vinyl Chloride)

① 전기 절연성이 크다.

② 가볍고 취급 · 가공이 용이하다.

③ 내식성이 크다.

④ 가격이 저렴하다.

⑤ 열 · 저온에 약하다.

⑥ 열팽창률이 크다.

(8) 폴리에틸렌관(Poly Ethylene)

① 기계적, 화학적 성질이 양호하다.

② 내충격성이 크다.

③ 한랭지 배관에 많이 사용한다.

(9) 석면시멘트관

석면과 시멘트를 1 : 5~6 배합시킨 관

(10) 원심력 철근 콘크리트관

원형 철망 틀에 콘크리트 주입 후 회전으로 성형시킨 관

(11) 도관

점토를 주원료로 한 관

(12) 유리관

유리로 만든 것으로 주로 배수관에 사용하는 관

제9-1장 출/제/예/상/문/제

01 엘보나 티와 같이 내경이 나사로 된 부품을 폐쇄할 필요가 있을 때 사용되는 것은?

① 캡　② 니플
③ 소켓　④ 플러그

해설 엘보나 티 등은 암나사로 되어있어 수나사인 플러그를 사용한다.

02 배관의 나사이음과 비교한 용접이음의 특징으로 잘못 설명된 것은?

① 나사이음부와 같이 관의 두께에 불균일한 부분이 없다.
② 돌기부가 없어 배관상의 공간효율이 좋다.
③ 이음부의 강도가 적고, 누수의 우려가 크다.
④ 변형과 수축, 잔류응력이 발생할 수 있다

해설 용접이음의 경우 강도가 크다.

03 콘크리트 벽이나 바닥 등에 배관이 관통하는 곳에 관의 보호를 위하여 사용하는 것은?

① 슬리브　② 보온재료
③ 행거　④ 신축곡관

해설 매설 배관을 할 때는 관으로 보호를 위하여 납파이프제의 슬리브를 사용한다.

04 강관 배관에서 유체의 흐름방향을 바꾸는 데 사용되는 이음쇠는?

① 부싱　② 리턴 밴드
③ 리듀셔　④ 소켓

해설 유체의 흐름 방향을 바꿀 시 밴드와 엘보를 이용한다.

05 다음 중 강관의 스케줄번호를 나타내는 것은?

① 관의 중심　② 관의 두께
③ 관의 외경　④ 관의 내경

해설 스케줄번호란 관의 두께를 나타내는 번호이다.

06 경납땜의 종류가 아닌 것은?

① 황동납　② 인동납
③ 은납　④ 주석납

해설
- 경납땜의 종류 : 황동납, 인동납, 은납, 양은납, 알루미늄납
- 450℃ 이하인 납을 연납, 그 이상을 경납이라 한다.

07 압력배관용 탄소강관의 KS 규격기호는?

① SPPS　② SPLT
③ SPP　④ SPPH

해설 SPLT : 저온배관용 탄소강관, SPP : 배관용 탄소강관, SPPH : 고압배관용 탄소강관

08 배관의 관 끝을 막을 때 사용하는 부품은?

① 엘보　② 소켓
③ 티　④ 캡

09 배관 중간이나 밸브, 펌프, 열교환기 등의 접속을 위해 사용되는 이음쇠로서 분해, 조립이 필요한 경우에 사용되는 것은?

① 밴드　② 리듀셔
③ 플랜지　④ 슬리브

정답 01 ④ 02 ③ 03 ① 04 ② 05 ② 06 ④ 07 ① 08 ④ 09 ③

2 배관공작

(1) 배관공작용 공구/기계

① 관 절단용 공구

㉮ 쇠톱 : 8"(200mm), 10"(250mm), 12"(300mm) 3종류가 있다.

- 크기 : 피팅 홀(구멍과 구멍의 거리)의 간격

㉯ 기계톱 : 활모양의 프레임에 톱날을 끼워 왕복 절삭

㉰ 고속 숫돌 절단기 : 두께가 0.5~3mm 정도의 얇은 연삭원판을 고속회전시켜 재료를 절단

㉱ 띠톱기계 : 띠톱날을 회전시켜 재료 절단

㉲ 파이프 커터 : 관 절단용 공구

- 종류 : 1매날, 3매날, 링크형
- 파이프커터 : 호칭번호로 표시 #1(6A~32A), #2(6A~50A), #3(25A~75A)
- 링크형 커터 : 주철관 절단용 공구

② 리이머 : 관 절단 후 생기는 거스러미 제거

③ 파이프렌치 : 관의 결합 및 해체 시 사용

㉮ 관 직경 200mm 이상은 체인식 파이프렌치 사용

㉯ 크기 : 입을 최대로 벌려 놓은 전장

④ 파이프 바이스 : 관의 조립, 열간 벤딩 시 고정

㉮ 파이프 바이스 크기 표시 : 호칭번호(조우의 폭, 물릴 수 있는 관경의 크기)

#1(80A), #2(105A), #3(130A), #4(170A)

⑤ 나사 절삭기 : 파이프에 나사 내는 공구

㉮ 수동용 : • 오스타형 : 4개의 체이서와 3개의 조우
• 리드형 : 2개의 체이서와 4개의 조우

㉯ 동력용 : • 다이헤드식 • 오스터식 • 호브식

– 다이헤드식 동력나사 절삭기가 할 수 있는 작업 : 나사절삭, 관 절단, 리이머 기능

※ 관 절단용 공구 : 기계톱, 고속숫돌절단기, 띠톱기계, 가스절단기, 커터기

(2) 관 벤딩용 기계

① 수동 벤딩

㉮ 냉간(상온) 벤딩 : 상온 상태에서 벤딩

㉯ 열간 벤딩 : 관에 마른모래를 채운 후 가열하여 단계적으로 벤딩(가열 온도 : 강관 800~900℃, 동관 600~700℃)

② 기계 벤딩

㉮ 램식 벤더 : 현장용으로 유압펌프를 이용한 굽힘

㉯ 로터리식 벤더 : 공장용으로, 강관, 스테인레스관, 동관 등 종류에 관계없이 대량생산용이며, 파이프에 심봉을 넣고 구부린다.

③ 굽힘(벤딩) 작업의 장점

㉮ 연결용 이음쇠가 불필요하다.

㉯ 재료의 절약

㉰ 작업 공정이 줄어든다.

㉱ 접합작업이 불필요하다.

㉲ 관 내 마찰저항 손실이 적다.

(3) 용접접합 종류/특징

① 맞대기 용접 : 보조물 없이 3~4개소 가접 후 맞대고 용접

② 슬리브 용접 : 슬리브 길이가 관 지름의 1.2~1.7배로 하여 관 외부에 끼우고 용접

③ 용접이음의 장점

㉮ 접합부 강도가 크며, 누수 염려가 없다.

㉯ 보온피복 용이

㉰ 관 내 돌출부가 없어 마찰 손실이 적다.

㉱ 부속이 적게 들어 재료비가 절감된다.

㉲ 가공이 쉬워 공정이 단축된다.

(4) 동관용 공구

① 플레어링 툴 : 동관의 압축이나 접합용으로 나팔관 모양으로 만드는 공구

② 사이징 툴 : 동관 끝을 원형으로 교정하는 공구

③ 벤더 : 벤딩용 공구

④ 리이머 : 동관 거스러미 제거용 공구

⑤ 튜브커터 : 동관 절단용 공구

(5) 연관용 공구

① 봄보올 : 주관에 구멍 뚫는 공구

② 드레서 : 연관 표면의 산화피막 제거

③ 벤드벤 : 굽힘 작업에 사용하는 공구

④ 터어핀 : 관 끝에 끼우고 나무망치로 정형하는 공구

⑤ 마아레트 : 나무망치

(6) 주철관용 공구

① 링크형 파이프 커터 : 주철관 절단 공구

② 클립 : 소켓 접합 시 납물 비산 방지용 공구

③ 코킹정 : 소켓 접합 시 다지기 작업용 공구

④ 납 용해용 공구 : 냄비, 파이어 포트, 납물용 국자, 산화납 제거기

(7) 배관 지지쇠

① 행거 : 배관 하중을 위에서 끌어 당겨 지지(리지드, 스프링, 콘스탄트)

② 써포트 : 배관 하중을 밑에서 떠 받쳐 지지(리지드, 스프링, 롤러, 파이프 슈)

③ 리스트 레인트 : 열팽창에 의한 배관의 이동을 구속(앵커, 스톱, 가이드)

④ 브레이스 : 펌프, 압축기 등에서 발생되는 진동, 충격 등을 흡수 완화

(8) 패킹

① 플랜지 패킹

㉮ 고무 패킹(기름에 침식)

㉯ 석면 조인트시트(450℃ 고온 배관 사용)

㉰ 합성수지 패킹 (테프론 -260℃~260℃의 내열성)

㉱ 오일시일 패킹(한지를 내유 가공)

㉲ 금속 패킹

② 나사용 패킹 : 페인트, 일산화연, 액상 합성수지

③ 글랜드 패킹

㉮ 석면각형 패킹(대형 밸브 그랜드용)

㉯ 석면 얀 패킹(소형 밸브 그랜드용)

㉰ 아마존 패킹(압축기 그랜드용)

㉱ 모울드 패킹(밸브, 펌프 그랜드용)

(9) 방청도료

① 광명단 도료 : 녹방지 위해 페인트 밑칠용에 사용

② 산화철 도료

③ 알루미늄 도료 : 방열기에 주로 사용

(10) 보온재

① 사용온도에 따른 구분

㉮ 보냉재 : 100℃ 이하

㉯ 보온재 : 유기질은 100~200℃, 무기질은 200~800℃

㉰ 단열재 : 800~1200℃

㉱ 내화단열재 : 1200~1500℃

㉲ 내화재 : 1580℃ 이상

② 유기질 보온재의 종류

㉮ 펠트류 : 양모, 우모

㉯ 텍스류 : 톱밥, 목재

㉰ 폼류 : 염화비닐폼, 폴리스틸폼(일명 스티로폼)

㉱ 탄화콜크류

③ 무기질 보온재의 종류

㉮ 석면(진동받는 장치의 보온재 사용)

㉯ 규조토(진동있는 곳에는 사용 곤란)

㉰ 탄산마그네슘(탄산마그네슘 85%, 석면 15% 배합)

㉱ 유리섬유(글라스울)

㉲ 규산칼슘

㉳ 암면(용융, 압축 가공한 것으로 덕트, 탱크 등 보온재로 사용)

㉴ 퍼얼 라이트

㉵ 실리카 화이버

㉶ 세라믹 화이버(1300℃ 이상)

④ 보온재 구비조건

㉮ 열전도율이 작아야 한다. 열전도율은 비중이 작을수록, 온도차가 작을수록, 기공층이 많을수록, 두께가 두꺼울수록 작아진다.

㉯ 비중이 작을 것

㉰ 다공질이며 기공이 많고 균일할 것

㉱ 흡습, 흡수성이 적을 것

⑤ **보온효율** $= \frac{q_0 - q}{q_0} \times 100\%$

q_0 : 나관의 손실열량	q : 보온관의 손실열량

(11) 열의 이동

열의 이동 방식에는 전도, 대류, 복사 등의 3가지가 있다.

① **전도(퓨리에의 열전도 법칙)** : 고온체의 열이 벽을 통해 저온체로 이동

② **대류(뉴턴의 냉각법칙)** : 유체의 열의 이동

③ **복사(스테판-볼츠만의 법칙)** : 중간 열매체가 없는 상태에서 열의 이동

㉮ 스테판-볼츠만의 법칙 : 복사에너지는 절대온도의 4제곱에 비례한다.

④ **열관류율** : 열이 고온의 유체에서 벽을 통과하여 저온의 유체로 열이 이동

㉮ 열관류율(K) $= \frac{1}{\frac{1}{a_1} + \frac{d}{\lambda} + \frac{1}{a_2}} (kcal/m^2h℃)$

a_1 : 고온측 열전달계수	a_2 : 저온측 열전달계수
d : 벽의 두께	λ : 열전도율

제9-2장 출/제/예/상/문/제

01 다음 중 유기질 보온재에 속하지 않는 것은?

① 펠트 ② 세라크울
③ 코르크 ④ 기포성 수지

해설
• 유기질 보온재 : 기포성수지, 펠트, 코르크
• 무기질 보온재 : 세라크울, 석면, 암면

02 동관 작업용 공구의 사용목적이 바르게 설명된 것은?

① 플레어링 툴 세트 : 관 끝을 소켓으로 만듦
② 익스팬더 : 직관에서 분기관 성형 시 사용
③ 사이징 툴 : 관 끝을 원형으로 정형
④ 튜브 벤더 : 동관을 절단함

해설 사이징 툴 : 관 끝을 원형으로 정형하는 것

03 배관에서 바이패스관의 설치 목적으로 가장 적합한 것은?

① 트랩이나 스트레이너 등의 고장 시 수리, 교환을 위해 설치한다.
② 고압증기를 저압증기로 바꾸기 위해 사용한다.
③ 온수 공급관에서 온수의 신속한 공급을 위해 설치한다.
④ 고온의 유체를 중간과정 없이 직접 저온의 배관부로 전달하기 위해 설치한다.

해설 바이패스관 : 증기, 물, 기름 배관 등의 감압밸브, 유량계, 급수량계, 트랩 주위에 설치하며, 장치의 점검, 수리 교환 시 원활한 유체공급을 위함이다.

04 열팽창에 의한 배관의 이동을 구속 또는 제한하는 배관 지지구인 레스트레인트(restraint)의 종류가 아닌 것은?

① 가이드 ② 앵커
③ 스토퍼 ④ 행거

05 빔에 턴버클을 연결하여 파이프를 아래 부분을 받쳐 달아 올린 것이며 수직방향에 변위가 없는 곳에 사용하는 것은?

① 리지드 서포트 ② 리지드 행거
③ 스토퍼 ④ 스프링 서포트

해설 행거의 종류 : 리지드, 스프링, 콘스탄트 행거

06 다음 중 보온재의 일반적인 구비 요건으로 틀린 것은?

① 비중이 크고 기계적 강도가 클 것
② 장시간 사용에도 사용온도에 변질되지 않을 것
③ 시공이 용이하고 확실하게 할 수 있을 것
④ 열전도율이 적을 것

해설 비중이 작아야 한다.

07 보온재 선정 시 고려해야 할 조건이 아닌 것은?

① 부피 비중이 작을 것
② 보온능력이 클 것
③ 열전도율이 클 것
④ 기계적 강도가 클 것

해설 보온재는 열전도율이 적어야 한다.

정답 01 ② 02 ③ 03 ① 04 ④ 05 ② 06 ① 07 ③

08 단열재의 구비조건으로 맞는 것은?

① 비중이 커야 한다.
② 흡수성이 커야 한다.
③ 가연성이어야 한다.
④ 열전도율이 적어야 한다.

해설 단열재 구비조건 : 비중이 작아야 한다. 흡수성이 없어야 한다. 불연성이어야 한다.

09 보온재 선정 시 고려하여야 할 사항으로 틀린 것은?

① 안전사용 온도범위에 적합해야 한다.
② 흡수성이 크고 가공이 용이해야 한다.
③ 물리적, 화학적 강도가 커야 한다.
④ 열전도율이 가능한 적어야 한다.

해설 보온재가 흡수성이 있으면 열전도율이 증가하여 보온효율이 떨어진다.

10 무기질 보온재 중 하나로 안산암, 현무암에 석회석을 섞어 용융하여 섬유모양으로 만든 것은?

① 코르크 ② 암면
③ 규조토 ④ 유리섬유

해설 암면(rock wool) : 안산암이나 현무암, 석회석 등의 원료 암석을 전기로에서 500~2000℃ 정도로 용융시켜 원심력 압축공기 또는 압축 수증기로 날려 무기질 분자 구조로만 형성하여 섬유모양으로 만든 것이다.

11 강관 용접접합의 특징에 대한 설명으로 틀린 것은?

① 관 내 유체의 저항 손실이 적다.
② 접합부의 강도가 강하다.
③ 보온피복 시공이 어렵다.
④ 누수의 염려가 적다.

해설 용접접합은 나사 접합에 비하여 보온피복이 용이하며 누수의 염려가 없다.

12 보일러 설치 · 시공기준상 가스용 보일러의 경우 연료배관 외부에 표시하여야 하는 사항이 아닌 것은?(단, 배관은 지상에 노출된 경우임)

① 사용가스명 ② 최고사용압력
③ 가스흐름방향 ④ 최저사용온도

해설 지상가스배관에는 사용가스명, 최고사용압력, 가스흐름방향을 표시해야 한다.

13 다른 보온재에 비하여 단열 효과가 낮으며 500℃ 이하의 파이프, 탱크, 노벽 등에 사용하는 것은?

① 규조토 ② 암면
③ 그라스 울 ④ 펠트

해설 규조토 보온재 : 규조토 건조 분말에 석면을 혼합한 것으로 물 반죽 시공을 하며 열전도율이 크다.

14 보온재 중 흔히 스티로폼이라고도 하며, 체적의 97~98%가 기공으로 되어있어 열 차단 능력이 우수하고, 내수성도 뛰어난 보온재는?

① 폴리스티렌 폼 ② 경질 우레탄 폼
③ 코르크 ④ 그라스 울

해설 폴리스티렌 폼은 유기질 보온재이다.

15 다음 보온재 중 안전사용온도가 가장 높은 것은?

① 펠트 ② 암면
③ 글라스울 ④ 세라믹 화이버

해설 펠트 : 120℃ 이하, 암면 : 400~500℃ 정도, 글라스 울 : 350℃ 이하, 세라믹 화이버 : 1300℃

정답 08 ④ 09 ② 10 ② 11 ③ 12 ④ 13 ① 14 ① 15 ④

16 **단열재를 사용하여 얻을 수 있는 효과에 해당하지 않는 것은?**

① 축열 용량이 작아진다.
② 열전도율이 작아진다.
③ 노 내의 온도분포가 균일하게 된다.
④ 스폴링 현상을 증가시킨다.

해설 단열재는 스폴링(박락붕괴) 현상을 방지한다.

17 **다음 중 보온재의 종류가 아닌 것은?**

① 코르크　② 규조토
③ 프탈산수지도료　④ 기포성수지

해설 프탈산수지도료는 합성수지도료이다.

18 **다음 보온재 중 안전사용(최고)온도가 가장 높은 것은?**

① 탄산마그네슘 물반죽 보온재
② 규산칼슘 보온판
③ 경질 폼라버 보온통
④ 글라스울 블랭킷

해설
- 탄산마그네슘 물반죽 보온제 : 약 250℃ 이하, 규산칼슘 보온판 : 약 650℃ 이하
- 경질 폼러버 보온통 : 약 100℃ 이하, 글라스울 블랭킷 : 약 350℃ 이하

19 **기포성수지에 대한 설명으로 틀린 것은?**

① 열전도율이 낮고 가볍다.
② 불에 잘 타며 보온성과 보냉성은 좋지 않다.
③ 흡수성은 좋지 않으나 굽힘성은 풍부하다.
④ 합성수지 또는 고무질 재료를 사용하여 다공질 제품으로 만든 것이다.

해설 기포성 수지는 불에 잘 타지 않으며 보온성, 보냉성이 좋다.

20 **다음 보온재 중 안전사용 온도가 가장 낮은 것은?**

① 우모펠트　② 암면
③ 석면　④ 규조토

해설 보온재의 안전사용온도 : 우모펠트 : 100℃, 암면 : 400~500℃, 석면 : 400~500℃, 규조토 : 400~500℃

21 **보온재의 열전도율과 온도와의 관계를 맞게 설명한 것은?**

① 온도가 낮아질수록 열전도율은 커진다.
② 온도가 높아질수록 열전도율은 작아진다.
③ 온도가 높아질수록 열전도율은 커진다.
④ 온도에 관계없이 열전도율은 일정하다.

해설 보온재의 열전도율은 온도, 비중, 흡습성에 비례한다.

22 **글랜드 패킹의 종류에 해당하지 않는 것은?**

① 편조 패킹
② 액상 합성수지 패킹
③ 플라스틱 패킹
④ 메탈 패킹

해설 액상 합성수지 패킹은 나사용 패킹의 종류에 해당한다.

정답 16 ④ 17 ③ 18 ② 19 ② 20 ① 21 ③ 22 ②

3 배관도시

(1) 치수 표시

치수는 mm로 표시하고 치수선에는 숫자만 표시한다.

(2) 높이표시

① EL 표시 : 관 중심 기준

② BOP : 지름이 서로 다른 관에서 아래 면을 기준하여 표시

③ TOP : 배관의 윗면 기준

④ GL : 포장된 지표면 기준

⑤ FL : 각 층 바닥면 기준

(3) 유체의 표시

A : 공기(백색), G : 가스(황색), O : 유류, S : 수증기(적색), W : 물 (청색)

(4) 관의 연결방법과 도시기호

이음 종류	연결 방법	도시 기호	이음 종류	연결 방법	도시 기호
관이음	나사형		신축이음	루프형	
	용접형			슬리브형	
	플랜지형			벨로즈형	
	턱걸이형			스위블형	
	납땜형				

(5) 밸브의 표시

종류	기호	종류	기호
옥형변(글로브밸브)		사질변(슬로스밸브)	
앵글밸브		볼밸브	
역 지변(체크밸브)		안전밸브(스프링식)	
공기빼기밸브			

제9-3장 출/제/예/상/문/제

01 그림 기호와 같은 밸브의 종류 명칭은?

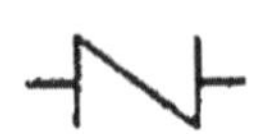

① 게이트밸브 ② 체크밸브
③ 볼밸브 ④ 안전밸브

02 배관의 높이를 표시할 때 포장된 지표면을 기준으로 하여 배관 장치의 높이를 표시하는 경우 기입하는 기호는?

① BOP ② TOP
③ GL ④ FL

해설 GL : 포장된 지표면을 기준으로 표시

03 배관 내에 흐르는 유체의 종류를 표시하는 기호 중 증기를 나타내는 것은?

① A ② G
③ S ④ 0

해설 S : 증기, W : 물, O : 오일, A : 공기

04 관의 결합방식 표시방법 중 플랜지식의 그림기호로 맞는 것은?

① ②
③ ④

05 냉동용 배관 결합 방식에 따른 도시방법 중 용접식을 나타내는 것은?

① ②
③ ④

06 배관의 높이를 관의 중심을 기준으로 표시한 기호는?

① TOP ② GL
③ BOP ④ EL

해설 EL(elevation line) : 배관의 높이를 관의 중심을 기준으로 표시한다.

07 관의 결합방식 표시방법 중 유니언식의 그림기호로 맞는 것은?

① ② 
③ ④

08 배관계의 식별 표시는 물질의 종류에 따라 달리한다. 물질과 식별색의 연결이 틀린 것은?

① 물 : 파랑
② 기름 : 연한 주황
② 증기 : 어두운 빨강
④ 가스 : 연한 노랑

해설 물 : 파랑, 증기 : 빨강, 가스 : 노랑

정답 01 ② 02 ③ 03 ③ 04 ③ 05 ② 06 ④ 07 ④ 08 ②

CHAPTER 10

에너지법/에너지 이용 합리화법

제10장 에너지법/에너지이용 합리화법

1 에너지법

(1) 목적

안정적이고 효율적이며 환경친화적인 에너지 수급(需給) 구조를 실현하기 위한 에너지정책 및 에너지 관련 계획의 수립 · 시행에 관한 기본적인 사항을 정함으로써 국민경제의 지속가능한 발전과 국민의 복리(福利) 향상에 이바지하는 것을 목적으로 한다.

(2) 정의

① "에너지"란 연료 · 열 및 전기를 말한다.

② "연료"란 석유 · 가스 · 석탄, 그 밖에 열을 발생하는 열원(熱源)을 말한다. 다만, 제품의 원료로 사용되는 것은 제외한다.

③ "신 · 재생에너지"란 「신에너지 및 재생에너지 개발 · 이용 · 보급 촉진법」 제2조제1호 및 제2호에 따른 에너지를 말한다.

④ "에너지사용시설"이란 에너지를 사용하는 공장 · 사업장 등의 시설이나 에너지를 전환하여 사용하는 시설을 말한다.

⑤ "에너지사용자"란 에너지사용시설의 소유자 또는 관리자를 말한다.

⑥ "에너지공급설비"란 에너지를 생산 · 전환 · 수송 또는 저장하기 위하여 설치하는 설비를 말한다.

⑦ "에너지공급자"란 에너지를 생산 · 수입 · 전환 · 수송 · 저장 또는 판매하는 사업자를 말한다.

⑧ "에너지사용기자재"란 열사용기자재나 그 밖에 에너지를 사용하는 기자재를 말한다.

⑨ "열사용기자재"란 연료 및 열을 사용하는 기기, 축열식 전기기기와 단열성(斷熱性) 자재로서 산업통상자원부령으로 정하는 것을 말한다.

⑩ "온실가스"란 「저탄소 녹색성장 기본법」 제2조제9호에 따른 온실가스를 말한다.

(3) 국가 등의 책무

① 국가는 이 법의 목적을 실현하기 위한 종합적인 시책을 수립 · 시행하여야 한다.

② 지방자치단체는 이 법의 목적, 국가의 에너지정책 및 시책과 지역적 특성을 고려한 지역에너지시책을 수립 · 시행하여야 한다. 이 경우 지역에너지시책의 수립 · 시행에 필요한 사항은 해당 지방자치단체의 조례로 정할 수 있다.

③ 에너지공급자와 에너지사용자는 국가와 지방자치단체의 에너지시책에 적극 참여하고 협력하여야 하며, 에너지의 생산 · 전환 · 수송 · 저장 · 이용 등의 안전성, 효율성 및 환경친화성을 극대화하도록 노력하여야 한다.

④ 모든 국민은 일상생활에서 국가와 지방자치단체의 에너지시책에 적극 참여하고 협력하여야 하며, 에너지를 합리적이고 환경친화적으로 사용하도록 노력하여야 한다.

⑤ 국가, 지방자치단체 및 에너지공급자는 빈곤층 등 모든 국민에게 에너지가 보편적으로 공급되도록 기여하여야 한다.

(4) 지역에너지계획의 수립

① 특별시장 · 광역시장 · 특별자치시장 · 도지사 또는 특별자치도지사는 관할 구역의 지역적 특성을 고려하여 에너지기본계획의 효율적인 달성과 지역경제의 발전을 위한 지역에너지계획을 5년마다 5년 이상을 계획기간으로 하여 수립 · 시행하여야 한다.

② 지역계획에는 해당 지역에 대한 다음 각 호의 사항이 포함되어야 한다.

1. 에너지 수급의 추이와 전망에 관한 사항
2. 에너지의 안정적 공급을 위한 대책에 관한 사항
3. 신 · 재생에너지 등 환경친화적 에너지 사용을 위한 대책에 관한 사항
4. 에너지 사용의 합리화와 이를 통한 온실가스의 배출감소를 위한 대책에 관한 사항
5. 집단에너지공급대상지역으로 지정된 지역의 경우 그 지역의 집단에너지 공급을 위한 대책에 관한 사항
6. 미활용 에너지원의 개발 · 사용을 위한 대책에 관한 사항
7. 그 밖에 에너지시책 및 관련 사업을 위하여 시 · 도지사가 필요하다고 인정하는 사항

③ 지역계획을 수립한 시 · 도지사는 이를 산업통상자원부장관에게 제출하여야 한다. 수립된 지역계획을 변경하였을 때에도 또한 같다.

④ 정부는 지방자치단체의 에너지시책 및 관련 사업을 촉진하기 위하여 필요한 지원시책을 마련할 수 있다.

(5) 비상시 에너지수급계획의 수립 등

① 산업통상자원부장관은 에너지 수급에 중대한 차질이 발생할 경우에 대비하여 비상시 에너지수급계획(비상계획)을 수립하여야 한다. 수립된 비상계획을 변경할 때에도 또한 같다.

② 비상계획에는 다음 각 호의 사항이 포함되어야 한다.

1. 국내외 에너지 수급의 추이와 전망에 관한 사항
2. 비상시 에너지 소비 절감을 위한 대책에 관한 사항
3. 비상시 비축(備蓄)에너지의 활용 대책에 관한 사항
4. 비상시 에너지의 할당·배급 등 수급조정 대책에 관한 사항
5. 비상시 에너지 수급 안정을 위한 국제협력 대책에 관한 사항
6. 비상계획의 효율적 시행을 위한 행정계획에 관한 사항

③ 산업통상자원부장관은 국내외 에너지 사정의 변동에 따른 에너지의 수급 차질에 대비하기 위하여 에너지 사용을 제한하는 등 관계 법령에서 정하는 바에 따라 필요한 조치를 할 수 있다.

(6) 에너지위원회의 구성 및 운영

① 정부는 주요 에너지정책 및 에너지 관련 계획에 관한 사항을 심의하기 위하여 산업통상자원부장관 소속으로 에너지위원회(위원회)를 둔다.

② 위원회는 위원장 1명을 포함한 25명 이내의 위원으로 구성하고, 위원은 당연직위원과 위촉위원으로 구성한다.

③ 위원장은 산업통상자원부장관이 된다.

④ 당연직위원은 관계 중앙행정기관의 차관급 공무원 중 대통령령으로 정하는 사람이 된다.

⑤ 위촉위원은 에너지 분야에 관한 학식과 경험이 풍부한 사람 중에서 산업통상자원부장관이 위촉하는 사람이 된다. 이 경우 위촉위원에는 대통령령으로 정하는 바에 따라 에너지 관련 시민단체에서 추천한 사람이 5명 이상 포함되어야 한다.

⑥ 위촉위원의 임기는 2년으로 하고, 연임할 수 있다.

⑦ 위원회의 회의에 부칠 안건을 검토하거나 위원회가 위임한 안건을 조사·연구하기 위하여 분야별 전문위원회를 둘 수 있다.

⑧ 그 밖에 위원회 및 전문위원회의 구성·운영 등에 관하여 필요한 사항은 대통령령으로 정한다.

(7) 에너지기술개발계획

① 정부는 에너지 관련 기술의 개발과 보급을 촉진하기 위하여 10년 이상을 계획기간으로 하는 에너지기술개발계획을 5년마다 수립하고, 이에 따른 연차별 실행계획을 수립 · 시행하여야 한다.

② 에너지기술개발계획은 대통령령으로 정하는 바에 따라 관계 중앙행정기관의 장의 협의와 국가과학기술심의회의 심의를 거쳐서 수립된다. 이 경우 위원회의 심의를 거친 것으로 본다.

③ 에너지기술개발계획에는 다음 각 호의 사항이 포함되어야 한다.

1. 에너지의 효율적 사용을 위한 기술개발에 관한 사항
2. 신 · 재생에너지 등 환경친화적 에너지에 관련된 기술개발에 관한 사항
3. 에너지 사용에 따른 환경오염을 줄이기 위한 기술개발에 관한 사항
4. 온실가스 배출을 줄이기 위한 기술개발에 관한 사항
5. 개발된 에너지기술의 실용화의 촉진에 관한 사항
6. 국제 에너지기술 협력의 촉진에 관한 사항
7. 에너지기술에 관련된 인력 · 정보 · 시설 등 기술개발자원의 확대 및 효율적 활용에 관한 사항

(8) 에너지기술개발사업비

① 관계 중앙행정기관의 장은 에너지기술개발사업을 종합적이고 효율적으로 추진하기 위하여 연차별 실행계획의 시행에 필요한 에너지기술개발사업비를 조성할 수 있다.

② ①에 따른 에너지기술개발사업비는 정부 또는 에너지 관련 사업자 등의 출연금, 융자금, 그 밖에 대통령령으로 정하는 재원(財源)으로 조성한다.

③ 관계 중앙행정기관의 장은 평가원으로 하여금 에너지기술개발사업비의 조성 및 관리에 관한 업무를 담당하게 할 수 있다.

④ 에너지기술개발사업비는 다음 각 호의 사업 지원을 위하여 사용하여야 한다.

1. 에너지기술의 연구 · 개발에 관한 사항
2. 에너지기술의 수요 조사에 관한 사항
3. 에너지사용기자재와 에너지공급설비 및 그 부품에 관한 기술개발에 관한 사항
4. 에너지기술 개발 성과의 보급 및 홍보에 관한 사항
5. 에너지기술에 관한 국제협력에 관한 사항
6. 에너지에 관한 연구인력 양성에 관한 사항
7. 에너지 사용에 따른 대기오염을 줄이기 위한 기술개발에 관한 사항
8. 온실가스 배출을 줄이기 위한 기술개발에 관한 사항

9. 에너지기술에 관한 정보의 수집 · 분석 및 제공과 이와 관련된 학술활동에 관한 사항
10. 평가원의 에너지기술개발사업 관리에 관한 사항

⑤ ①부터 ④까지의 규정에 따른 에너지기술개발사업비의 관리 및 사용에 필요한 사항은 대통령령으로 정한다.

(9) 에너지 관련 통계의 관리 · 공표

① 산업통상자원부장관은 기본계획 및 에너지 관련 시책의 효과적인 수립 · 시행을 위하여 국내외 에너지 수급에 관한 통계를 작성 · 분석 · 관리하며, 관련 법령에 저촉되지 아니하는 범위에서 이를 공표할 수 있다.

② 산업통상자원부장관은 매년 에너지 사용 및 산업 공정에서 발생하는 온실가스 배출량 통계를 작성 · 분석하며, 그 결과를 공표할 수 있다.

③ 산업통상자원부장관은 ①과 ②에 따른 통계를 작성할 때 필요하다고 인정하면 에너지 유관기관 또는 산업통상자원부령으로 정하는 에너지사용자에 대하여 자료의 제출을 요구할 수 있다.

④ 산업통상자원부장관은 필요하다고 인정하면 대통령령으로 정하는 바에 따라 에너지 총조사를 할 수 있다.

⑤ 산업통상자원부장관은 전문성을 갖춘 기관을 지정하여 ①과 ②에 따른 통계의 작성 · 분석 · 관리 및 ④에 따른 에너지 총조사에 관한 업무의 전부 또는 일부를 수행하게 할 수 있다.

(10) 에너지 관련 통계 및 에너지 총조사

① 에너지 수급에 관한 통계를 작성하는 경우에는 산업통상자원부령으로 정하는 에너지열량 환산기준을 적용하여야 한다.

② 에너지 총조사는 3년마다 실시하되, 산업통상자원부장관이 필요하다고 인정할 때에는 간이조사를 실시할 수 있다.

제10-1장 출/제/예/상/문/제

01 에너지법에서 정의한 에너지가 아닌 것은?

① 연료
② 열
③ 풍력
④ 전기

해설 에너지법 (2)의 ① 참조
에너지란 연료, 열, 전기를 말한다.

02 에너지법에서 정의하는 "에너지 사용자"의 의미로 가장 옳은 것은?

① 에너지 보급 계획을 세우는 자
② 에너지를 생산, 수입하는 사업자
③ 에너지 사용시설의 소유자 또는 관리자
④ 에너지를 저장, 판매하는 자

해설 에너지법 (2)의 ⑤ 참조
사용자란 소유자 또는 관리자를 의미한다.

03 에너지법상 지역에너지계획에 포함되어야 할 사항이 아닌 것은?

① 에너지 수급의 추이와 전망에 관한 사항
② 에너지이용합리화와 이를 통한 온실가스 배출감소를 위한 대책에 관한 사항
③ 미활용에너지원의 개발 · 사용을 위한 대책에 관한 사항
④ 에너지 소비촉진 대책에 관한 사항

해설 에너지법 (4) 참조
에너지 소비촉진은 해당되지 않는다.

04 에너지법에서 정한 에너지기술개발사업비로 사용될 수 없는 사항은?

① 에너지에 관한 연구인력 양성
② 온실가스 배출을 늘리기 위한 기술개발
③ 에너지사용에 따른 대기오염 절감을 위한 기술개발
④ 에너지기술개발 성과의 보급 및 홍보

해설 에너지법 (8) 참조
온실가스 배출은 줄여야 한다.

05 에너지법에 의거 지역에너지계획을 수립한 시 · 도지사는 이를 누구에게 제출하여야 하는가?

① 대통령
② 산업통상자원부 장관
③ 국토교통부 장관
④ 에너지관리공단 이사장

해설 에너지법 (4) 참조
지역에너지계획은 산업통상자원부 장관에 제출한다.

06 에너지법상 에너지 공급설비에 포함되지 않는 것은?

① 에너지 수입설비
② 에너지 전환설비
③ 에너지 수송설비
④ 에너지 생산설비

해설 에너지법 (2)의 ⑥ 참조

정답 01 ③ 02 ③ 03 ④ 04 ② 05 ② 06 ①

07 에너지법에서 사용하는 "에너지"의 정의를 가장 올바르게 나타낸 것은?

① "에너지"라 함은 석유 · 가스 등 열을 발생하는 열원을 말한다.
② "에너지"라 함은 제품의 원료로 사용되는 것을 말한다.
③ "에너지"라 함은 태양, 조파, 수력과 같이 일을 만들어낼 수 있는 힘이나 능력을 말한다.
④ "에너지"라 함은 연료 · 열 및 전기를 말한다.

해설 에너지법 (2) 참조
에너지란 연료, 열, 전기를 칭한다.

08 에너지법상 지역에너지계획은 몇 년 마다 몇 년 이상을 계획기간으로 수립 · 시행하는가?

① 2년 마다 2년 이상
② 5년 마다 5년 이상
③ 7년 마다 7년 이상
④ 10년 마다 10년 이상

해설 에너지법 (4) 참조
지역에너지계획은 5년마다 5년 이상 수립 및 시행한다.

09 에너지법상 "에너지 사용자"의 의미로 가장 옳은 것은?

① 에너지 보급 계획을 세우는 자
② 에너지를 생산, 수입하는 사업자
③ 에너지 사용시설의 소유자 또는 관리자
④ 에너지를 저장, 판매하는 자

해설 에너지법 (2)의 ⑤ 참조
사용자란 소유자 또는 관리자를 의미한다.

10 다음 ( )에 알맞은 것은?

> 에너지법령상 에너지 총조사는 (A)마다 실시하되, (B)이 필요하다고 인정할 때에는 간이조사를 실시할 수 있다.

① A : 2년, B : 행정안전부 장관
② A : 2년, B : 교육부 장관
③ A : 3년, B : 산업통상자원부 장관
④ A : 3년, B : 고용노동부 장관

해설 에너지법 (10) 참조
총조사는 3년마다 실시한다.

11 에너지법에서 정한 지역에너지계획을 수립 · 시행하여야 하는 자는?

① 행정안전부 장관
② 산업통상자원부 장관
③ 한국에너지공단 이사장
④ 특별시장 · 광역시장 · 도지사 또는 특별자치도지사

해설 에너지법 (4) 참조
지역계획을 수립한 시 · 도지사는 산업통상자원부 장관에 이를 제출한다.

12 에너지법에 따라 에너지기술개발 사업비의 사업에 대한 지원항목에 해당되지 않는 것은?

① 에너지기술의 연구 · 개발에 관한 사항
② 에너지기술에 관한 국내협력에 관한 사항
③ 에너지기술의 수요조사에 관한 사항
④ 에너지에 관한 연구인력 양성에 관한 사항

해설 에너지법 (8) 참조
국제협력에 관한 사항

정답 07 ④ 08 ② 09 ③ 10 ③ 11 ④ 12 ②

2 에너지이용 합리화법

(1) 목적

이 법은 에너지의 수급(需給)을 안정시키고 에너지의 합리적이고 효율적인 이용을 증진하며 에너지소비로 인한 환경피해를 줄임으로써 국민경제의 건전한 발전 및 국민복지의 증진과 지구온난화의 최소화에 이바지함을 목적으로 한다.

(2) 정부와 에너지사용자 · 공급자 등의 책무

① 정부는 에너지의 수급안정과 합리적이고 효율적인 이용을 도모하고 이를 통한 온실가스의 배출을 줄이기 위한 기본적이고 종합적인 시책을 강구하고 시행할 책무를 진다.

② 지방자치단체는 관할 지역의 특성을 고려하여 국가에너지정책의 효과적인 수행과 지역경제의 발전을 도모하기 위한 지역에너지시책을 강구하고 시행할 책무를 진다.

③ 에너지사용자와 에너지공급자는 국가나 지방자치단체의 에너지시책에 적극 참여하고 협력하여야 하며, 에너지의 생산 · 전환 · 수송 · 저장 · 이용 등에서 그 효율을 극대화하고 온실가스의 배출을 줄이도록 노력하여야 한다.

④ 에너지사용기자재와 에너지공급설비를 생산하는 제조업자는 그 기자재와 설비의 에너지효율을 높이고 온실가스의 배출을 줄이기 위한 기술의 개발과 도입을 위하여 노력하여야 한다.

⑤ 모든 국민은 일상생활에서 에너지를 합리적으로 이용하여 온실가스의 배출을 줄이도록 노력하여야 한다.

(3) 에너지이용 합리화 기본계획

① 산업통상자원부장관은 에너지를 합리적으로 이용하게 하기 위하여 에너지이용 합리화에 관한 기본계획을 수립하여야 한다.

② 기본계획에는 다음 각 호의 사항이 포함되어야 한다.

1. 에너지절약형 경제구조로의 전환
2. 에너지이용효율의 증대
3. 에너지이용 합리화를 위한 기술개발
4. 에너지이용 합리화를 위한 홍보 및 교육
5. 에너지원간 대체(代替)
6. 열사용기자재의 안전관리
7. 에너지이용 합리화를 위한 가격예시제(價格豫示制)의 시행에 관한 사항
8. 에너지의 합리적인 이용을 통한 온실가스의 배출을 줄이기 위한 대책

9. 그 밖에 에너지이용 합리화를 추진하기 위하여 필요한 사항으로서 산업통상자원부령으로 정하는 사항.

③ 산업통상자원부장관이 ①에 따라 기본계획을 수립하려면 관계 행정기관의 장과 협의하여야 한다. 이 경우 산업통상자원부장관은 관계 행정기관의 장에게 필요한 자료를 제출하도록 요청할 수 있다.

(4) 국가에너지절약추진위원회

① 에너지절약 정책의 수립 및 추진에 관한 다음 각 호의 사항을 심의하기 위하여 산업통상자원부장관 소속으로 국가에너지절약추진위원회를 둔다.

1. 기본계획 수립에 관한 사항
2. 에너지이용 합리화 실시계획의 종합 · 조정 및 추진상황 점검 · 평가에 관한 사항
3. 국가 · 지방자치단체 · 공공기관의 에너지이용 효율화조치 등에 관한 사항
4. 그 밖에 에너지절약 정책의 수립 및 추진과 관련하여 위원장이 심의에 부치는 사항

② 위원회는 위원장을 포함하여 25명 이내의 위원으로 구성한다.

③ 위원장은 산업통상자원부장관이 되며, 위원은 대통령령으로 정하는 당연직 위원과 에너지 분야의 학식과 경험이 풍부한 사람 중에서 산업통상자원부장관이 위촉하는 위촉위원으로 구성한다.

④ ③에 따른 위촉위원의 임기는 3년으로 한다.

⑤ 위원회는 평가업무의 효과적인 수행을 위하여 관계 연구기관 등에 그 업무를 대행하도록 할 수 있다.

⑥ 그 밖에 위원회의 구성 및 운영과 ⑤에 따른 평가업무 대행 등에 관하여 필요한 사항은 대통령령으로 정한다.

(5) 에너지이용 합리화 실시계획

① 관계 행정기관의 장과 특별시장 · 광역시장 · 도지사 또는 특별자치도지사는 기본계획에 따라 에너지이용 합리화에 관한 실시계획을 수립하고 시행하여야 한다.

② 관계 행정기관의 장 및 시 · 도지사는 ①에 따른 실시계획과 그 시행 결과를 산업통상자원부장관에게 제출하여야 한다.

(6) 수급안정을 위한 조치

① 산업통상자원부장관은 국내외 에너지사정의 변동에 따른 에너지의 수급차질에 대비하기 위하여 대통령령으로 정하는 주요 에너지사용자와 에너지공급자에게 에너지저장시설을 보유하고 에너지를 저장하는 의무를 부과할 수 있다.

② 산업통상자원부장관은 국내외 에너지사정의 변동으로 에너지수급에 중대한 차질이 발생하거나 발생할 우려가 있다고 인정되면 에너지수급의 안정을 기하기 위하여 필요한 범위에서 에너지사용자 · 에너지공급자 또는 에너지사용기자재의 소유자와 관리자에게 다음 각 호의 사항에 관한 조정 · 명령, 그 밖에 필요한 조치를 할 수 있다.

1. 지역별 · 주요 수급자별 에너지 할당
2. 에너지공급설비의 가동 및 조업
3. 에너지의 비축과 저장
4. 에너지의 도입 · 수출입 및 위탁가공
5. 에너지공급자 상호 간의 에너지의 교환 또는 분배 사용
6. 에너지의 유통시설과 그 사용 및 유통경로
7. 에너지의 배급
8. 에너지의 양도 · 양수의 제한 또는 금지
9. 에너지사용의 시기 · 방법 및 에너지사용기자재의 사용 제한 또는 금지 등 대통령령으로 정하는 사항
10. 그 밖에 에너지수급을 안정시키기 위하여 대통령령으로 정하는 사항

③ 산업통상자원부장관은 ②에 따른 조치를 시행하기 위하여 관계 행정기관의 장이나 지방자치단체의 장에게 필요한 협조를 요청할 수 있으며 관계 행정기관의 장이나 지방자치단체의 장은 이에 협조하여야 한다.

④ 산업통상자원부장관은 ②에 따른 조치를 한 사유가 소멸되었다고 인정하면 지체 없이 이를 해제하여야 한다.

(7) 에너지사용계획의 협의

① 도시개발사업이나 산업단지개발사업 등 대통령령으로 정하는 일정규모 이상의 에너지를 사용하는 사업을 실시하거나 시설을 설치하려는 자는 그 사업의 실시와 시설의 설치로 에너지수급에 미칠 영향과 에너지소비로 인한 온실가스(이산화탄소만을 말한다)의 배출에 미칠 영향을 분석하고, 소요에너지의 공급계획 및 에너지의 합리적 사용과 그 평가에 관한 계획을 수립하여, 그 사업의 실시 또는 시설의 설치 전에 산업통상자원부장관에게 제출하여야 한다.

② 산업통상자원부장관은 ①에 따라 제출한 에너지사용계획에 관하여 사업주관자 중 공공사업주관자와 협의하여야 하며, 공공사업주관자 외의 자로부터 의견을 들을 수 있다.

③ 사업주관자가 ①에 따라 제출한 에너지사용계획 중 에너지 수요예측 및 공급계획 등 대통령령으로 정한 사항을 변경하려는 경우에도 ①과 ②로 정하는 바에 따른다.

④ 사업주관자는 국공립연구기관, 정부출연연구기관 등 에너지사용계획을 수립할 능력이 있는 자로 하여금 에너지사용계획의 수립을 대행하게 할 수 있다.
⑤ ①부터 ④까지의 규정에 따른 에너지사용계획의 내용, 협의 및 의견청취의 절차, 대행기관의 요건, 그 밖에 필요한 사항은 대통령령으로 정한다.
⑥ 산업통상자원부장관은 ④에 따른 에너지사용계획의 수립을 대행하는 데에 필요한 비용의 산정기준을 정하여 고시하여야 한다.

(8) 에너지사용계획의 검토

① 산업통상자원부장관은 에너지사용계획을 검토한 결과, 그 내용이 에너지의 수급에 적절하지 아니하거나 에너지이용의 합리화와 이를 통한 온실가스(이산화탄소만을 말한다)의 배출감소 노력이 부족하다고 인정되면 대통령령으로 정하는 바에 따라 공공사업주관자에게는 에너지사용계획의 조정 · 보완을 요청할 수 있고, 민간사업주관자에게는 에너지사용계획의 조정 · 보완을 권고할 수 있다. 공공사업주관자가 조정 · 보완요청을 받은 경우에는 정당한 사유가 없으면 그 요청에 따라야 한다.
② 산업통상자원부장관은 에너지사용계획을 검토할 때 필요하다고 인정되면 사업주관자에게 관련 자료를 제출하도록 요청할 수 있다.
③ ①에 따른 에너지사용계획의 검토기준, 검토방법, 그 밖에 필요한 사항은 산업통상자원부령으로 정한다.

(9) 에너지사용계획의 사후관리

① 산업통상자원부장관은 사업주관자가 에너지사용계획 또는 제11조제1항에 따라 요청받거나 권고받은 조치를 이행하는지를 점검하거나 실태를 파악할 수 있다.
② ①에 따른 점검이나 실태파악의 방법과 그 밖에 필요한 사항은 대통령령으로 정한다.

(10) 효율관리기자재의 지정

① 산업통상자원부장관은 에너지이용 합리화를 위하여 필요하다고 인정하는 경우에는 일반적으로 널리 보급되어 있는 에너지사용기자재(상당량의 에너지를 소비하는 기자재에 한정한다) 또는 에너지관련기자재(에너지를 사용하지 아니하나 그 구조 및 재질에 따라 열손실 방지 등으로 에너지절감에 기여하는 기자재를 말한다)로서 산업통상자원부령으로 정하는 기자재에 대하여 다음 각 호의 사항을 정하여 고시하여야 한다. 다만, 에너지관련기자재 중 건축물에 고정되어 설치 · 이용되는 기자재 및 자동차부품을 효율관리기자재로 정하려는 경우에는 국토교통부장관과 협의한 후 다음 각 호의 사항을 공동으로 정하여 고시하여야 한다.

1. 에너지의 목표소비효율 또는 목표사용량의 기준
2. 에너지의 최저소비효율 또는 최대사용량의 기준
3. 에너지의 소비효율 또는 사용량의 표시
4. 에너지의 소비효율 등급기준 및 등급표시
5. 에너지의 소비효율 또는 사용량의 측정방법
6. 그 밖에 효율관리기자재의 관리에 필요한 사항으로서 산업통상자원부령으로 정하는 사항

② 효율관리기자재의 제조업자 또는 수입업자는 산업통상자원부장관이 지정하는 시험기관에서 해당 효율관리기자재의 에너지 사용량을 측정 받아 에너지소비효율등급 또는 에너지소비효율을 해당 효율관리기자재에 표시하여야 한다. 다만, 산업통상자원부장관이 정하여 고시하는 시험설비 및 전문인력을 모두 갖춘 제조업자 또는 수입업자로서 산업통상자원부령으로 정하는 바에 따라 산업통상자원부장관의 승인을 받은 자는 자체측정으로 효율관리시험기관의 측정을 대체할 수 있다.

③ 효율관리기자재의 제조업자 또는 수입업자는 ②에 따른 측정결과를 산업통상자원부령으로 정하는 바에 따라 산업통상자원부장관에게 신고하여야 한다.

④ 효율관리기자재의 제조업자 · 수입업자 또는 판매업자가 산업통상자원부령으로 정하는 광고매체를 이용하여 효율관리기자재의 광고를 하는 경우에는 그 광고내용에 ②에 따른 에너지소비효율등급 또는 에너지소비효율을 포함하여야 한다.

⑤ 효율관리시험기관은 시험 · 검사기관으로 인정받은 기관으로서 다음 각 호의 어느 하나에 해당하는 기관이어야 한다.

1. 국가가 설립한 시험 · 연구기관
2. 「특정연구기관 육성법」 제2조에 따른 특정연구기관
3. 1. 및 2.의 연구기관과 동등 이상의 시험능력이 있다고 산업통상자원부장관이 인정하는 기관

(11) 효율관리기자재의 사후관리

① 산업통상자원부장관은 효율관리기자재가 고시한 내용에 적합하지 아니하면 그 효율관리기자재의 제조업자 · 수입업자 또는 판매업자에게 일정한 기간을 정하여 그 시정을 명할 수 있다.

② 산업통상자원부장관은 효율관리기자재가 고시한 최저소비효율기준에 미달하거나 최대사용량기준을 초과하는 경우에는 해당 효율관리기자재의 제조업자 · 수입업자 또는 판매업자에게 그 생산이나 판매의 금지를 명할 수 있다.

③ 산업통상자원부장관은 효율관리기자재가 규정에 따라 고시한 내용에 적합하지 아니한 경우에는 그 사실을 공표할 수 있다.

④ 산업통상자원부장관은 규정에 따른 처분을 하기 위하여 필요한 경우에는 산업통상자원부령으로 정하는 바에 따라 시중에 유통되는 효율관리기자재가 고시된 내용에 적합한지를 조사할 수 있다.

(12) 평균에너지소비효율제도

① 산업통상자원부장관은 각 효율관리기자재의 에너지소비효율 합계를 그 기자재의 총수로 나누어 산출한 평균에너지소비효율에 대하여 총량적인 에너지효율의 개선이 특히 필요하다고 인정되는 기자재로서 승용자동차 등 산업통상자원부령으로 정하는 기자재를 제조하거나 수입하여 판매하는 자가 지켜야 할 평균에너지소비효율을 관계 행정기관의 장과 협의하여 고시하여야 한다.

② 산업통상자원부장관은 ①에 따라 고시한 평균에너지소비효율에 미달하는 평균효율관리기자재를 제조하거나 수입하여 판매하는 자에게 일정한 기간을 정하여 평균에너지소비효율의 개선을 명할 수 있다. 다만, 승용자동차 등 산업통상자원부령으로 정하는 자동차에 대해서는 그러하지 아니하다.

③ 산업통상자원부장관은 ②에 따른 개선명령을 이행하지 아니하는 자에 대하여는 그 내용을 공표할 수 있다.

④ 평균효율관리기자재를 제조하거나 수입하여 판매하는 자는 에너지소비효율 산정에 필요하다고 인정되는 판매에 관한 자료와 효율측정에 관한 자료를 산업통상자원부장관에게 제출하여야 한다. 다만, 자동차 평균에너지소비효율 산정에 필요한 판매에 관한 자료에 대해서는 환경부장관이 산업통상자원부장관에게 제공하는 경우에는 그러하지 아니하다.

⑤ 평균에너지소비효율의 산정방법, 개선기간, 개선명령의 이행절차 및 공표방법 등 필요한 사항은 산업통상자원부령으로 정한다.

(13) 대기전력저감대상제품의 지정

산업통상자원부장관은 외부의 전원과 연결만 되어 있고, 주기능을 수행하지 아니하거나 외부로부터 켜짐 신호를 기다리는 상태에서 소비되는 전력의 저감(低減)이 필요하다고 인정되는 에너지사용기자재로서 산업통상자원부령으로 정하는 제품에 대하여 다음 각 호의 사항을 정하여 고시하여야 한다.

① 대기전력저감대상제품의 각 제품별 적용범위

② 대기전력저감기준

③ 대기전력의 측정방법

④ 대기전력 저감성이 우수한 대기전력저감대상제품의 표시
⑤ 그 밖에 대기전력저감대상제품의 관리에 필요한 사항으로서 산업통상자원부령으로 정하는 사항

(14) 대기전력경고표지대상제품의 지정

① 산업통상자원부장관은 대기전력저감대상제품 중 대기전력 저감을 통한 에너지이용의 효율을 높이기 위하여 대기전력저감기준에 적합할 것이 특히 요구되는 제품으로서 산업통상자원부령으로 정하는 제품에 대하여 다음 각 호의 사항을 정하여 고시하여야 한다.
1. 대기전력경고표지대상제품의 각 제품별 적용범위
2. 대기전력경고표지대상제품의 경고 표시
3. 그 밖에 대기전력경고표지대상제품의 관리에 필요한 사항으로서 산업통상자원부령으로 정하는 사항

② 대기전력경고표지대상제품의 제조업자 또는 수입업자는 대기전력경고표지대상제품에 대하여 산업통상자원부장관이 지정하는 시험기관의 측정을 받아야 한다. 다만, 산업통상자원부장관이 정하여 고시하는 시험설비 및 전문인력을 모두 갖춘 제조업자 또는 수입업자로서 산업통상자원부령으로 정하는 바에 따라 산업통상자원부장관의 승인을 받은 자는 자체측정으로 대기전력시험기관의 측정을 대체할 수 있다.
③ 대기전력경고표지대상제품의 제조업자 또는 수입업자는 ②에 따른 측정 결과를 산업통상자원부령으로 정하는 바에 따라 산업통상자원부장관에게 신고하여야 한다.
④ 대기전력경고표지대상제품의 제조업자 또는 수입업자는 ②에 따른 측정 결과, 해당 제품이 대기전력저감기준에 미달하는 경우에는 그 제품에 대기전력경고표지를 하여야 한다.
⑤ ②의 대기전력시험기관으로 지정받으려는 자는 다음 각 호의 요건을 모두 갖추어 산업통상자원부령으로 정하는 바에 따라 산업통상자원부장관에게 지정 신청을 하여야 한다.
1. 다음 각 목의 어느 하나에 해당할 것
   ㉠ 국가가 설립한 시험 · 연구기관
   ㉡ 「특정연구기관 육성법」 제2조에 따른 특정연구기관
   ㉢ 「국가표준기본법」 제23조에 따라 시험 · 검사기관으로 인정받은 기관
   ㉣ ㉠ 및 ㉡의 연구기관과 동등 이상의 시험능력이 있다고 산업통상자원부장관이 인정하는 기관
2. 산업통상자원부장관이 대기전력저감대상제품별로 정하여 고시하는 시험설비 및 전문인력을 갖출 것

(15) 대기전력저감우수제품의 표시

① 대기전력저감대상제품의 제조업자 또는 수입업자가 해당 제품에 대기전력저감우수제품의 표시를 하려면 대기전력시험기관의 측정을 받아 해당 제품이 대기전력저감기준에 적합하다는 판정을 받아야 한다. 다만, 산업통상자원부장관의 승인을 받은 자는 자체측정으로 대기전력시험기관의 측정을 대체 할 수 있다.

② ①에 따른 적합 판정을 받아 대기전력저감우수제품의 표시를 하는 제조업자 또는 수입업자는 ①에 따른 측정 결과를 산업통상자원부령으로 정하는 바에 따라 산업통상자원부장관에게 신고하여야 한다.

③ 산업통상자원부장관은 대기전력저감우수제품의 보급을 촉진하기 위하여 필요하다고 인정되는 경우에는 대기전력저감우수제품을 우선적으로 구매하게 하거나, 공장·사업장 및 집단주택단지 등에 대하여 대기전력저감우수제품의 설치 또는 사용을 장려할 수 있다.

(16) 고효율에너지기자재의 사후관리

① 산업통상자원부장관은 고효율에너지기자재가 각 기자재별 적용범위에 미달하는 경우에는 인증을 취소하여야 하고, 인증 기준·방법 및 절차에 미달하는 경우에는 인증을 취소하거나 6개월 이내의 기간을 정하여 인증을 사용하지 못하도록 명할 수 있다.

1. 거짓이나 그 밖의 부정한 방법으로 인증을 받은 경우
2. 고효율에너지기자재가 인증 기준·방법 및 절차에 미달하는 경우

② 산업통상자원부장관은 ①에 따라 인증이 취소된 고효율에너지기자재에 대하여 그 인증이 취소된 날부터 1년의 범위에서 산업통상자원부령으로 정하는 기간 동안 인증을 하지 아니할 수 있다.

(17) 시험기관의 지정취소

① 산업통상자원부장관은 효율관리시험기관, 대기전력시험기관 및 고효율시험기관이 다음 각 호의 어느 하나에 해당하는 경우에는 그 지정을 취소하거나 6개월 이내의 기간을 정하여 시험업무의 정지를 명할 수 있다. 다만, 1. 또는 2.에 해당하는 경우에는 그 지정을 취소하여야 한다.

1. 거짓이나 그 밖의 부정한 방법으로 지정을 받은 경우
2. 업무정지 기간 중에 시험업무를 행한 경우
3. 정당한 사유 없이 시험을 거부하거나 지연하는 경우
4. 산업통상자원부장관이 정하여 고시하는 측정방법을 위반하여 시험한 경우
5. 시험기관의 지정기준에 적합하지 아니하게 된 경우

② 산업통상자원부장관은 자체측정의 승인을 받은 자가 1. 또는 2.에 해당하면 그 승인을 취소하여야 하고, 3. 또는 4.에 해당하면 그 승인을 취소하거나 6개월 이내의 기간을 정하여 자체측정업무의 정지를 명할 수 있다.
1. 거짓이나 그 밖의 부정한 방법으로 승인을 받은 경우
2. 업무정지 기간 중에 자체측정업무를 행한 경우
3. 산업통상자원부장관이 정하여 고시하는 측정방법을 위반하여 측정한 경우
4. 산업통상자원부장관이 정하여 고시하는 시험설비 및 전문인력 기준에 적합하지 아니하게 된 경우

(18) 에너지절약전문기업의 지원

① 정부는 제3자로부터 위탁을 받아 다음 각 호의 어느 하나에 해당하는 사업을 하는 자로서 산업통상자원부장관에게 등록을 한 자가 에너지절약사업과 이를 통한 온실가스의 배출을 줄이는 사업을 하는 데에 필요한 지원을 할 수 있다.
1. 에너지사용시설의 에너지절약을 위한 관리 · 용역사업
2. 에너지절약형 시설투자에 관한 사업
3. 그 밖에 대통령령으로 정하는 에너지절약을 위한 사업

② 에너지절약전문기업으로 등록하려는 자는 대통령령으로 정하는 바에 따라 장비, 자산 및 기술인력 등의 등록기준을 갖추어 산업통상자원부장관에게 등록을 신청하여야 한다.

(19) 자발적 협약체결기업의 지원

① 정부는 에너지사용자 또는 에너지공급자로서 에너지의 절약과 합리적인 이용을 통한 온실가스의 배출을 줄이기 위한 목표와 그 이행방법 등에 관한 계획을 자발적으로 수립하여 이를 이행하기로 정부나 지방자치단체와 약속한 자가 에너지절약형 시설이나 그 밖에 대통령령으로 정하는 시설 등에 투자하는 경우에는 그에 필요한 지원을 할 수 있다.

② 자발적 협약의 목표, 이행방법의 기준과 평가에 관하여 필요한 사항은 환경부장관과 협의하여 산업통상자원부령으로 정한다.

(20) 온실가스배출 감축실적의 등록 · 관리

① 정부는 에너지절약전문기업, 자발적 협약체결기업 등이 에너지이용 합리화를 통한 온실가스배출 감축실적의 등록을 신청하는 경우 그 감축실적을 등록 · 관리하여야 한다.

② ①에 따른 신청, 등록 · 관리 등에 관하여 필요한 사항은 대통령령으로 정한다.

(21) 에너지다소비사업자의 신고

① 에너지사용량이 대통령령으로 정하는 기준량 이상인 자는 다음 각 호의 사항을 산업통상자원부령으로 정하는 바에 따라 매년 1월 31일까지 그 에너지사용시설이 있는 지역을 관할하는 시 · 도지사에게 신고하여야 한다.

1. 전년도의 분기별 에너지사용량 · 제품생산량
2. 해당 연도의 분기별 에너지사용예정량 · 제품생산예정량
3. 에너지사용기자재의 현황
4. 전년도의 분기별 에너지이용 합리화 실적 및 해당 연도의 분기별 계획
5. 1.부터 4.까지의 사항에 관한 업무를 담당하는 자의 현황

② 시 · 도지사는 ①에 따른 신고를 받으면 이를 매년 2월 말일까지 산업통상자원부장관에게 보고하여야 한다.

③ 산업통상자원부장관 및 시 · 도지사는 에너지다소비사업자가 신고한 ①의 각 호의 사항을 확인하기 위하여 필요한 경우 다음 각 호의 어느 하나에 해당하는 자에 대하여 에너지다소비사업자에게 공급한 에너지의 공급량 자료를 제출하도록 요구할 수 있다.

1. 「한국전력공사법」에 따른 한국전력공사
2. 「한국가스공사법」에 따른 한국가스공사
3. 「도시가스사업법」 제2조제2호에 따른 도시가스사업자
4. 「집단에너지사업법」 제2조제3호에 따른 사업자 및 같은 법 제29조에 따른 한국지역난방공사
5. 그 밖에 대통령령으로 정하는 에너지공급기관 또는 관리기관

(22) 에너지진단

① 산업통상자원부장관은 관계 행정기관의 장과 협의하여 에너지다소비사업자가 에너지를 효율적으로 관리하기 위하여 필요한 기준을 부문별로 정하여 고시하여야 한다.

② 에너지다소비사업자는 산업통상자원부장관이 지정하는 에너지진단전문기관으로부터 3년 이상의 범위에서 대통령령으로 정하는 기간마다 그 사업장에 대하여 에너지진단을 받아야 한다. 다만, 물리적 또는 기술적으로 에너지진단을 실시할 수 없거나 에너지진단의 효과가 적은 아파트 · 발전소 등 산업통상자원부령으로 정하는 범위에 해당하는 사업장은 그러하지 아니하다.

③ 산업통상자원부장관은 대통령령으로 정하는 바에 따라 에너지진단업무에 관한 자료제출을 요구하는 등 진단기관을 관리 · 감독한다.

④ 산업통상자원부장관은 자체에너지절감실적이 우수하다고 인정되는 에너지다소비사업자에 대하여는 산업통상자원부령으로 정하는 바에 따라 에너지진단을 면제하거나 에너지진단주기를 연장할 수 있다.
⑤ 산업통상자원부장관은 에너지진단 결과 에너지다소비사업자가 에너지관리기준을 지키고 있지 아니한 경우에는 에너지관리기준의 이행을 위한 지도를 할 수 있다.
⑥ 산업통상자원부장관은 에너지다소비사업자가 에너지진단을 받기 위하여 드는 비용의 전부 또는 일부를 지원할 수 있다. 이 경우 지원 대상 · 규모 및 절차는 대통령령으로 정한다.
⑦ 진단기관의 지정기준은 대통령령으로 정하고, 진단기관의 지정절차와 그 밖에 필요한 사항은 산업통상자원부령으로 정한다.
⑧ 에너지진단의 범위와 방법, 그 밖에 필요한 사항은 산업통상자원부장관이 정하여 고시한다.

(23) 개선명령

① 산업통상자원부장관은 에너지관리지도 결과, 에너지가 손실되는 요인을 줄이기 위하여 필요하다고 인정하면 에너지다소비사업자에게 에너지손실요인의 개선을 명할 수 있다.
② ①에 따른 개선명령의 요건 및 절차는 대통령령으로 정한다.

(24) 목표에너지원단위의 설정

① 산업통상자원부장관은 에너지의 이용효율을 높이기 위하여 필요하다고 인정하면 관계 행정기관의 장과 협의하여 에너지를 사용하여 만드는 제품의 단위당 에너지사용목표량 또는 건축물의 단위면적당 에너지사용목표량을 정하여 고시하여야 한다.
② 산업통상자원부장관은 산업통상자원부령으로 정하는 바에 따라 목표에너지원단위의 달성에 필요한 자금을 융자할 수 있다.

(25) 냉난방온도제한건물의 지정

① 산업통상자원부장관은 에너지의 절약 및 합리적인 이용을 위하여 필요하다고 인정하면 냉난방온도의 제한온도 및 제한기간을 정하여 다음 각 호의 건물 중에서 냉난방온도를 제한하는 건물을 지정할 수 있다.
  1. 국가, 지방자치단체, 공공기관에 해당하는 자가 업무용으로 사용하는 건물
  2. 에너지다소비사업자의 에너지사용시설 중 에너지사용량이 대통령령으로 정하는 기준량 이상인 건물
② 산업통상자원부장관은 ①에 따라 냉난방온도의 제한온도 및 제한기간을 정하여 냉난방온도를 제한하는 건물을 지정한 때에는 다음 각 호의 구분에 따라 통지하고 이를 고시하여야 한다.

1. ①의 1.의 건물 : 관리기관에 통지
2. ①의 2.의 건물 : 에너지다소비사업자에게 통지

③ ① 및 ②에 따라 냉난방온도를 제한하는 건물로 지정된 건물의 관리기관 또는 에너지다소비사업자는 해당 건물의 냉난방온도를 제한온도에 적합하도록 유지 · 관리하여야 한다.

④ 산업통상자원부장관은 냉난방온도제한건물의 관리기관 또는 에너지다소비사업자가 해당 건물의 냉난방온도를 제한온도에 적합하게 유지 · 관리하는지 여부를 점검하거나 실태를 파악할 수 있다.

⑤ ①에 따른 냉난방온도의 제한온도를 정하는 기준 및 냉난방온도제한건물의 지정기준, ④에 따른 점검 방법 등에 필요한 사항은 산업통상자원부령으로 정한다.

(26) 시공업자단체의 설립

① 시공업자는 품위 유지, 기술 향상, 시공방법 개선, 그 밖에 시공업의 건전한 발전을 위하여 산업통상자원부장관의 인가를 받아 시공업자단체를 설립할 수 있다.

② 시공업자단체는 법인으로 한다.

③ 시공업자단체는 설립등기를 함으로써 성립한다.

④ 시공업자단체의 설립, 정관의 기재사항과 감독에 관하여 필요한 사항은 대통령령으로 정한다.

(27) 시공업자단체의 회원 자격

시공업자는 시공업자단체에 가입할 수 있다.

(28) 건의와 자문

시공업자단체는 시공업에 관한 사항을 정부에 건의하거나 정부의 자문에 응할 수 있다.

(29) 한국에너지공단의 설립

① 에너지이용 합리화사업을 효율적으로 추진하기 위하여 한국에너지공단을 설립한다.

② 정부 또는 정부 외의 자는 공단의 설립 · 운영과 사업에 드는 자금에 충당하기 위하여 출연을 할 수 있다.

③ ②에 따른 출연시기, 출연방법, 그 밖에 필요한 사항은 대통령령으로 정한다.

(30) 벌칙

다음 각 호의 어느 하나에 해당하는 자는 2년 이하의 징역 또는 2천 만 원 이하의 벌금에 처한다.

① 에너지저장시설의 보유 또는 저장의무의 부과시 정당한 이유 없이 이를 거부하거나 이행하지 아니한 자

② 조정 · 명령 등의 조치를 위반한 자
③ 직무상 알게 된 비밀을 누설하거나 도용한 자

(31) 벌칙

다음 각 호의 어느 하나에 해당하는 자는 1년 이하의 징역 또는 1천만 원 이하의 벌금에 처한다.
① 검사대상기기의 검사를 받지 아니한 자
② 검사에 합격되지 아니한 검사대상기기를 사용한 자
③ 검사에 합격되지 아니한 검사대상기기를 수입한 자

(32) 벌칙

에너지의 최저소비효율기준에 미달하는 효율관리기자재의 생산 또는 판매 금지명령을 위반한 자는 2천만 원 이하의 벌금에 처한다.

(33) 벌칙

검사대상기기관리자를 선임하지 아니한 자는 1천만 원 이하의 벌금에 처한다.

(34) 벌칙

다음 각 호의 어느 하나에 해당하는 자는 500만 원 이하의 벌금에 처한다.
① 효율관리기자재에 대한 에너지사용량의 측정결과를 신고하지 아니한 자
② 대기전력경고표지대상제품에 대한 측정결과를 신고하지 아니한 자
③ 대기전력경고표지를 하지 아니한 자
④ 대기전력저감우수제품임을 표시하거나 거짓 표시를 한 자
⑤ 시정명령을 정당한 사유 없이 이행하지 아니한 자
⑥ 인증을 받지 않고 인증 표시를 한 자

(35) 과태료

① 다음 각 호의 어느 하나에 해당하는 자에게는 2천만 원 이하의 과태료를 부과한다.
  1. 효율관리기자재에 대한 에너지소비효율등급 또는 에너지소비효율을 표시하지 아니하거나 거짓으로 표시를 한 자
  2. 에너지진단을 받지 아니한 에너지다소비사업자
② 다음 각 호의 어느 하나에 해당하는 자에게는 1천만 원 이하의 과태료를 부과한다.
  1. 에너지사용계획을 제출하지 아니하거나 변경하여 제출하지 아니한 자. 다만, 국가 또는 지방자치단체인 사업주관자는 제외한다.
  2. 개선명령을 정당한 사유 없이 이행하지 아니한 자

3. 검사를 거부 · 방해 또는 기피한 자

③ 광고내용이 포함되지 아니한 광고를 한 자에게는 500만 원 이하의 과태료를 부과한다.

④ 다음 각 호의 어느 하나에 해당하는 자에게는 300만 원 이하의 과태료를 부과한다. 다만, 1., 4.부터 6.까지, 8., 10. 및 10.의 2부터 10.의 4까지의 경우에는 국가 또는 지방자치단체를 제외한다.

1. 에너지사용의 제한 또는 금지에 관한 조정 · 명령, 그 밖에 필요한 조치를 위반한 자
2. 정당한 이유 없이 수요관리투자계획과 시행결과를 제출하지 아니한 자
3. 수요관리투자계획을 수정 · 보완하여 시행하지 아니한 자
4. 필요한 조치의 요청을 정당한 이유 없이 거부하거나 이행하지 아니한 공공사업주관자
5. 관련 자료의 제출요청을 정당한 이유 없이 거부한 사업주관자
6. 이행 여부에 대한 점검이나 실태 파악을 정당한 이유 없이 거부 · 방해 또는 기피한 사업주관자
7. 자료를 제출하지 아니하거나 거짓으로 자료를 제출한 자
8. 정당한 이유 없이 대기전력저감우수제품 또는 고효율에너지기자재를 우선적으로 구매하지 아니한 자
9. 신고를 하지 아니하거나 거짓으로 신고를 한 자

9.의 2 냉난방온도의 유지 · 관리 여부에 대한 점검 및 실태 파악을 정당한 사유 없이 거부 · 방해 또는 기피한 자

9.의 3 시정조치명령을 정당한 사유 없이 이행하지 아니한 자

9.의 4 검사대상기기를 폐기 · 사용 중지 · 설치자 변경 · 검사의 전부 또는 일부가 면제된 기기를 설치한 경우 또는 검사대상기기관리자를 선임 또는 해임하거나 검사대상기기관리자가 퇴직한 경우 신고를 하지 아니하거나 거짓으로 신고를 한 자

10. 한국에너지공단 또는 이와 유사한 명칭을 사용한 자
11. 교육을 받지 아니한 자 또는 검사대상기기관리자를 선임 또는 해임하거나 검사대상기기관리자가 퇴직한 경우 신고를 하지 아니하거나 거짓으로 신고한 자에게 교육을 받게 하지 아니한 자
12. 효율관리기자재 · 대기전력저감대상제품 · 고효율에너지인증대상기자재의 제조업자 · 수입업자 · 판매업자 및 각 시험기관, 에너지절약전문기업, 에너지다소비사업자, 진단기관과 검사대상기기설치자에 대하여 그 업무에 따른 보고를 하지 아니하거나 거짓으로 보고를 한 자

⑤ 1.부터 4.까지의 규정에 따른 과태료는 대통령령으로 정하는 바에 따라 산업통상자원부장관이나 시 · 도지사가 부과 · 징수한다.

(36) 에너지저장의무 부과대상자

① 산업통상자원부장관이 에너지저장의무를 부과할 수 있는 대상자는 다음 각 호와 같다.

1. 전기사업자
2. 도시가스사업자
3. 석탄가공업자
4. 집단에너지사업자
5. 연간 2만 석유환산톤 이상의 에너지를 사용하는 자

② 산업통상자원부장관은 ①의 각 호의 자에게 에너지저장의무를 부과할 때에는 다음 각 호의 사항을 정하여 고시하여야 한다.

1. 대상자
2. 저장시설의 종류 및 규모
3. 저장하여야 할 에너지의 종류 및 저장의무량
4. 그 밖에 필요한 사항

(37) 에너지사용계획의 제출

① 에너지사용계획을 수립하여 산업통상자원부장관에게 제출하여야 하는 사업주관자는 다음 각 호의 어느 하나에 해당하는 사업을 실시하려는 자로 한다.

1. 도시개발사업
2. 산업단지개발사업
3. 에너지개발사업
4. 항만건설사업
5. 철도건설사업
6. 공항건설사업
7. 관광단지개발사업
8. 개발촉진지구개발사업 또는 지역종합개발사업

② 에너지사용계획을 수립하여 산업통상자원부장관에게 제출하여야 하는 공공사업주관자는 다음 각 호의 어느 하나에 해당하는 시설을 설치하려는 자로 한다.

1. 연간 2천5백 티오이 이상의 연료 및 열을 사용하는 시설
2. 연간 1천만 킬로와트시 이상의 전력을 사용하는 시설

③ 에너지사용계획을 수립하여 산업통상자원부장관에게 제출하여야 하는 민간사업주관자는 다음 각 호의 어느 하나에 해당하는 시설을 설치하려는 자로 한다.

1. 연간 5천 티오이 이상의 연료 및 열을 사용하는 시설
2. 연간 2천만 킬로와트시 이상의 전력을 사용하는 시설

④ ①부터 ③까지의 규정에 따른 사업 또는 시설의 범위와 에너지사용계획의 제출 시기는 별표 1(216쪽 참조)과 같다.

⑤ 산업통상자원부장관은 에너지사용계획을 제출받은 경우에는 그날부터 30일 이내에 공공사업주관자에게는 그 협의 결과를, 민간사업주관자에게는 그 의견청취 결과를 통보하여야 한다. 다만, 산업통상자원부장관이 필요하다고 인정할 때에는 20일의 범위에서 통보를 연장할 수 있다.

(38) 에너지다소비사업자

"대통령령으로 정하는 기준량 이상인 자"란 연료 · 열 및 전력의 연간 사용량의 합계가 2천 티오이 이상인 자를 말한다.

(39) 개선명령의 요건 및 절차

① 산업통상자원부장관이 에너지다소비사업자에게 개선명령을 할 수 있는 경우는 에너지관리지도 결과 10퍼센트 이상의 에너지효율 개선이 기대되고 효율 개선을 위한 투자의 경제성이 있다고 인정되는 경우로 한다.

② 산업통상자원부장관은 ①의 개선명령을 하려는 경우에는 구체적인 개선 사항과 개선 기간 등을 분명히 밝혀야 한다.

③ 에너지다소비사업자는 ①에 따른 개선명령을 받은 경우에는 개선명령일부터 60일 이내에 개선계획을 수립하여 산업통상자원부장관에게 제출하여야 하며, 그 결과를 개선 기간 만료일부터 15일 이내에 산업통상자원부장관에게 통보하여야 한다.

④ 산업통상자원부장관은 ③에 따른 개선계획에 대하여 필요하다고 인정하는 경우에는 수정 또는 보완을 요구할 수 있다.

(40) 업무의 위탁

① 산업통상자원부장관 또는 시 · 도지사의 업무 중 다음 각 호의 업무를 공단에 위탁한다.

1. 에너지사용계획의 검토
2. 이행 여부의 점검 및 실태파악
3. 효율관리기자재의 측정 결과 신고의 접수
4. 대기전력경고표지대상제품의 측정 결과 신고의 접수
5. 대기전력저감대상제품의 측정 결과 신고의 접수
6. 고효율에너지기자재 인증 신청의 접수 및 인증
7. 고효율에너지기자재의 인증취소 또는 인증사용 정지명령
8. 에너지절약전문기업의 등록
9. 온실가스배출 감축실적의 등록 및 관리

10. 에너지다소비사업자 신고의 접수
11. 진단기관의 관리 · 감독
12. 에너지관리지도
12.의 2 냉난방온도의 유지 · 관리 여부에 대한 점검 및 실태 파악
13. 검사대상기기의 검사
14. 검사증의 발급
15. 검사대상기기의 폐기, 사용 중지, 설치자 변경 및 검사의 전부 또는 일부가 면제된 검사대상기기의 설치에 대한 신고의 접수
16. 검사대상기기관리자의 선임 · 해임 또는 퇴직신고의 접수

② 시 · 도지사의 업무 중 다음 각 호의 업무를 공단 또는 「국가표준기본법」 제23조에 따라 인정받은 시험 · 검사기관 중 산업통상자원부장관이 지정하여 고시하는 기관에 위탁한다.

1. 검사대상기기의 검사
2. 검사증의 발급(1.에 따른 검사만 해당한다)

(41) 열사용기자재

열사용기자재는 강철제 · 주철제 보일러, 소형 온수보일러, 구멍탄용 온수보일러, 축열식 전기보일러, 1종 · 2종 압력용기, 요업 · 요로 등이다. 다만, 다음 각 호의 어느 하나에 해당하는 열사용기자재는 제외한다.

1. 「전기사업법」 제2조제2호에 따른 전기사업자가 설치하는 발전소의 발전(發電)전용 보일러 및 압력용기. 다만, 「집단에너지사업법」의 적용을 받는 발전전용 보일러 및 압력용기는 열사용기자재에 포함된다.
2. 「철도사업법」에 따른 철도사업을 하기 위하여 설치하는 기관차 및 철도차량용 보일러
3. 「고압가스 안전관리법」 및 「액화석유가스의 안전관리 및 사업법」에 따라 검사를 받는 보일러 및 압력용기
4. 「선박안전법」에 따라 검사를 받는 선박용 보일러 및 압력용기
5. 「전기용품 및 생활용품 안전관리법」 및 「의료기기법」의 적용을 받는 2종 압력용기
6. 이 규칙에 따라 관리하는 것이 부적합하다고 산업통상자원부장관이 인정하는 수출용 열사용기자재

(42) 효율관리기자재

① 효율관리기자재는 다음 각 호와 같다.

1. 전기냉장고
2. 전기냉방기

3. 전기세탁기
4. 조명기기
5. 삼상유도전동기(三相誘導電動機)
6. 자동차
7. 그 밖에 산업통상자원부장관이 그 효율의 향상이 특히 필요하다고 인정하여 고시하는 기자재 및 설비

② ①의 각 호의 효율관리기자재의 구체적인 범위는 산업통상자원부장관이 정하여 고시한다.

③ "산업통상자원부령으로 정하는 사항"이란 다음 각 호와 같다.

1. 효율관리시험기관 또는 자체측정의 승인을 받은 자가 측정할 수 있는 효율관리기자재의 종류, 측정 결과에 관한 시험성적서의 기재 사항 및 기재 방법과 측정 결과의 기록 유지에 관한 사항
2. 이산화탄소 배출량의 표시
3. 에너지비용(일정기간 동안 효율관리기자재를 사용함으로써 발생할 수 있는 예상 전기요금이나 그 밖의 에너지요금을 말한다)

(43) 고효율에너지인증대상기자재

① 고효율에너지인증대상기자재는 다음 각 호와 같다.

1. 펌프
2. 산업건물용 보일러
3. 무정전전원장치
4. 폐열회수형 환기장치
5. 발광다이오드(LED) 등 조명기기
6. 그 밖에 산업통상자원부장관이 특히 에너지이용의 효율성이 높아 보급을 촉진할 필요가 있다고 인정하여 고시하는 기자재 및 설비

② "산업통상자원부령으로 정하는 사항"이란 고효율시험기관이 측정할 수 있는 고효율에너지인증대상기자재의 종류, 측정 결과에 관한 시험성적서의 기재 사항 및 기재 방법과 측정 결과의 기록 유지에 관한 사항을 말한다.

(44) 에너지진단의 면제

① 에너지진단을 면제하거나 에너지진단주기를 연장할 수 있는 자는 다음 각 호의 어느 하나에 해당하는 자로 한다.

1. 자발적 협약을 체결한 자로서 자발적 협약의 평가기준에 따라 자발적 협약의 이행 여부를 확인한 결과 이행실적이 우수한 사업자로 선정된 자

1.의 2 에너지경영시스템을 도입한 자로서 에너지를 효율적으로 이용하고 있다고 산업통상자원부장관이 정하여 고시하는 자
2. 에너지절약 유공자로서 중앙행정기관의 장 이상의 표창권자가 준 단체표창을 받은 자
3. 에너지진단 결과를 반영하여 에너지를 효율적으로 이용하고 있다고 산업통상자원부장관이 인정하여 고시하는 자
4. 지난 연도 에너지사용량의 100분의 30 이상을 다음 각 목의 어느 하나에 해당하는 제품, 기자재 및 설비를 이용하여 공급하는 자
   ㉠ 금융·세제상의 지원을 받는 설비
   ㉡ 효율관리기자재 중 에너지소비효율이 1등급인 제품
   ㉢ 대기전력저감우수제품
   ㉣ 인증 표시를 받은 고효율에너지기자재
   ㉤ 설비인증을 받은 신·재생에너지 설비
5. 산업통상자원부장관이 정하여 고시하는 요건을 갖춘 에너지관리시스템을 구축하여 에너지를 효율적으로 이용하고 있다고 산업통산자원부장관이 고시하는 자
6. 목표관리 대상 공공기관과 온실가스 배출업체 및 에너지 소비업체로서 온실가스·에너지 목표관리 실적이 우수하다고 산업통상자원부장관이 환경부장관과 협의한 후 정하여 고시하는 자. 다만, 배출권 할당 대상업체로 지정·고시된 업체는 제외한다.

② ①에 따라 에너지진단을 면제 또는 에너지진단주기를 연장받으려는 자는 에너지진단 면제 신청서에 다음 각 호의 어느 하나에 해당하는 서류를 첨부하여 산업통상자원부장관에게 제출하여야 한다.
1. 자발적 협약 우수사업장임을 확인할 수 있는 서류
2. 중소기업임을 확인할 수 있는 서류
2.의 2 에너지경영시스템 구축 및 개선 실적을 확인할 수 있는 서류
3. 에너지절약 유공자 표창 사본
4. 에너지진단결과를 반영한 에너지절약 투자 및 개선실적을 확인할 수 있는 서류
5. 친에너지형 설비 설치를 확인할 수 있는 서류(설비의 목록, 용량 및 설치사진 등을 말한다)
6. 에너지관리시스템 구축 및 개선 실적을 확인할 수 있는 서류
7. 목표관리업체로서 온실가스·에너지 목표관리 실적을 확인할 수 있는 서류

③ 산업통상자원부장관은 ②에 따른 신청을 받은 경우에는 이를 검토하여 에너지진단 면제 또는 에너지진단주기 연장 신청결과를 서식에 따라 신청인에게 알려 주어야 한다.

④ ①에 따른 에너지진단의 면제 또는 에너지진단주기의 연장 범위는 별표 3(217쪽 참조)과 같으며, 그 밖에 필요한 사항은 산업통상자원부장관이 정하여 고시한다.

(45) 냉난방온도의 제한온도 기준

냉난방온도의 제한온도를 정하는 기준은 다음 각 호와 같다. 다만, 판매시설 및 공항의 경우에 냉방온도는 25℃ 이상으로 한다.

① 냉방 : 26℃ 이상

② 난방 : 20℃ 이하

(46) 검사유효기간

① 검사대상기기의 검사유효기간은 별표 3의5(218쪽 참조)와 같다.

② 검사유효기간은 검사(검사에 합격되지 아니한 검사대상기기에 대한 검사 및 동시검사를 포함한다)에 합격한 날의 다음 날부터 계산한다. 다만, 검사에 합격한 날이 검사유효기간 만료일 이전 30일 이내인 경우와 검사를 연기한 경우에는 검사유효기간 만료일의 다음 날부터 계산한다.

③ 산업통상자원부장관은 검사대상기기의 안전관리 또는 에너지효율 향상을 위하여 부득이 하다고 인정할 때에는 ①에 따른 검사유효기간을 조정할 수 있다.

(47) 계속사용검사신청

① 검사대상기기의 계속사용검사를 받으려는 자는 검사대상기기 계속사용검사신청서를 검사유효기간 만료 10일 전까지 공단이사장에게 제출하여야 한다.

② ①에 따른 신청서에는 해당 검사대상기기 설치검사증 사본을 첨부하여야 한다.

(48) 검사대상기기의 폐기신고

① 검사대상기기의 설치자가 사용 중인 검사대상기기를 폐기한 경우에는 폐기한 날부터 15일 이내에 검사대상기기 폐기신고서를 공단이사장에게 제출하여야 한다.

② 검사대상기기의 설치자가 그 검사대상기기의 사용을 중지한 경우에는 중지한 날부터 15일 이내에 검사대상기기 사용중지신고서를 공단이사장에게 제출하여야 한다.

③ ① 및 ②에 따른 신고서에는 검사대상기기 설치검사증을 첨부하여야 한다.

(49) 검사대상기기 관리자의 자격

① 검사대상기기 관리자의 자격 및 조종범위는 별표 3의9(219쪽 참조)와 같다. 다만, 국방부장관이 관장하고 있는 검사대상기기의 관리자의 자격 등은 국방부장관이 정하는 바에 따른다.

② 별표 3의9(219쪽 참조)의 검사대상기기 관리자가 받아야 할 교육과목, 과목별 시간, 교육의 유효기간 및 그 밖에 필요한 사항은 산업통상자원부장관이 정한다.

[별표 1]

열사용기자재(제1조의2 관련)

구분	품목명	적용범위
보일러	강철제 보일러, 주철제 보일러	다음 각 호의 어느 하나에 해당하는 것을 말한다. 1. 1종 관류 보일러: 강철제 보일러 중 헤더의 안지름이 150미리미터 이하이고, 전열면적이 5제곱미터 초과 10제곱미터 이하이며, 최고사용압력이 1MPa 이하인 관류 보일러(기수분리기를 장치한 경우에는 기수분리기의 안지름이 300미리미터 이하이고, 그 내부 부피가 0.07세제곱미터 이하인 것만 해당한다) 2. 2종 관류 보일러: 강철제 보일러 중 헤더의 안지름이 150미리미터 이하이고, 전열면적이 5제곱미터 이하이며, 최고사용압력이 1MPa 이하인 관류 보일러(기수분리기를 장치한 경우에는 기수분리기의 안지름이 200미리미터 이하이고, 그 내부 부피가 0.02세제곱미터 이하인 것에 한정한다) 3. 제1호 및 제2호 외의 금속(주철을 포함한다)으로 만든 것. 다만, 소형 온수보일러·구멍탄용 온수보일러 및 축열식 전기보일러는 제외한다.
	소형 온수보일러	전열면적이 14제곱미터 이하이고, 최고사용압력이 0.35MPa 이하의 온수를 발생하는 것. 다만, 구멍탄용 온수보일러·축열식 전기보일러 및 가스사용량이 17kg/h(도시가스는 232.6킬로와트) 이하인 가스용 온수보일러는 제외한다.
	구멍탄용 온수보일러	「석탄산업법 시행령」 제2조제2호에 따른 연탄을 연료로 사용하여 온수를 발생시키는 것으로서 금속제만 해당한다.
	축열식 전기보일러	심야전력을 사용하여 온수를 발생시켜 축열조에 저장한 후 난방에 이용하는 것으로서 정격소비전력이 30킬로와트 이하이고, 최고사용압력이 0.35MPa 이하인 것
태양열 집열기	태양열 집열기	
압력용기	1종 압력용기	최고사용압력(MPa)과 내부 부피(m^3)를 곱한 수치가 0.004를 초과하는 다음 각 호의 어느 하나에 해당하는 것 1. 증기 그 밖의 열매체를 받아들이거나 증기를 발생시켜 고체 또는 액체를 가열하는 기기로서 용기안의 압력이 대기압을 넘는 것 2. 용기 안의 화학반응에 따라 증기를 발생시키는 용기로서 용기 안의 압력이 대기압을 넘는 것 3. 용기 안의 액체의 성분을 분리하기 위하여 해당 액체를 가열하거나 증기를 발생시키는 용기로서 용기 안의 압력이 대기압을 넘는 것 4. 용기 안의 액체의 온도가 대기압에서의 비점(沸點)을 넘는 것

	2종 압력용기	최고사용압력이 0.2MPa를 초과하는 기체를 그 안에 보유하는 용기로서 다음 각 호의 어느 하나에 해당하는 것 1. 내부 부피가 0.04세제곱미터 이상인 것 2. 동체의 안지름이 200미리미터 이상(증기헤더의 경우에는 동체의 안지름이 300미리미터 초과)이고, 그 길이가 1천미리미터 이상인 것
요로	요업요로	연속식유리용융가마 · 불연속식유리용융가마 · 유리용융도가니가마 · 터널가마 · 도염식가마 · 셔틀가마 · 회전가마 및 석회용선가마
	금속요로	용선로 · 비철금속용융로 · 금속소둔로 · 철금속가열로 및 금속균열로

[별표 3]

에너지진단주기(제36조제1항 관련)

연간 에너지사용량	에너지진단주기
20만 티오이 이상	1. 전체진단: 5년 2. 부분진단: 3년
20만 티오이 미만	5년

비고
1. 연간 에너지사용량은 에너지진단을 하는 연도의 전년도 연간 에너지사용량을 기준으로 한다.
2. 연간 에너지사용량이 20만 티오이 이상인 자에 대해서는 10만 티오이 이상의 사용량을 기준으로 구역별로 나누어 에너지진단(이하 "부분진단"이라 한다)을 할 수 있으며, 1개 구역 이상에 대하여 부분진단을 한 경우에는 에너지진단 주기에 에너지진단을 받은 것으로 본다.
3. 부분진단은 10만 티오이 이상의 사용량을 기준으로 구역별로 나누어 순차적으로 실시하여야 한다.

[별표 3의3]

검사대상기기(제31조의6 관련)

구분	검사대상기기	적용범위
보일러	강철제 보일러, 주철제 보일러	다음 각 호의 어느 하나에 해당하는 것은 제외한다. 1. 최고사용압력이 0.1MPa 이하이고, 동체의 안지름이 300미리미터 이하이며, 길이가 600미리미터 이하인 것 2. 최고사용압력이 0.1MPa 이하이고, 전열면적이 5제곱미터 이하인 것 3. 2종 관류 보일러 4. 온수를 발생시키는 보일러로서 대기개방형인 것
	소형 온수보일러	가스를 사용하는 것으로서 가스사용량이 17kg/h(도시가스는 232.6킬로와트)를 초과하는 것
압력용기	1종 압력용기, 2종 압력용기	별표 1에 따른 압력용기의 적용범위에 따른다.
요로	철금속가열로	정격용량이 0.58MW를 초과하는 것

[별표 3의5]

검사대상기기의 검사유효기간(제31조의8제1항 관련)

검사의 종류		검사유효기간
설치검사		1. 보일러 : 1년. 다만, 운전성능 부문의 경우에는 3년 1개월로 한다. 2. 압력용기 및 철금속가열로 : 2년
개조검사		1. 보일러 : 1년 2. 압력용기 및 철금속가열로 : 2년
설치장소 변경검사		1. 보일러 : 1년 2. 압력용기 및 철금속가열로 : 2년
재사용검사		1. 보일러 : 1년 2. 압력용기 및 철금속가열로 : 2년
계속사용검사	안전검사	1. 보일러 : 1년 2. 압력용기 : 2년
	운전성능검사	1. 보일러 : 1년 2. 철금속가열로 : 2년

비고

1. 보일러의 계속사용검사 중 운전성능검사에 대한 검사유효기간은 해당 보일러가 산업통상자원부장관이 정하여 고시하는 기준에 적합한 경우에는 2년으로 한다.
2. 설치 후 3년이 지난 보일러로서 설치장소 변경검사 또는 재사용검사를 받은 보일러는 검사 후 1개월 이내에 운전성능검사를 받아야 한다.
3. 개조검사 중 연료 또는 연소방법의 변경에 따른 개조검사의 경우에는 검사유효기간을 적용하지 않는다.
4. 「고압가스 안전관리법」 제13조의2제1항에 따른 안전성향상계획과 「산업안전보건법」 제49조의2제1항에 따른 공정안전보고서를 작성하여야 하는 자의 검사대상기기에 대한 계속사용검사의 유효기간은 4년으로 한다. 다만, 보일러(제품을 제조 · 가공하는 공정에 사용되는 보일러만 해당한다) 및 압력용기의 안전검사 유효기간은 8년의 범위에서 산업통상자원부장관이 정하여 고시하는 바에 따라 연장할 수 있다.
5. 제31조의25제1항에 따라 설치신고를 하는 검사대상기기는 신고 후 2년이 지난 날에 계속사용검사 중 안전검사(재사용검사를 포함한다)를 하며, 그 유효기간은 2년으로 한다.
6. 법 제32조제2항에 따라 에너지진단을 받은 운전성능검사대상기기가 제31조의9에 따른 검사기준에 적합한 경우에는 에너지진단 이후 최초로 받는 운전성능검사를 에너지진단으로 갈음한다(비고 4에 해당하는 경우는 제외한다).

[별표 3의9]

검사대상기기 관리자의 자격 및 관리범위(제31조의26제1항 관련)

관리자의 자격	관리범위
에너지관리기능장 또는 에너지관리기사	용량이 30t/h를 초과하는 보일러
에너지관리기능장, 에너지관리기사 또는 에너지관리산업기사	용량이 10t/h를 초과하고 30t/h 이하인 보일러
에너지관리기능장, 에너지관리기사, 에너지관리산업기사 또는 에너지관리기능사	용량이 10t/h 이하인 보일러
에너지관리기능장, 에너지관리기사, 에너지관리산업기사, 에너지관리기능사 또는 인정검사대상기기 관리자의 교육을 이수한 자	1. 증기보일러로서 최고사용압력이 1MPa 이하이고, 전열면적이 10제곱미터 이하인 것 2. 온수발생 및 열매체를 가열하는 보일러로서 용량이 581.5킬로와트 이하인 것 3. 압력용기

비고

1. 온수발생 및 열매체를 가열하는 보일러의 용량은 697.8킬로와트를 1t/h로 본다.
2. 제31조의27제2항에 따른 1구역에서 가스 연료를 사용하는 1종 관류 보일러의 용량은 이를 구성하는 보일러의 개별 용량을 합산한 값으로 한다.
3. 계속사용검사 중 안전검사를 실시하지 않는 검사대상기기 또는 가스 외의 연료를 사용하는 1종 관류 보일러의 경우에는 검사대상기기 관리자의 자격에 제한을 두지 아니한다.
4. 가스를 연료로 사용하는 보일러의 검사대상기기 관리자의 자격은 위 표에 따른 자격을 가진 사람으로서 제31조의26제2항에 따라 산업통상자원부장관이 정하는 관련 교육을 이수한 사람 또는 「도시가스사업법 시행령」 별표 1에 따른 특정가스사용시설의 안전관리 책임자의 자격을 가진 사람으로 한다.

제10-2장 출/제/예/상/문/제

01 **에너지이용 합리화법의 위반사항과 벌칙 내용을 알맞게 짝지은 것은?**

① 효율관리기자재 판매금지 명령 위반 시－1천만 원 이하의 벌금
② 검사대상기기 관리자를 선임하지 않을 시－5백만 원 이하의 벌금
③ 검사대상기기 검사의무 위반 시－1년 이하의 징역 또는 1천만 원 이하의 벌금
④ 효율관리기자재 생산명령 위반 시－5백만 원 이하의 벌금

해설 에너지이용 합리화법 (31) 참조
검사대상기기 검사를 받지 않은 자 – 1년 이하 징역, 1천만 원 이하 벌금

02 **에너지이용 합리화법의 목적이 아닌 것은?**

① 에너지의 수급 안정
② 에너지의 합리적이고 효율적인 이용 증진
③ 에너지소비로 인한 환경피해를 줄임
④ 에너지 소비촉진 및 자원개발

해설 에너지이용 합리화법 (1) 참조
소비촉진은 목적에 해당하지 않는다.

03 **에너지사용계획의 검토기준, 검토방법, 그 밖에 필요한 사항을 정하는 령은?**

① 산업통상자원부령
② 국토교통부령
③ 대통령령
④ 고용노동부령

해설 에너지이용 합리화법 (8) 참조
에너지사용계획 검토 기준, 방법은 산업통상자원부령으로 정한다.

04 **에너지이용 합리화법상 검사대상기기 관리자를 반드시 선임해야함에도 불구하고 선임하지 아니한 자에 대한 벌칙은?**

① 2천만 원 이하의 벌금
② 2년 이하의 징역 또는 2천만 원 이하의 벌금
③ 1년 이하의 징역 또는 5백만 원 이하의 벌금
④ 1천만 원 이하의 벌금

해설 에너지이용 합리화법 (33) 참조
관리자 미선임 시 1천만 원 이하 벌금

05 **에너지이용 합리화법에 따라 에너지다소비업자가 산업통상자원부령으로 정하는 바에 따라 매년 1월 31일까지 시·도지사에게 신고해야 하는 사항과 관련이 없는 것은?**

① 전년도의 에너지사용량·제품생산량
② 전년도의 에너지이용합리화 실적 및 해당 연도의 계획
③ 에너지사용기자재의 현황
④ 향후 5년간의 에너지사용예정량·제품생산 예정량

해설 에너지이용 합리화법 (21) 참조
해당 연도의 분기별 에너지사용예정량, 제품생산 예정량

정답 01 ③ 02 ④ 03 ① 04 ④ 05 ④

06 에너지이용 합리화법에 따라 국내외 에너지사정의 변동으로 에너지수급에 중대한 차질이 발생하거나 발생할 우려가 있다고 인정되면 에너지수급의 안정을 기하기 위하여 필요한 범위 내에 조치를 취할 수 있는데, 다음 중 그러한 조치에 해당하지 않는 것은?

① 에너지의 비축과 저장
② 에너지공급설비의 가동 및 조업
③ 에너지의 배급
④ 에너지 판매시설의 확충

해설 에너지이용 합리화법 (6) 참조
판매시설 확충은 수급 안정의 내용에 반한다.

07 에너지이용 합리화법에서 정한 국가 에너지절약추진위원회의 위원장은 누구인가?

① 산업통상자원부 장관
② 지방자치단체의 장
③ 국무총리
④ 대통령

해설 에너지이용 합리화법 (4) 참조
국가 에너지절약추진위원회의 위원장은 산업통상자원부 장관이 맡는다.

08 에너지이용 합리화법에 따라 산업통상자원부령으로 정하는 광고매체를 이용하여 효율관리기자재의 광고를 하는 경우에는 그 광고 내용에 에너지소비효율, 에너지소비효율등급을 포함시켜야 할 의무가 있는 자가 아닌 것은?

① 효율관리기자재 제조업자
② 효율관리기자재 광고업자
③ 효율관리기자재 수입업자
④ 효율관리기자재 판매업자

해설 에너지이용 합리화법 (10) 참조
효율관리기자재의 제조, 수입, 판매업자

09 다음 ( ) 안의 A, B에 각각 들어갈 용어로 옳은 것은?

> 에너지이용 합리화법은 에너지의 수급을 안정시키고 에너지의 합리적이고 효율적인 이용을 증진하며 에너지 소비로 인한 (A)을(를) 줄임으로 국민경제의 건전한 발전 및 국민복지의 증진과 (B)의 최소화에 이바지함을 목적으로 한다.

① A : 환경파괴, B : 온실가스
② A : 자연파괴, B : 환경피해
③ A : 환경피해, B : 지구온난화
④ A : 온실가스배출, B : 환경파괴

해설 에너지이용 합리화법 (1) 참조
환경피해를 줄이고 지구온난화의 최소화

10 제3자로부터 위탁을 받아 에너지사용시설의 에너지절약을 위한 관리 · 용역 사업을 하는 자로서 산업통상자원부 장관에게 등록을 한 자를 지칭하는 기업은?

① 에너지진단기업
② 수요관리투자기업
③ 에너지절약전문기업
④ 에너지기술개발전담기업

해설 에너지이용 합리화법 (18) 참조
에너지절약을 위한 에너지절약 전문기업

11 에너지이용 합리화법의 목적이 아닌 것은?

① 에너지의 수급안정을 기함
② 에너지의 합리적이고 비효율적인 이용을 증진함
③ 에너지소비로 인한 환경피해를 줄임
④ 지구온난화의 최소화에 이바지함

해설 에너지이용 합리화법 (1) 참조
에너지의 합리적이고 효율적인 이용 증진

정답 06 ④ 07 ① 08 ② 09 ③ 10 ③ 11 ②

12 에너지이용 합리화법에 따라 에너지이용 합리화 기본 계획에 포함될 사항으로 거리가 먼 것은?

① 에너지절약형 경제구조로의 전환
② 에너지이용 효율의 증대
③ 에너지이용 합리화를 위한 홍보 및 교육
④ 열사용기자재의 품질관리

해설 에너지이용 합리화법 (3) 참조
열사용기자재의 품질관리가 아닌 안전관리이다.

13 산업통상자원부장관이 에너지저장의무를 부과할 수 있는 대상자로 맞는 것은?

① 연간 5천 석유환산톤 이상의 에너지를 사용하는 자
② 연간 6천 석유환산톤 이상의 에너지를 사용하는 자
③ 연간 1만 석유환산톤 이상의 에너지를 사용하는 자
④ 연간 2만 석유환산톤 이상의 에너지를 사용하는 자

해설 에너지이용 합리화법 (36) 참조
2만 석유환산톤

14 에너지이용 합리화법에 따라 에너지다소비업자가 매년 1월 31일까지 신고해야 할 사항과 관계없는 것은?

① 전년도의 에너지 사용량
② 전년도의 제품 생산량
③ 에너지사용 기자재의 현황
④ 해당 연도의 에너지관리진단 현황

해설 에너지이용 합리화법 (21) 참조
해당 연도의 에너지관리진단 현황이 아닌 사용 예정량

15 에너지 수급안정을 위하여 산업통상자원부 장관이 필요한 조치를 취할 수 있는 사항이 아닌 것은?

① 에너지의 배급
② 산업별 · 주요공급자별 에너지 할당
③ 에너지의 비축과 저장
④ 에너지의 양도 · 양수의 제한 또는 금지

해설 에너지이용 합리화법 (6) 참조
지역별, 주요수급자별 에너지 할당

16 에너지이용 합리화법상 검사대상기기관리자가 퇴직하는 경우 퇴직 이전에 다름 검사대상기기관리자를 선임하지 아니한 자에 대한 벌칙으로 맞는 것은?

① 1천만 원 이하의 벌금
② 2천만 원 이하의 벌금
③ 5백만 원 이하의 벌금
④ 2년 이하의 징역

해설 에너지이용 합리화법 (33) 참조
관리자 미선임 시 1천만 원 이하 벌금

17 에너지이용 합리화법상 에너지의 최저소비효율기준에 미달하는 효율관리기자재의 생산 또는 판매금지 명령을 위반한 자에 대한 벌칙 기준은?

① 1년 이하의 징역 또는 1천만 원 이하의 벌금
② 1천만 원 이하의 벌금
③ 2년 이하의 징역 또는 2천만 원 이하의 벌금
④ 2천만 원 이하의 벌금

해설 에너지이용 합리화법 (32) 참조

정답 12 ④ 13 ④ 14 ④ 15 ② 16 ① 17 ④

18 에너지이용 합리화법상의 목표에너지 단위를 가장 옳게 설명한 것은?

① 에너지를 사용하여 만드는 제품의 단위당 폐연료 사용량
② 에너지를 사용하여 만드는 제품의 연간 폐열 사용량
③ 에너지를 사용하여 만드는 제품의 단위당 에너지 사용 목표량
④ 에너지를 사용하여 만드는 제품의 연간 폐열 에너지 사용 목표량

해설 에너지이용 합리화법 (24) 참조

19 에너지이용 합리화법상 에너지를 사용하여 만드는 제품의 단위당 에너지사용목표량 또는 건축물의 단위면적당 에너지사용목표량을 정하여 고시하는 자는?

① 산업통상자원부 장관
② 에너지관리공단 이사장
③ 시 · 도지사
④ 고용노동부 장관

해설 에너지이용 합리화법 (24) 참조
산업통상자원부장관

20 에너지다소비사업자가 매년 1월 31일까지 신고해야 할 사항에 포함되지 않는 것은?

① 전년도의 분기별 에너지사용량 · 제품생산량
② 해당 연도의 분기별 에너지사용량 · 제품생산 예정량
③ 에너지사용기자재의 현황
④ 전년도의 분기별 에너지 절감량

해설 에너지이용 합리화법 (21) 참조
전년도의 분기별 에너지사용량

21 에너지이용 합리화법상 대기전력경고표지를 하지 아니한 자에 대한 벌칙은?

① 2년 이하의 징역 또는 2천만 원 이하의 벌금
② 1년 이하의 징역 또는 1천만 원 이하의 벌금
③ 5백만 원 이하의 벌금
④ 1천만 원 이하의 벌금

해설 에너지이용 합리화법 (34) 참조

22 에너지이용 합리화법에서 정한 검사에 합격되지 아니한 검사대상기기를 사용한 자에 대한 벌칙은?

① 1년 이하의 징역 또는 1천만 원 이하의 벌금
② 2년 이하의 징역 또는 2천만 원 이하의 벌금
③ 3년 이하의 징역 또는 3천만 원 이하의 벌금
④ 4년 이하의 징역 또는 4천만 원 이하의 벌금

해설 에너지이용 합리화법 (31) 참조

23 에너지이용 합리화법상 에너지사용자와 에너지공급자의 책무로 맞는 것은?

① 에너지의 생산 · 이용 등에서의 그 효율을 극소화
② 온실가스배출을 줄이기 위한 노력
③ 기자재의 에너지효율을 높이기 위한 기술개발
④ 지역경제발전을 위한 시책 강구

해설 에너지이용 합리화법 (2) 참조
정부, 에너지사용자와 공급자는 온실가스 배출을 줄여야 한다.

정답 18 ③ 19 ① 20 ④ 21 ③ 22 ① 23 ②

24 에너지이용 합리화법상 평균에너지소비효율에 대하여 총량적인 에너지효율의 개선이 특히 필요하다고 인정되는 기자재는?

① 승용자동차
② 강철제보일러
③ 1종 압력용기
④ 축열식 전기보일러

해설 에너지이용 합리화법 (12) 참조

25 에너지이용 합리화법상 효율관리기자재의 에너지소비효율등급 또는 에너지소비효율을 효율관리시험기관에서 측정 받아 해당 효율관리기자재에 표시하여야 하는 자는?

① 효율관리기자재의 제조업자 또는 시공업자
② 효율관리기자재의 제조업자 또는 수입업자
③ 효율관리기자재의 시공업자 또는 판매업자
④ 효율관리기자재의 시공업자 또는 수입업자

해설 에너지이용 합리화법 (10) 참조
효율관리기자재의 제조, 수입업자

26 에너지이용 합리화법상 에너지소비효율 등급 또는 에너지 소비효율을 해당 효율관리 기자재에 표시할 수 있도록 효율관리 기자재의 에너지 사용량을 측정하는 기관은?

① 효율관리진단기관
② 효율관리전문기관
③ 효율관리표준기관
④ 효율관리시험기관

해설 에너지이용 합리화법 (10) 참조

27 효율관리 기자재가 최저소비효율기준에 미달하거나 최대사용량기준을 초과하는 경우 제조 · 수입 · 판매업자에게 어떠한 조치를 명할 수 있는가?

① 생산 또는 판매금지
② 제조 또는 설치금지
③ 생산 또는 세관금지
④ 제조 또는 시공금지

해설 에너지이용 합리화법 (11) 참조

28 에너지이용 합리화법상 에너지 진단기관의 지정기준은 누구의 령으로 정하는가?

① 대통령
② 시 · 도지사
③ 시공업자단체장
④ 산업통상자원부 장관

해설 에너지이용 합리화법 (22) 참조
진단기관의 지정기준은 대통령령, 그 외 필요한 사항은 상업통상자원부령으로 정한다.

29 에너지이용 합리화법에 따라 산업통상자원부장관 또는 시 · 도지사로부터 한국에너지공단에 위탁된 업무가 아닌 것은?

① 에너지사용계획의 검토
② 고효율시험기관의 지정
③ 대기전력경고표지대상제품의 측정결과 신고의 접수
④ 대기전력저감대상제품의 측정결과 신고의 접수

해설 에너지이용 합리화법 (40) 참조
고효율에너지기자재의 인증취소 또는 인증사용 정지명령

정답 24 ① 25 ② 26 ④ 27 ① 28 ① 29 ②

30 에너지이용 합리화법에서 정한 국가에너지절약추진위원회의 위원장은?

① 산업통상자원부 장관
② 국토교통부 장관
③ 국무총리
④ 대통령

해설 에너지이용 합리화법 (4) 참조

31 에너지이용 합리화법상 시공업자단체의 설립, 정관의 기재 사항과 감독에 관하여 필요한 사항은 누구의 령으로 정하는가?

① 대통령령
② 산업통상자원부령
③ 고용노동부령
④ 환경부령

해설 에너지이용 합리화법 (26) 참조

32 에너지이용 합리화법에 따라 에너지 사용계획을 수립하여 산업통상자원부 장관에게 제출하여야 하는 민간사업주관자의 시설규모로 맞는 것은?

① 연간 2500TOE 이상의 연료 및 열을 사용하는 시설
② 연간 5000TOE 이상의 연료 및 열을 사용하는 시설
③ 연간 1천만Kw 이상의 전력을 사용하는 시설
④ 연간 500만Kw 이상의 전력을 사용하는 시설

해설 에너지이용 합리화법 (37) 참조
민간사업주관자 연간 5천TOE 이상의 연료, 열사용 시설규모

33 에너지이용 합리화법에 따라 에너지다소비사업자에게 개선명령을 하는 경우는 에너지관리지도 결과 몇 % 이상의 에너지효율개선이 기대되고 효율개선을 위한 투자의 경제성이 인정되는 경우인가?

① 5% ② 10%
③ 15% ④ 20%

해설 에너지이용 합리화법 (39) 참조
10퍼센트 이상의 에너지효율 개선 시

34 에너지이용 합리화법 시행령 상 에너지저장의무 부과대상자에 해당되는 자는?

① 연간 2만TOE 이상의 에너지를 사용하는 자
② 연간 1만 5천TOE 이상의 에너지를 사용하는 자
③ 연간 1만TOE 이상의 에너지를 사용하는 자
④ 연간 5천TOE 이상의 에너지를 사용하는 자

해설 에너지이용 합리화법 (36) 참조
연간 2만 석유환산톤(TOE) 이상의 에너지를 사용하는 자

35 에너지절약 전문기업의 등록은 누구에게 하도록 위탁되어 있는가?

① 산업통상자원부 장관
② 에너지관리공단 이사장
③ 시공업자단체의 장
④ 시 · 도지사

해설 에너지이용 합리화법 (40) 참조
에너지절약 전문기업의 등록은 에너지 공단에 위탁한다.

정답 30 ① 31 ① 32 ② 33 ② 34 ① 35 ②

36 에너지이용 합리화법령상 산업통상자원부장관이 에너지 다소비사업자에게 개선명령을 할 수 있는 경우는 에너지관리 지도 결과 몇 % 이상 에너지 효율개선이 기대되는 경우인가?

① 2% ② 3%
③ 5% ④ 10%

해설 에너지이용 합리화법 (39) 참조
10퍼센트 이상의 에너지효율 개선 시

37 에너지이용 합리화법 시행령에서 에너지다소비사업자라 함은 연료 · 열 및 전력의 연간 사용량 합계가 얼마 이상인 경우인가?

① 5백TOE ② 1천TOE
③ 1천 5백TOE ④ 2천TOE

해설 에너지이용 합리화법 (38) 참조
연료, 열, 전력의 연간 사용량의 합계가 2천TOE 이상인 자

38 에너지이용 합리화법에서 효율관리기자재의 제조업자 또는 수입업자가 효율관리기자재의 에너지 사용량을 측정 받는 기관은?

① 산업통상자원부 장관이 지정하는 시험기관
② 제조업자 또는 수입업자의 검사기관
③ 환경부 장관이 지정하는 진단기관
④ 시 · 도지사가 지정하는 측정기관

해설 에너지이용 합리화법 (40) 참조

39 에너지이용 합리화법상 효율관리 기자재가 아닌 것은?

① 삼상유도전동기
② 선박
③ 조명기기
④ 전기냉장고

해설 에너지이용 합리화법 (42) 참조
전기냉장고, 냉방기, 세탁기, 조명기기, 삼상유도전동기, 자동차

40 에너지이용 합리화법에 따라 고효율 에너지 인증대상 기자재에 포함하지 않는 것은?

① 펌프
② 전력용 변압기
③ LED 조명기기
④ 산업건물용 보일러

해설 에너지이용 합리화법 (43) 참조
펌프, 산업용보일러, 무정전전원장치, 폐열회수형 환기장치, LED조명기기

41 에너지이용 합리화법에 따라 보일러의 개조검사의 경우 검사 유효기간으로 옳은 것은?

① 6개월
② 1년
③ 2년
④ 5년

해설 에너지이용 합리화법 (46) 참조
①의 관련 별표 3의 5 (218쪽 참조)

42 에너지이용 합리화법상 효율관리기자재에 해당하지 않는 것은?

① 전기냉장고
② 전기냉방기
③ 자동차
④ 범용선반

해설 에너지이용 합리화법 (42) 참조
전기냉장고, 냉방기, 세탁기, 조명기기, 삼상유도전동기, 자동차 등

정답 36 ④ 37 ④ 38 ④ 39 ② 40 ② 41 ② 42 ④

43 **에너지이용 합리화법에 따라 검사대상기기의 용량이 15t/h인 보일러일 경우 관리자의 자격 기준으로 가장 옳은 것은?**

① 에너지관리기능장 자격 소지자만이 가능하다.
② 에너지관리기능장, 에너지관리기사 자격 소지자만이 가능하다.
③ 에너지관리기능장, 에너지관리기사, 에너지관리산업기사 자격 소지자만이 가능하다.
④ 에너지관리기능장, 에너지관리기사, 에너지관리산업기사, 에너지관리기능사 자격 소지자만이 가능하다.

해설 에너지이용 합리화법 (49) 참조
①의 별표 3의 9(219쪽 참조)

44 **에너지이용 합리화법에서 정한 검사대상기기 관리자의 자격에서 에너지관리기능사가 관리할 수 있는 관리범위로서 옳지 않은 것은?**

① 용량이 15t/h 이하인 보일러
② 온수발생 및 열매체를 가열하는 보일러로서 용량이 581.5Kw 이하인 것
③ 최고사용압력이 1MPa 이하이고, 전열면적이 $10m^2$ 이하인 증기보일러
④ 압력용기

해설 에너지이용 합리화법 (49) 참조
별표 3의 9(219쪽 참조)

45 **에너지이용 합리화법상 열사용기자재가 아닌 것은?**

① 강철제보일러
② 구멍탄용 온수보일러
③ 전기순간온수기
④ 2종 압력용기

해설 에너지이용 합리화법 (41) 참조
별표 1(216쪽 참조)

46 **특정열사용기자재 중 산업통상자원부령으로 정하는 검사대상기기를 폐기한 경우에는 폐기한 날부터 며칠 이내에 폐기신고서를 제출해야 하는가?**

① 7일 이내에 ② 10일 이내에
③ 15일 이내에 ④ 30일 이내에

해설 에너지이용 합리화법 (48) 참조
폐기한 날로부터 15일 이내 공단 이사장에게 제출한다.

47 **특정열사용기자재 중 산업통상자원부령으로 정하는 검사대상기기의 계속사용검사 신청서는 검사유효기간 만료 며칠 전까지 제출해야 하는가?**

① 10일 전까지
② 15일 전까지
③ 20일 전까지
④ 30일 전까지

해설 에너지이용 합리화법 (47) 참조
계속사용검사는 10일 이내 공단 이사장에게 제출한다.

48 **에너지이용 합리화법에 따라 에너지 진단을 면제 또는 에너지진단주기를 연장 받으려는 자가 제출해야 하는 첨부서류에 해당하지 않는 것은?**

① 보유한 효율관리기자재 자료
② 중소기업임을 확인할 수 있는 서류
③ 에너지절약 유공자 표창 사본
④ 친에너지형 설비 설치를 확인할 수 있는 서류

해설 에너지이용 합리화법 (44) 참조

정답 43 ③ 44 ① 45 ③ 46 ③ 47 ① 48 ①

49 에너지이용 합리화법규상 냉난방온도제한 건물에 냉난방 제한온도를 적용할 때의 기준으로 옳은 것은?(단, 판매시설 및 공항의 경우는 제외한다)

① 냉방 : 24℃ 이상, 난방 : 18℃ 이하
② 냉방 : 24℃ 이상, 난방 : 20℃ 이하
③ 냉방 : 26℃ 이상, 난방 : 18℃ 이하
④ 냉방 : 26℃ 이상, 난방 : 20℃ 이하

해설 에너지이용 합리화법 (45) 참조

50 에너지이용 합리화법상 검사대상기기설치자가 시 · 도지사에게 신고하여야 하는 경우가 아닌 것은?

① 검사대상기기를 정비한 경우
② 검사대상기기를 폐기한 경우
③ 검사대상기기를 사용을 중지한 경우
④ 검사대상기기의 설치자가 변경된 경우

해설 에너지이용 합리화법 (48) 참조
폐기, 사용중지, 설치자가 변경된 경우 신고한다.

51 에너지이용 합리화법에 따른 열사용기자재 중 소형온수 보일러의 적용 범위로 옳은 것은?

① 전열면적 $24m^2$ 이하이며, 최고사용압력이 0.5MPa 이하의 온수를 발생하는 보일러
② 전열면적 $14m^2$ 이하이며, 최고사용압력이 0.35MPa 이하의 온수를 발생하는 보일러
③ 전열면적 $20m^2$ 이하인 온수보일러
④ 최고사용압력이 0.8MPa 이하의 온수를 발생하는 보일러

해설 에너지이용 합리화법 (41) 참조
별표 1(216쪽 참조)

52 검사대상기기 관리범위 용량이 10t/h 이하인 보일러의 관리자 자격이 아닌 것은?

① 에너지관리기사
② 에너지관리기능장
③ 에너지관리기능사
④ 인정검사대상기기관리자 교육이수자

해설 에너지이용 합리화법 시행규칙 (49) 참조
별표 3의 9(219쪽 참조)

53 에너지이용 합리화법상 열사용기자재가 아닌 것은?

① 강철제보일러
② 구멍탄용 온수보일러
③ 전기순간온수기
④ 2종 압력용기

해설 에너지이용 합리화법 (41) 참조
별표 1(216쪽 참조)

정답 49 ④ 50 ① 51 ② 52 ④ 53 ③

 신에너지 및 재생에너지 개발이용보급 촉진법

(1) 목적

이 법은 신에너지 및 재생에너지의 기술개발 및 이용 · 보급 촉진과 신에너지 및 재생에너지 산업의 활성화를 통하여 에너지원을 다양화하고, 에너지의 안정적인 공급, 에너지 구조의 환경친화적 전환 및 온실가스 배출의 감소를 추진함으로써 환경의 보전, 국가경제의 건전하고 지속적인 발전 및 국민복지의 증진에 이바지함을 목적으로 한다.

(2) 정의

① 신에너지 : 기존의 화석연료를 변환시켜 이용하거나 수소 · 산소 등의 화학 반응을 통하여 전기 또는 열을 이용하는 에너지로서 다음 각 목의 어느 하나에 해당하는 것을 말한다.

1. 수소에너지
2. 연료전지
3. 석탄을 액화 · 가스화한 에너지 및 중질잔사유(重質殘渣油)를 가스화한 에너지로서 대통령령으로 정하는 기준 및 범위에 해당하는 에너지
4. 그 밖에 석유 · 석탄 · 원자력 또는 천연가스가 아닌 에너지로서 대통령령으로 정하는 에너지

② 재생에너지 : 햇빛 · 물 · 지열(地熱) · 강수(降水) · 생물유기체 등을 포함하는 재생 가능한 에너지를 변환시켜 이용하는 에너지로서 다음 각 목의 어느 하나에 해당하는 것을 말한다.

1. 태양에너지
2. 풍력
3. 수력
4. 해양에너지
5. 지열에너지
6. 생물자원을 변환시켜 이용하는 바이오에너지로서 대통령령으로 정하는 기준 및 범위에 해당하는 에너지
7. 폐기물에너지로서 대통령령으로 정하는 기준 및 범위에 해당하는 에너지
8. 그 밖에 석유 · 석탄 · 원자력 또는 천연가스가 아닌 에너지로서 대통령령으로 정하는 에너지

③ **신에너지 및 재생에너지 설비** : 신에너지 및 재생에너지를 생산 또는 이용하거나 신 · 재생에너지의 전력계통 연계조건을 개선하기 위한 설비로서 산업통상자원부령으로 정하는 것을 말한다.

④ **신 · 재생에너지 발전** : 신 · 재생에너지를 이용하여 전기를 생산하는 것을 말한다.

⑤ **신 · 재생에너지 발전사업자** : 발전사업자 또는 자가용전기설비를 설치한 자로서 신 · 재생에너지 발전을 하는 사업자를 말한다.

(3) 기본계획의 수립

① 산업통상자원부장관은 관계 중앙행정기관의 장과 협의를 한 후 신 · 재생에너지정책심의회의 심의를 거쳐 신 · 재생에너지의 기술개발 및 이용 · 보급을 촉진하기 위한 기본계획을 5년마다 수립하여야 한다.

② 기본계획의 계획기간은 10년 이상으로 하며, 기본계획에는 다음 각 호의 사항이 포함되어야 한다.

1. 기본계획의 목표 및 기간
2. 신 · 재생에너지원별 기술개발 및 이용 · 보급의 목표
3. 총전력생산량 중 신 · 재생에너지 발전량이 차지하는 비율의 목표
4. 온실가스의 배출 감소 목표
5. 기본계획의 추진방법
6. 신 · 재생에너지 기술수준의 평가와 보급전망 및 기대효과
7. 신 · 재생에너지 기술개발 및 이용 · 보급에 관한 지원 방안
8. 신 · 재생에너지 분야 전문인력 양성계획
9. 직전 기본계획에 대한 평가
10. 그 밖에 기본계획의 목표달성을 위하여 산업통상자원부장관이 필요하다고 인정하는 사항

③ 산업통상자원부장관은 신 · 재생에너지의 기술개발 동향, 에너지 수요 · 공급 동향의 변화, 그 밖의 사정으로 인하여 수립된 기본계획을 변경할 필요가 있다고 인정하면 관계 중앙행정기관의 장과 협의를 한 후 신 · 재생에너지정책심의회의 심의를 거쳐 그 기본계획을 변경할 수 있다.

(4) 신 · 재생에너지 기술개발 등에 관한 계획의 사전협의

국가기관, 지방자치단체, 공공기관, 그 밖에 대통령령으로 정하는 자가 신 · 재생에너지 기술개발 및 이용 · 보급에 관한 계획을 수립 · 시행하려면 대통령령으로 정하는 바에 따라 미리 산업통상자원부장관과 협의하여야 한다.

(5) 신 · 재생에너지사업에의 투자권고 및 신 · 재생에너지 이용의무화

① 산업통상자원부장관은 신 · 재생에너지의 기술개발 및 이용 · 보급을 촉진하기 위하여 필요하다고 인정하면 에너지 관련 사업을 하는 자에 대하여 신 · 재생에너지와 관련된 사업을 하거나 그 사업에 투자 또는 출연할 것을 권고할 수 있다.

② 산업통상자원부장관은 신 · 재생에너지의 이용 · 보급을 촉진하고 신 · 재생에너지산업의 활성화를 위하여 필요하다고 인정하면 다음 각 호의 어느 하나에 해당하는 자가 신축 · 증축 또는 개축하는 건축물에 대하여 대통령령으로 정하는 바에 따라 그 설계 시 산출된 예상 에너지사용량의 일정 비율 이상을 신 · 재생에너지를 이용하여 공급되는 에너지를 사용하도록 신 · 재생에너지 설비를 의무적으로 설치하게 할 수 있다.

1. 국가 및 지방자치단체
2. 공공기관
3. 정부가 대통령령으로 정하는 금액 이상을 출연한 정부출연기관
4. 정부출자기업체
5. 지방자치단체 및 2.부터 4.까지의 규정에 따른 공공기관, 정부출연기관 또는 정부출자기업체가 대통령령으로 정하는 비율 또는 금액 이상을 출자한 법인
6. 특별법에 따라 설립된 법인

③ 산업통상자원부장관은 신 · 재생에너지의 활용 여건 등을 고려할 때 신 · 재생에너지를 이용하는 것이 적절하다고 인정되는 공장 · 사업장 및 집단주택단지 등에 대하여 신 · 재생에너지의 종류를 지정하여 이용하도록 권고하거나 그 이용설비를 설치하도록 권고할 수 있다.

(6) 신 · 재생에너지 공급의무화

① 산업통상자원부장관은 신 · 재생에너지의 이용 · 보급을 촉진하고 신 · 재생에너지산업의 활성화를 위하여 필요하다고 인정하면 다음 각 호의 어느 하나에 해당하는 자 중 대통령령으로 정하는 자에게 발전량의 일정량 이상을 의무적으로 신 · 재생에너지를 이용하여 공급하게 할 수 있다.

1. 발전사업자
2. 발전사업의 허가를 받은 것으로 보는 자
3. 공공기관

② ①에 따라 공급의무자가 의무적으로 신 · 재생에너지를 이용하여 공급하여야 하는 발전량의 합계는 총전력생산량의 10% 이내의 범위에서 연도별로 대통령령으로 정한다. 이 경우 균형 있는 이용 · 보급이 필요한 신 · 재생에너지에 대하여는 대통령령으로 정하는 바에 따라 총의무공급량 중 일부를 해당 신 · 재생에너지를 이용하여 공급하게 할 수 있다.

③ 공급의무자의 의무공급량은 산업통상자원부장관이 공급의무자의 의견을 들어 공급의무자별로 정하여 고시한다. 이 경우 산업통상자원부장관은 공급의무자의 총발전량 및 발전원(發電源) 등을 고려하여야 한다.

④ 공급의무자는 의무공급량의 일부에 대하여 3년의 범위에서 그 공급의무의 이행을 연기할 수 있다.

⑤ 공급의무자는 신·재생에너지 공급인증서를 구매하여 의무공급량에 충당할 수 있다.

⑥ 산업통상자원부장관은 ①에 따른 공급의무의 이행 여부를 확인하기 위하여 공급의무자에게 대통령령으로 정하는 바에 따라 필요한 자료의 제출 또는 ⑤에 따라 구매하여 의무공급량에 충당하거나 발급받은 신·재생에너지 공급인증서의 제출을 요구할 수 있다.

⑦ ④에 따라 공급의무의 이행을 연기할 수 있는 총량과 연차별 허용량, 그 밖에 필요한 사항은 대통령령으로 정한다.

(7) 보급사업

① 산업통상자원부장관은 신·재생에너지의 이용·보급을 촉진하기 위하여 필요하다고 인정하면 대통령령으로 정하는 바에 따라 다음 각 호의 보급사업을 할 수 있다.

1. 신기술의 적용사업 및 시범사업
2. 환경친화적 신·재생에너지 집적화단지(集積化團地) 및 시범단지 조성사업
3. 지방자치단체와 연계한 보급사업
4. 실용화된 신·재생에너지 설비의 보급을 지원하는 사업
5. 그 밖에 신·재생에너지 기술의 이용·보급을 촉진하기 위하여 필요한 사업으로서 산업통상자원부장관이 정하는 사업

② 산업통상자원부장관은 개발된 신·재생에너지 설비가 설비인증을 받거나 신·재생에너지 기술의 국제표준화 또는 신·재생에너지 설비와 그 부품의 공용화가 이루어진 경우에는 우선적으로 ①에 따른 보급사업을 추진할 수 있다.

③ 관계 중앙행정기관의 장은 환경 개선과 신·재생에너지의 보급 촉진을 위하여 필요한 협조를 할 수 있다.

(8) 신·재생에너지의 교육·홍보 및 전문인력 양성

① 정부는 교육·홍보 등을 통하여 신·재생에너지의 기술개발 및 이용·보급에 관한 국민의 이해와 협력을 구하도록 노력하여야 한다.

② 산업통상자원부장관은 신·재생에너지 분야 전문인력의 양성을 위하여 신·재생에너지 분야 특성화대학 및 핵심기술연구센터를 지정하여 육성·지원할 수 있다.

(9) 권한의 위임 · 위탁

① 이 법에 따른 산업통상자원부장관의 권한은 그 일부를 대통령령으로 정하는 바에 따라 소속 기관의 장, 특별시장 · 광역시장 · 도지사 또는 특별자치도지사에게 위임할 수 있다.

② 이 법에 따른 산업통상자원부장관 또는 시 · 도지사의 업무는 그 일부를 대통령령으로 정하는 바에 따라 센터 또는 한국에너지기술평가원에 위탁할 수 있다.

(10) 벌칙

① 거짓이나 부정한 방법으로 발전차액을 지원받은 자와 그 사실을 알면서 발전차액을 지급한 자는 3년 이하의 징역 또는 지원받은 금액의 3배 이하에 상당하는 벌금에 처한다.

② 거짓이나 부정한 방법으로 공급인증서를 발급받은 자와 그 사실을 알면서 공급인증서를 발급한 자는 3년 이하의 징역 또는 3천만 원 이하의 벌금에 처한다.

③ 공급인증기관이 개설한 거래시장 외에서 공급인증서를 거래한 자는 2년 이하의 징역 또는 2천만 원 이하의 벌금에 처한다.

④ 법인의 대표자나 법인 또는 개인의 대리인, 사용인, 그 밖의 종업원이 그 법인 또는 개인의 업무에 관하여 ①부터 ③까지의 어느 하나에 해당하는 위반행위를 하면 그 행위자를 벌하는 외에 그 법인 또는 개인에게도 해당 조문의 벌금형을 과(科)한다. 다만, 법인 또는 개인이 그 위반행위를 방지하기 위하여 해당 업무에 관하여 상당한 주의와 감독을 게을리하지 아니한 경우에는 그러하지 아니하다.

(11) 과태료

① 다음 각 호의 어느 하나에 해당하는 자에게는 1천만 원 이하의 과태료를 부과한다.

1. 보험 또는 공제에 가입하지 아니한 자
2. 자료제출요구에 따르지 아니하거나 거짓 자료를 제출한 자

② ①에 따른 과태료는 대통령령으로 정하는 바에 따라 산업통상자원부장관이 부과 · 징수한다.

(12) 신 · 재생에너지 설비

① 「신에너지 및 재생에너지 개발 · 이용 · 보급 촉진법」에서 "산업통상자원부령으로 정하는 것"이란 다음 각 호의 설비 및 그 부대설비를 말한다.

1. 수소에너지 설비 : 물이나 그 밖에 연료를 변환시켜 수소를 생산하거나 이용하는 설비
2. 연료전지 설비 : 수소와 산소의 전기화학 반응을 통하여 전기 또는 열을 생산하는 설비
3. 석탄을 액화 · 가스화한 에너지 및 중질잔사유(重質殘渣油)를 가스화한 에너지 설비 : 석탄 및 중질잔사유의 저급 연료를 액화 또는 가스화시켜 전기 또는 열을 생산하는 설비

4. 태양에너지 설비
   ㉠ 태양열 설비 : 태양의 열에너지를 변환시켜 전기를 생산하거나 에너지원으로 이용하는 설비
   ㉡ 태양광 설비 : 태양의 빛에너지를 변환시켜 전기를 생산하거나 채광(採光)에 이용하는 설비
5. 풍력 설비 : 바람의 에너지를 변환시켜 전기를 생산하는 설비
6. 수력 설비 : 물의 유동(流動) 에너지를 변환시켜 전기를 생산하는 설비
7. 해양에너지 설비 : 해양의 조수, 파도, 해류, 온도차 등을 변환시켜 전기 또는 열을 생산하는 설비
8. 지열에너지 설비 : 물, 지하수 및 지하의 열 등의 온도차를 변환시켜 에너지를 생산하는 설비
9. 바이오에너지 설비 : 바이오에너지를 생산하거나 이를 에너지원으로 이용하는 설비
10. 폐기물에너지 설비 : 폐기물을 변환시켜 연료 및 에너지를 생산하는 설비
11. 수열에너지 설비 : 물의 표층의 열을 변환시켜 에너지를 생산하는 설비
12. 전력저장 설비 : 신에너지 및 재생에너지를 이용하여 전기를 생산하는 설비와 연계된 전력저장 설비

제10-3장 출/제/예/상/문/제

01 신축 · 증축 또는 개축하는 건축물에 대하여 그 설계 시 산출된 예상 에너지 사용량의 일정 비율 이상을 신 · 재생 에너지를 이용하여 공급되는 에너지를 사용하도록 신 · 재생 에너지 설비를 의무적으로 설치하게 할 수 있는 기관이 아닌 것은?

① 공기업
② 종교단체
③ 국가 및 지방자치단체
④ 특별법에 따라 설립된 법인

해설 신에너지 및 재생에너지 개발 · 이용 · 보급 촉진법 (5) 참조
국가, 지방자치단체, 공공기관, 특별법에 따라 설립된 법인

02 신에너지 및 재생에너지 개발 · 이용 · 보급 촉진법에 따라 신 · 재생에너지의 기술개발 및 이용보급을 촉진하기 위한 기본계획은 누가 수립하는가?

① 과학기술정보통신부 장관
② 환경부 장관
③ 국토교통부 장관
④ 산업통상자원부 장관

해설 신에너지 및 재생에너지 개발 · 이용 · 보급 촉진법 (3) 참조
산업통상자원부 장관은 기본계획을 5년마다 수립한다.

03 신 · 재생에너지 설비 중 태양의 열에너지를 변환시켜 전기를 생산하거나 에너지원으로 이용하는 설비로 맞는 것은?

① 태양열 설비
② 태양광 설비
③ 바이오에너지 설비
④ 풍력 설비

해설 신에너지 및 재생에너지 개발 · 이용 · 보급 촉진법 (12) 참조

04 신에너지 및 재생에너지 개발 · 이용 · 보급 촉진법에서 규정하는 신에너지 또는 재생에너지에 해당하지 않는 것은?

① 태양에너지
② 풍력
③ 수소에너지
④ 원자력에너지

해설 신에너지 및 재생에너지 개발 · 이용 · 보급 촉진법 (2) 참조

정답 01 ② 02 ④ 03 ① 04 ④

4 저탄소 녹색성장 기본법

(1) 목적

이 법은 경제와 환경의 조화로운 발전을 위하여 저탄소(低炭素) 녹색성장에 필요한 기반을 조성하고 녹색기술과 녹색산업을 새로운 성장동력으로 활용함으로써 국민경제의 발전을 도모하며 저탄소 사회 구현을 통하여 국민의 삶의 질을 높이고 국제사회에서 책임을 다하는 성숙한 선진 일류국가로 도약하는 데 이바지함을 목적으로 한다.

(2) 정의

① **저탄소** : 화석연료(化石燃料)에 대한 의존도를 낮추고 청정에너지의 사용 및 보급을 확대하며 녹색기술 연구개발, 탄소흡수원 확충 등을 통하여 온실가스를 적정수준 이하로 줄이는 것을 말한다.

② **녹색성장** : 에너지와 자원을 절약하고 효율적으로 사용하여 기후변화와 환경훼손을 줄이고 청정에너지와 녹색기술의 연구개발을 통하여 새로운 성장동력을 확보하며 새로운 일자리를 창출해 나가는 등 경제와 환경이 조화를 이루는 성장을 말한다.

③ **녹색기술** : 온실가스 감축기술, 에너지 이용 효율화 기술, 청정생산기술, 청정에너지 기술, 자원순환 및 친환경 기술(관련 융합기술을 포함한다) 등 사회 · 경제 활동의 전 과정에 걸쳐 에너지와 자원을 절약하고 효율적으로 사용하여 온실가스 및 오염물질의 배출을 최소화하는 기술을 말한다.

④ **녹색산업** : 경제 · 금융 · 건설 · 교통물류 · 농림수산 · 관광 등 경제활동 전반에 걸쳐 에너지와 자원의 효율을 높이고 환경을 개선할 수 있는 재화(財貨)의 생산 및 서비스의 제공 등을 통하여 저탄소 녹색성장을 이루기 위한 모든 산업을 말한다.

⑤ **녹색제품** : 에너지 · 자원의 투입과 온실가스 및 오염물질의 발생을 최소화하는 제품을 말한다.

⑥ **녹색생활** : 기후변화의 심각성을 인식하고 일상생활에서 에너지를 절약하여 온실가스와 오염물질의 발생을 최소화하는 생활을 말한다.

⑦ **녹색경영** : 기업이 경영활동에서 자원과 에너지를 절약하고 효율적으로 이용하며 온실가스 배출 및 환경오염의 발생을 최소화하면서 사회적, 윤리적 책임을 다하는 경영을 말한다.

⑧ **지속가능발전** : 지속가능성에 기초하여 경제의 성장, 사회의 안정과 통합 및 환경의 보전이 균형을 이루는 발전을 말한다.

⑨ **온실가스** : 이산화탄소(CO_2), 메탄(CH_4), 아산화질소(N_2O), 수소불화탄소(HFCs), 과불화탄소(PFCs), 육불화황(SF_6) 및 그 밖에 대통령령으로 정하는 것으로 적외선 복사열을 흡수하거나 재방출하여 온실효과를 유발하는 대기 중의 가스 상태의 물질을 말한다.

⑩ **온실가스 배출** : 사람의 활동에 수반하여 발생하는 온실가스를 대기 중에 배출·방출 또는 누출시키는 직접배출과 다른 사람으로부터 공급된 전기 또는 열(연료 또는 전기를 열원으로 하는 것만 해당한다)을 사용함으로써 온실가스가 배출되도록 하는 간접배출을 말한다.

⑪ **지구온난화** : 사람의 활동에 수반하여 발생하는 온실가스가 대기 중에 축적되어 온실가스 농도를 증가시킴으로써 지구 전체적으로 지표 및 대기의 온도가 추가적으로 상승하는 현상을 말한다.

⑫ **기후변화** : 사람의 활동으로 인하여 온실가스의 농도가 변함으로써 상당 기간 관찰되어 온 자연적인 기후변동에 추가적으로 일어나는 기후체계의 변화를 말한다.

⑬ **자원순환** : 환경정책상의 목적을 달성하기 위하여 필요한 범위 안에서 폐기물의 발생을 억제하고 발생된 폐기물을 적정하게 재활용 또는 처리하는 등 자원의 순환과정을 환경친화적으로 이용·관리하는 것을 말한다.

⑭ **신·재생에너지** : 기존의 화석연료를 변환시켜 이용하거나 수소·산소 등의 화학 반응을 통하여 전기 또는 열을 이용하는 에너지를 말한다.

⑮ **에너지 자립도** : 국내 총소비에너지량에 대하여 신·재생에너지 등 국내 생산에너지량 및 우리나라가 국외에서 개발(지분 취득을 포함한다)한 에너지량을 합한 양이 차지하는 비율을 말한다.

(3) 저탄소 녹색성장 국가전략

① 정부는 국가의 저탄소 녹색성장을 위한 정책목표·추진전략·중점추진과제 등을 포함하는 저탄소 녹색성장 국가전략을 수립·시행하여야 한다.

② 녹색성장국가전략에는 다음 각 호의 사항이 포함되어야 한다.

1. 녹색경제 체제의 구현에 관한 사항
2. 녹색기술·녹색산업에 관한 사항
3. 기후변화대응 정책, 에너지 정책 및 지속가능발전 정책에 관한 사항
4. 녹색생활, 녹색국토, 저탄소 교통체계 등에 관한 사항
5. 기후변화 등 저탄소 녹색성장과 관련된 국제협상 및 국제협력에 관한 사항
6. 그 밖에 재원조달, 조세·금융, 인력양성, 교육·홍보 등 저탄소 녹색성장을 위하여 필요하다고 인정되는 사항

③ 정부는 녹색성장국가전략을 수립하거나 변경하려는 경우 녹색성장위원회의 심의 및 국무회의의 심의를 거쳐야 한다. 다만, 대통령령으로 정하는 경미한 사항을 변경하는 경우에는 그러하지 아니한다.

(4) 녹색성장위원회의 구성 및 운영

① 국가의 저탄소 녹색성장과 관련된 주요 정책 및 계획과 그 이행에 관한 사항을 심의하기 위하여 국무총리 소속으로 녹색성장위원회를 둔다.

② 위원회는 위원장 2명을 포함한 50명 이내의 위원으로 구성한다.

③ 위원회의 위원장은 국무총리와 ④의 2.의 위원 중에서 대통령이 지명하는 사람이 된다.

④ 위원회의 위원은 다음 각 호의 사람이 된다.

1. 기획재정부장관, 과학기술정보통신부장관, 산업통상자원부장관, 환경부장관, 국토교통부장관 등 대통령령으로 정하는 공무원
2. 기후변화, 에너지 · 자원, 녹색기술 · 녹색산업, 지속가능발전 분야 등 저탄소 녹색성장에 관한 학식과 경험이 풍부한 사람 중에서 대통령이 위촉하는 사람

⑤ 위원회의 사무를 처리하게 하기 위하여 위원회에 간사위원 1명을 두며, 간사위원의 지명에 관한 사항은 대통령령으로 정한다.

⑥ 위원장은 각자 위원회를 대표하며, 위원회의 업무를 총괄한다.

⑦ 위원장이 부득이한 사유로 직무를 수행할 수 없는 때에는 국무총리인 위원장이 미리 정한 위원이 위원장의 직무를 대행한다.

⑧ ④의 2.의 위원의 임기는 1년으로 하되, 연임할 수 있다.

(5) 위원회의 기능

① 위원회는 다음 각 호의 사항을 심의한다.

1. 저탄소 녹색성장 정책의 기본방향에 관한 사항
2. 녹색성장국가전략의 수립 · 변경 · 시행에 관한 사항
3. 기후변화대응 기본계획, 에너지기본계획 및 지속가능발전 기본계획에 관한 사항
4. 저탄소 녹색성장 추진의 목표 관리, 점검, 실태조사 및 평가에 관한 사항
5. 관계 중앙행정기관 및 지방자치단체의 저탄소 녹색성장과 관련된 정책 조정 및 지원에 관한 사항
6. 저탄소 녹색성장과 관련된 법제도에 관한 사항
7. 저탄소 녹색성장을 위한 재원의 배분방향 및 효율적 사용에 관한 사항
8. 저탄소 녹색성장과 관련된 국제협상 · 국제협력, 교육 · 홍보, 인력양성 및 기반구축 등에 관한 사항

9. 저탄소 녹색성장과 관련된 기업 등의 고충조사, 처리, 시정권고 또는 의견표명
10. 다른 법률에서 위원회의 심의를 거치도록 한 사항
11. 그 밖에 저탄소 녹색성장과 관련하여 위원장이 필요하다고 인정하는 사항

(6) 녹색경제 · 녹색산업 구현을 위한 기본원칙

① 정부는 화석연료의 사용을 단계적으로 축소하고 녹색기술과 녹색산업을 육성함으로써 국가 경쟁력을 강화하고 지속가능발전을 추구하는 경제를 구현하여야 한다.

② 정부는 녹색경제 정책을 수립 · 시행할 때 금융 · 산업 · 과학기술 · 환경 · 국토 · 문화 등 다양한 부문을 통합적 관점에서 균형 있게 고려하여야 한다.

③ 정부는 새로운 녹색산업의 창출, 기존 산업의 녹색산업으로의 전환 및 관련 산업과의 연계 등을 통하여 에너지 · 자원 다소비형 산업구조가 저탄소 녹색산업구조로 단계적으로 전환되도록 노력하여야 한다.

④ 정부는 저탄소 녹색성장을 추진할 때 지역 간 균형발전을 도모하며 저소득층이 소외되지 않도록 지원 및 배려하여야 한다.

(7) 자원순환의 촉진

① 정부는 자원을 절약하고 효율적으로 이용하며 폐기물의 발생을 줄이는 등 자원순환의 촉진과 자원생산성 제고를 위하여 자원순환 산업을 육성 · 지원하기 위한 다양한 시책을 마련하여야 한다.

② ①에 따른 자원순환 산업의 육성 · 지원 시책에는 다음 각 호의 사항이 포함되어야 한다.

1. 자원순환 촉진 및 자원생산성 제고 목표설정
2. 자원의 수급 및 관리
3. 유해하거나 재제조 · 재활용이 어려운 물질의 사용억제
4. 폐기물 발생의 억제 및 재제조 · 재활용 등 재자원화
5. 에너지자원으로 이용되는 목재, 식물, 농산물 등 바이오매스의 수집 · 활용
6. 자원순환 관련 기술개발 및 산업의 육성
7. 자원생산성 향상을 위한 교육훈련 · 인력양성 등에 관한 사항

(8) 에너지정책 등의 기본원칙

① 정부는 저탄소 녹색성장을 추진하기 위하여 에너지정책 및 에너지와 관련된 계획을 다음 각 호의 원칙에 따라 수립 · 시행하여야 한다.

1. 석유 · 석탄 등 화석연료의 사용을 단계적으로 축소하고 에너지 자립도를 획기적으로 향상시킨다.

2. 에너지 가격의 합리화, 에너지의 절약, 에너지 이용효율 제고 등 에너지 수요관리를 강화하여 지구온난화를 예방하고 환경을 보전하며, 에너지 저소비 · 자원순환형 경제 · 사회구조로 전환한다.
3. 태양에너지, 폐기물 · 바이오에너지, 풍력, 지열, 조력, 연료전지, 수소에너지 등 신 · 재생에너지의 개발 · 생산 · 이용 및 보급을 확대하고 에너지 공급원을 다변화한다.
4. 에너지가격 및 에너지산업에 대한 시장경쟁 요소의 도입을 확대하고 공정거래 질서를 확립하며, 국제규범 및 외국의 법제도 등을 고려하여 에너지산업에 대한 규제를 합리적으로 도입 · 개선하여 새로운 시장을 창출한다.
5. 국민이 저탄소 녹색성장의 혜택을 고루 누릴 수 있도록 저소득층에 대한 에너지 이용혜택을 확대하고 형평성을 제고하는 등 에너지와 관련한 복지를 확대한다.
6. 국외 에너지자원 확보, 에너지의 수입 다변화, 에너지 비축 등을 통하여 에너지를 안정적으로 공급함으로써 에너지에 관한 국가안보를 강화한다.

(9) 녹색국토의 관리

① 정부는 건강하고 쾌적한 환경과 아름다운 경관이 경제발전 및 사회개발과 조화를 이루는 국토(녹색국토)를 조성하기 위하여 국토종합계획 · 도시 · 군기본계획 등 대통령령으로 정하는 계획을 녹색생활 및 지속가능발전의 기본원칙에 따라 수립 · 시행하여야 한다.
② 정부는 녹색국토를 조성하기 위하여 다음 각 호의 사항을 포함하는 시책을 마련하여야 한다.
1. 에너지 · 자원 자립형 탄소중립도시 조성
2. 산림 · 녹지의 확충 및 광역생태축 보전
3. 해양의 친환경적 개발 · 이용 · 보존
4. 저탄소 항만의 건설 및 기존 항만의 저탄소 항만으로의 전환
5. 친환경 교통체계의 확충
6. 자연재해로 인한 국토 피해의 완화
7. 그 밖에 녹색국토 조성에 관한 사항

③ 정부는 「국토기본법」에 따른 국토종합계획, 「국가균형발전 특별법」에 따른 지역발전계획 등 대통령령으로 정하는 계획을 수립할 때에는 미리 위원회의 의견을 들어야 된다.

(10) 과태료

① 다음 각 호의 자에게는 1천만 원 이하의 과태료를 부과한다.
1. 관리업체 중 정부의 온실가스 감축 · 에너지 절약 · 에너지 이용효율 목표 달성에 대한 실적을 보고하지 않거나 거짓으로 보고한 자

2. 관리업체 중 정부의 온실가스 감축 · 에너지 절약 · 에너지 이용효율 목표 달성에 미달해 개선명령을 받아 이를 이행했음에도 이에 대한 보고를 하지 않거나 거짓으로 보고한 자
3. 관리업체 중 매년 온실가스 배출량 및 에너지 소비량에 대하여 측정 · 보고 · 검증 가능한 방식으로 명세서를 작성하여 정부에 보고하지 않거나 거짓으로 보고한 자
4. 관리업체 중 정부의 온실가스 감축 · 에너지 절약 · 에너지 이용효율 목표 달성에 미달해 개선명령을 받아 이를 이행하지 않은 자
5. 관리업체 중 정부의 온실가스 감축 · 에너지 절약 · 에너지 이용효율 목표 달성에 미달해 개선명령을 받아 이를 이행했으나, 그 결과를 공신력 있는 외부 전문기관의 검증을 받아 정부에 보고하고 공개하지 않은 자
6. 3.에 따른 명세서에 흠이 있거나 빠진 부분에 대해 정부가 내린 시정 · 보완 명령을 이행하지 않은 자

② ①에 따른 과태료는 대통령령으로 정하는 바에 따라 관계 행정기관의 장이 부과 · 징수한다.

(11) 저탄소 녹색성장 국가전략 5개년 계획 수립

① 정부는 국가전략을 효율적 · 체계적으로 이행하기 위하여 5년마다 저탄소 녹색성장 국가전략 5개년 계획을 수립할 수 있다. 이 경우 법 제14조에 따른 녹색성장위원회의 심의 및 국무회의의 심의를 거쳐야 한다.

(12) 온실가스 · 에너지 목표관리의 원칙 및 역할

① 환경부장관은 온실가스 감축 · 에너지절약 · 에너지 이용효율에 대한 목표 관리에 관해 총괄 · 조정 기능을 수행한다.

② 환경부장관은 온실가스 및 에너지 목표관리의 통합 · 연계, 국내산업의 여건, 국제적인 동향, 이중 규제의 방지 등 관련 규제의 선진화 등을 고려하여 ①의 목표의 설정 · 관리 및 검증 등 목표관리에 관한 종합적인 기준 및 지침을 마련하여 이를 관보에 고시한다. 이 경우 ③에 따른 부문별 관계 중앙행정기관의 장과의 협의 및 위원회의 심의를 거쳐야 한다.

③ 부문별 관장기관은 다음 각 호의 구분에 따라 소관 부문별로 ①의 목표의 설정 · 관리 및 필요한 조치에 관한 사항을 관장하되, ①의 목표가 온실가스 감축 목표의 세부 감축 목표 및 에너지절약 및 온실가스를 감축하는 해당 기관별 목표에 부합하도록 하여야 한다. 이 경우 부문별 관장기관은 ①에 따른 환경부장관의 총괄 · 조정 업무에 최대한 협조하여야 한다.

1. 농림축산식품부 : 농업 · 임업 · 축산 · 식품 분야
2. 산업통상자원부 : 산업 · 발전(發電) 분야
3. 환경부 : 폐기물 분야

4. 국토교통부 : 건물 · 교통 분야(해운 분야는 제외한다)

5. 해양수산부 : 해양 · 수산 · 해운 · 항만 분야

④ 환경부장관은 목표관리의 신뢰성을 높이기 위하여 필요한 경우에는 ③에 따른 부문별 관장기관의 소관 사무에 대하여 종합적인 점검 · 평가를 할 수 있으며, 그 결과에 따라 부문별 관장기관에게 온실가스 배출업체 및 에너지 소비업체에 대한 개선명령 등 필요한 조치를 요구할 수 있고 부문별 관장기관은 특별한 사정이 없으면 이에 따라야 한다.

⑤ 환경부장관은 관리업체의 온실가스 감축 및 에너지 절약 목표 등의 이행실적, 명세서의 신뢰성 여부 등에 중대한 문제가 있다고 인정되는 경우 부문별 관장기관과 공동으로 관리업체에 대한 실태조사를 할 수 있다.

⑥ 환경부장관은 ④에 따른 점검 · 평가를 위하여 부문별 관장기관에게 필요한 자료를 요청할 수 있다.

제10-4장 출/제/예/상/문/제

01 저탄소 녹색성장 기본법에서 국내 총소비에너지량에 대하여 신·재생에너지 등 국내 생산 에너지량 및 우리나라가 국외에서 개발(지분 취득 포함한다)한 에너지량을 합한 양이 차지하는 비율을 무엇이라고 하는가?

① 에너지원단위 ② 에너지생산도
③ 에너지비축도 ④ 에너지자립도

해설 저탄소 녹색성장 기본법 (2)의 ⑮ 참조

02 관리업체(대통령으로 정하는 기준량 이상의 온실가스 배출업체 및 에너지소비업체)가 사업장별 명세서를 거짓으로 작성하여 정부에 보고하였을 경우 부과하는 과태료로 맞는 것은?

① 300만 원의 과태료 부과
② 500만 원의 과태료 부과
③ 700만 원의 과태료 부과
④ 1천만 원의 과태료 부과

해설 저탄소 녹색성장 기본법 (10) 참조
거짓보고나 누락 시 1천만 원 이하의 과태료

03 저탄소 녹색성장 기본법상 온실가스에 해당하지 않는 것은?

① 이산화탄소 ② 메탄
③ 수소 ④ 육불화황

해설 저탄소 녹색성장 기본법 (2)의 ⑨ 참조

04 자원을 절약하고, 효율적으로 이용하며 폐기물의 발생을 줄이는 등 자원순환산업을 육성·지원하기 위한 다양한 시책에 포함되지 않는 것은?

① 자원의 수급 및 관리
② 유해하거나 재제조·재활용이 어려운 물질의 사용억제
③ 에너지자원으로 이용되는 목재, 식물, 농산물 등 바이오매스의 수집·활용
④ 친환경 생산체제로의 전환을 위한 기술지원

해설 저탄소 녹색성장 기본법 (7) 참조

05 저탄소 녹색성장기본법상 녹색성장위원회는 위원장 2명을 포함한 몇 명 이내의 위원으로 구성하는가?

① 25 ② 30
③ 45 ④ 50

해설 저탄소 녹색성장 기본법 (4) 참조
위원장 2명, 위원 50명 이내

06 다음은 저탄소 녹색성장 기본법에 명시된 용어의 뜻이다. ( ) 안에 알맞은 것은?

> 온실가스란 (①), 메탄, 이산화질소, 수소불화탄소, 육불화황 및 그 밖에 대통령령으로 정하는 것으로 (②) 복사열을 흡수하거나 재방출하여 온실효과를 유발하는 대기 중의 가스 상태의 물질을 말한다.

① ① 일산화탄소, ② 자외선
② ① 일산화탄소, ② 적외선
③ ① 이산화탄소, ② 자외선
④ ① 이산화탄소, ② 적외선

해설 저탄소 녹색성장 기본법 (2)의 ⑨ 참조

정답 01 ④ 02 ④ 03 ③ 04 ④ 05 ④ 06 ④

07 화석연료에 대한 의존도를 낮추어 청정에너지의 사용 및 보급을 확대하여 녹색기술 연구개발, 탄소 흡수원 확충 등을 통하여 온실가스를 적정수준 이하로 줄이는 것에 대한 정의로 옳은 것은?

① 녹색성장 ② 저탄소
③ 기후변화 ④ 자원순환

해설 저탄소 녹색성장 기본법 (2)의 ① 참조

08 저탄소 녹색성장 기본법상 녹색성장위원회의 위원으로 틀린 것은?

① 국토교통부장관
② 과학기술정보통신부장관
③ 기획재정부장관
④ 고용노동부장관

해설 저탄소 녹색성장 기본법 (4) 참조
고용노동부장관은 해당이 없다.

09 저탄소 녹색성장 기본법상 녹색성장위원회의 심의 사항이 아닌 것은?

① 지방자치단체의 저탄소 녹색성장의 기본방향에 관한 사항
② 녹색성장국가전략의 수립 · 변경 · 시행에 관한 사항
③ 기후변화대응 기본계획, 에너지기본계획 및 지속가능발전 기본계획에 관한 사항
④ 저탄소 녹색성장을 위한 재원의 배분방향 및 효율적 사용에 관한 사항

해설 저탄소 녹색성장 기본법 (5) 참조
지방자치단체는 해당이 없다.

10 저탄소 녹색성장 기본법에서 사람의 활동에 수반하여 발생하는 온실가스가 대기 중에 축적되어 온실가스 농도를 증가시킴으로써 지구 전체적으로 지표 및 대기의 온도가 추가적으로 상승하는 현상을 나타내는 용어는?

① 지구온난화 ② 기후변화
③ 자원순환 ④ 녹색경영

해설 저탄소 녹색성장 기본법 (2)의 ⑪ 참조

11 정부는 국가전략을 효율적 · 체계적으로 이행하기 위하여 몇 년마다 저탄소 녹색성장 국가전략을 5개년 계획을 수립하는가?

① 2년 ② 3년
③ 4년 ④ 5년

해설 저탄소 녹색성장 기본법 (11) 참조
5년마다 5개년 계획

12 저탄소 녹색성장 기본법에 따라 온실가스 감축 목표의 설정 · 관리 및 필요한 조치에 관하여 총괄 · 조정 기능은 누가 수행하는가?

① 국토교통부장관
② 산업통상자원부장관
③ 농림축산식품부장관
④ 환경부장관

해설 저탄소 녹색성장 기본법 (12) 참조
환경부장관은 목표관리에 관해 총괄 · 조정한다.

13 저탄소녹색성장 기본법에 의거 온실가스 감축목표 등의 설정 · 관리 및 필요한 조치에 관한 사항을 관장하는 기관으로 옳은 것은?

① 농림축산식품부 : 건물 · 교통 분야
② 환경부 : 농업 · 축산 분야
③ 국토교통부 : 폐기물 분야
④ 산업통상자원부 : 산업 · 발전 분야

해설 저탄소 녹색성장 기본법 (12) 참조

정답 07 ① 08 ④ 09 ① 10 ① 11 ④ 12 ④ 13 ④

MEMO

CHAPTER 11

CBT 모의고사

에너지관리기능사 CBT 모의고사 1회

01 연소가스의 흐름 방향에 따른 과열기의 종류 중 연소가스와 과열기 내 증기의 흐름 방향이 같으며 가스에 의한 소손은 적으나 열의 이용도가 낮은 것은?

① 대류식 ② 향류식
③ 병류식 ④ 혼류식

해설 • 향류식 : 증기와 열가스의 흐름이 반대 방향
• 혼류식 : 병류식과 향류식의 병합

02 보일러용 오일 연료에서 성분분석 결과 수소 12.0%, 수분 0.3%로 나타났다. 저위발열량은 약 몇 kcal/kg인가?(단 이 연료의 고위발열량은 10,600kcal/kg이다)

① 6500 ② 7600
③ 8950 ④ 9950

해설 • $H\ell = Hh - 600(9H+W)$
• $H\ell = 10{,}600 - 600\{(9\times0.12)+0.003\}$
$= 9950.2$

03 자동연소제어에서 노 내 압력을 제어 하는데 필요한 조작량은?

① 공기량
② 연소가스량
③ 급수량
④ 전열량

해설 보일러 자동제어에서 제어량과 조작량

종류	제어량	조작량
증기온도제어(S.T.C)	증기온도	전열량
급수제어(F.W.C)	보일러수위	급수량
연소제어(A.C.C)	증기압력	연료량 · 공기량
	노내압력	연소 가스량

04 보일러의 상당증발량이 1000kg/h, 급수온도가 20℃, 발생증기의 엔탈피가 659 kcal/kg일 때 실제증발량은 약 몇 kg/h인가?

① 844 ② 1000
③ 539 ④ 980

해설 상당증발량(Ge) = 실제증발량(Ga) × {(증기엔탈피(h_2) − 급수엔탈피(h_1)}/539
∴ 1000 = Ga(659 − 20)/539 = 843.5

05 노에서 발생한 연소가스를 굴뚝에 유입시킬 때까지의 통로는?

① 연돌
② 절탄기
③ 연도
④ 노

해설 연돌 : 굴뚝
• 절탄기 : 보일러의 배기연소가스 및 폐열로 급수 온도를 높여 그 손실열을 회수하여 연료를 절감하는 부대 장치

06 보일러 부속장치가 아닌 것은?

① 절탄기
② 과열기
③ 본체
④ 공기예열기

해설 • 부속장치 : 급수장치, 송기장치, 안전장치, 분출장치, 폐열회수장치(절탄기, 과열기, 재열기, 공기예열기)
• 보일러 3대 구성요소 : 본체, 연소장치, 부속장치

정답 01. ① 02. ④ 03. ② 04. ① 05. ③ 06. ③

07 과열증기에 대한 설명으로 맞는 것은?

① 과열증기로 가열할 때 과열증기와 포화증기에 의해 열전달이 이루어지므로 피가열물의 온도분포가 다르다.
② 과열증기가 장치에 공급되면 과열증기의 온도가 일정하여 장치의 온도가 균일하고 열응력 발생이 없다.
③ 건포화증기에 열을 계속 가열하면 압력이 상승되고 계속 온도가 상승하는데 이를 과열증기라 한다.
④ 과열증기는 초기부하가 적은 엔진의 열효율을 향상시키며 단거리 수송에서 방열에 의한 열손실이 적다.

08 보일러 전열면 열부하의 단위로 옳은 것은?

① kcal/h ② $kcal/m^2 \cdot h$
③ $kcal/m^3 \cdot h$ ④ $kg/m^2 \cdot h$

해설 전열면 열부하($kcal/m^2 \cdot h$) : 보일러 전열면적 $1m^2$당 1시간 동안의 보일러 열출력

09 수관식 보일러의 연소실 수냉노벽의 구조에 따른 종류에 해당되지 않는 것은?

① 탄젠샬 배열
② 스페이스드 배열
③ 스킨 케이싱 배열
④ 스테이 배열

해설 • 연소실 수냉노벽의 종류 : 탄젠샬 , 스페이스드, 스킨 케이싱, 휜 패널
• 스테이 : 강도 보강을 위한 이음

10 연소 중인 보일러가 노 내나 연도 내에 심한 소리를 내면서 공명하면 보일러 전체가 진동하기도 하며 경우에 따라서는 보일러실까지도 공명하여 유리창이 진동할 수도 있다. 이러한 현상을 맥동연소 또는 진동연소라 하는데 그 발생원인과 거리가 가장 먼 것은?

① 연료 중에 수분이 많은 경우
② 연도 단면의 변화가 큰 경우
③ 2차 연소를 일으킨 경우
④ 연료와 공기의 혼합으로 연소속도가 빠른 경우

11 전자밸브가 작동하여 연료공급을 차단하는 경우로 틀린 것은?

① 보일러수의 이상 감수 시
② 증기압력 초과 시
③ 배기가스온도의 이상 감소 시
④ 점화 중 불착화 시

해설 그 외 프리퍼지, 화염검출, 댐퍼나 송풍기 이상 시

12 일반적으로 보일러 열손실 중 가장 큰 비중을 차지하는 것은?

① 방열 및 기타 손실 열
② 불완전연소에 의한 손실 열
③ 미연소분에 의한 손실 열
④ 배기가스에 의한 손실 열

13 수트블로어 사용 시 주의 사항으로 틀린 것은?

① 한 곳으로 집중하여 사용하지 말 것
② 분출기 내의 응축수를 배출시킨 후 사용할 것
③ 보일러 가동을 정지 후 사용할 것
④ 분출 전 연도 내 배풍기를 사용하여 유인통풍을 증가시킬 것

해설 그 외 부하가 적거나(50% 이하) 소화 후 사용하지 말 것

정답 07. ① 08. ② 09. ④ 10. ④ 11. ③ 12. ④ 13. ③

14 캐리오버에 대한 설명으로 틀린 것은?

① 보일러에서 불순물과 수분이 증기와 함께 송기되는 현상이다.
② 기계적 캐리오버와 선택적 캐리오버로 분류한다.
③ 프라이밍이나 포밍은 캐리오버와 관계가 없다.
④ 캐리오버가 일어나면 여러 가지 장해가 발생한다.

해설 프라이밍과 포밍현상이 캐리오버를 유발한다.

15 온도가 20℃인 물 140kg이 있다. 이 물의 온도를 90℃까지 가열하려면 소요되는 열량은?

① 9000kcal ② 7500kcal
③ 9800kcal ④ 7000kcal

해설 $Q = G.C.\Delta t$
$\therefore 140 \times 1\text{kcal/kg.℃} \times 70\text{℃} = 9800\text{kcal}$

16 보일러의 습식집진장치 중 가압수식 집진장치의 종류가 아닌 것은?

① 멀티사이크론
② 벤투리스크러버
③ 제트스크러버
④ 충전탑

해설 건식집진장치 종류 : 중력식, 관성력식, 사이크론식, 여과식, 전기식

17 일반적으로 보일러 판넬 내부 온도는 몇℃를 넘지 않도록 하는 것이 좋은가?

① 70℃ ② 60℃
③ 80℃ ④ 90℃

18 건도(x)가 0<x<1이면, 다음 중 무엇을 말하는가?

① 습증기 ② 포화수
③ 포화증기 ④ 과열증기

해설
• 습증기 : $0<x<1$
• 포화수 : $x=0$
• 건포화증기, 과열증기 : $x=1$

19 주철제 보일러의 섹셔널 보일러의 일반적인 조합방법이 아닌 것은?

① 전후조합
② 좌우조합
③ 맞세움조합
④ 상하조합

해설 주철제보일러 : 전열면적이 비교적 큰 형식의 저압 보일러로 섹셔널(쪽)을 용량에 알맞게 (5~18쪽) 조절해 사용하며, 살두께는 8mm 정도로 전후, 좌우, 맞세움조합방법이 있다.

20 보일러 제어에서 자동연소제어에 해당하는 약호는?

① A.C.C ② A.B.C
③ S.T.C ④ F.W.C

해설
• A.C.C(자동연소제어)
• A.B.C(보일러 자동제어)
• S.T.C(증기온도제어)
• F.W.C(급수제어)

21 사이폰관과 특히 관계가 있는 것은?

① 수면계
② 안전밸브
③ 유량계
④ 부르동관 압력계

해설 사이폰관 설치 목적 : 압력계 파손 방지

정답 14. ③ 15. ③ 16. ① 17. ② 18. ① 19. ④ 20. ① 21. ④

22 가스연료의 연소에서 불꽃이 염공으로 역화되는 원인으로 맞는 것은?

① 가스압이 높을 때
② 1차 공기의 흡인이 적을 때
③ 버너가 과열되었을 때
④ 염공이 작게 되었을 때

23 공기예열기에 대한 설명 중 잘못된 것은?

① 연소가스의 여열을 이용해서 연소용 공기를 예열하는 장치이다.
② 공기예열기에 가장 주의를 요하는 것은 공기 출구부의 고온부식이다.
③ 전열방법에 따라 전도식과 재생식, 히트파이프 식으로 분류된다.
④ 공기예열기의 이상유무를 알기 위해서는 배기가스의 입구 및 출구에서 풍압과 공기온도의 정확한 값을 아는 것이 필요하다.

해설 • 고온부식 : 과열기, 재열기
• 저온부식 : 절탄기, 공기예열기

24 과열기 부착보일러의 안전밸브에 대한 설명으로 맞는 것은?

① 출구에 1개 이상의 안전밸브가 있어야 한다.
② 입구에 2개 이상의 안전밸브가 있어야 한다.
③ 입구 및 출구에 1개 이상의 안전밸브가 있어야 한다.
④ 입구 및 출구에 2개 이상의 안전밸브가 있어야 한다.

해설 과열기 부착보일러의 안전밸브
• 출구에 1개 이상의 안전밸브가 있을 것
• 분출용량은 과열기의 온도를 설계온도 이하로 유지하는데 필요한 양(보일러의 최대증발량 15% 초과 시는 15% 이상)

25 원통보일러에 설치하는 급수내관의 위치로 가장 적합한 것은?

① 안전저수위와 동일 높이
② 안전저수위 위쪽 5cm
③ 안전저수위 아래쪽 5cm
④ 상용수위와 동일 높이

해설 급수내관 : 원통보일러 내부 안전저수위 50mm 하단에 설치하며, 찬물로 인한 보일러의 국부적인 부동 팽창 방지 목적

26 1보일러 마력을 시간당 발생열량으로 환산하면 약 몇 kcal/h인가?

① 15.65 ② 8435
③ 9290 ④ 7500

해설 $539 \times 15.65 = 8435$

27 보일러의 연소 배기가스를 분석하는 궁극적인 목적으로 가장 알맞은 것은?

① 노 내압 조정
② 연소열량 계산
③ 매연농도 산출
④ 최적연소효율 도모

28 액체연료 연소에서 무화의 목적이 아닌 것은?

① 단위 중량당 표면적을 크게 한다.
② 연소효율을 향상시킨다.
③ 주위 공기와 혼합을 고르게 한다.
④ 연소실의 열부하를 낮게 한다.

정답 22. ③ 23. ② 24. ① 25. ③ 26. ② 27. ④ 28. ④

29 **시로코형이라고도 불리는 전향날개형의 대표적인 것은?**

① 다익송풍기
② 터보송풍기
③ 플레이트송풍기
④ 축류송풍기

해설 원심식 송풍기 종류 3가지
- 다익형(시로코형) : 전향 날개의 송풍기로 날개 각도가 90°보다 큼(흡입용)
- 방사형(플레이트형) : 방사형으로 날개 각도가 90°이며, 6~12개의 날개(흡입용)
- 터보형 : 후향날개로 날개 각도가 90°보다 작으며 고압 대용량에 적합(압입용)

30 **보일러 용량을 표시하는 방법으로 사용되지 않는 것은?**

① 보일러 수부의 크기
② 보일러의 마력
③ 정격출력
④ 상당증발량

해설 용량표시법 : 정격용량, 정격출력, 보일러의 마력, 상당증발량, 상당방열면적, 최대연속증발량

31 **보일러 점화 시에 역화나 폭발을 방지하기 위해 어떤 조치를 가장 먼저 해야 하는가?**

① 댐퍼를 열고 미연가스 등을 배출시킨다.
② 연료의 점화가 빨리 고르게 전파되게 한다.
③ 연료를 공급 후 연소용 공기를 공급한다.
④ 화력의 상승속도를 빠르게 한다.

해설 프리퍼지 : 보일러 점화 시에 역화나 폭발을 방지하기 위해 댐퍼를 열고 미연가스를 배출한다.

32 **관의 절단, 나사절삭, 거스러미제거 등의 일을 연속적으로 할 수 있기 때문에 현장에서 가장 많이 사용되고 있는 것은?**

① 다이헤드식 동력나사절삭기
② 오스터식 동력나사절삭기
③ 체인식 동력나사절삭기
④ 리드식 동력나사절삭기

해설 동력나사절삭기 종류 : 다이헤드식, 오스터식, 호브식

33 **저압증기난방의 사용 증기압력은 얼마 정도인가?**

① $0.15 \sim 0.35 kgf/cm^2$
② $1.0 \sim 1.5 kgf/cm^2$
③ $0.01 \sim 0.03 kgf/cm^2$
④ $0.45 \sim 0.85 kgf/cm^2$

해설 증기압력에 따른 분류
- 고압증기난방 : $1 kgf/cm^2$ 이상
- 중압증기난방 : $0.35 \sim 1 kgf/cm^2$
- 저압증기난방 : $0.15 \sim 0.35 kgf/cm^2$

34 **파이프 벤더에 의한 구부림 작업 시 관에 주름이 생기는 원인으로 가장 옳은 것은?**

① 압력조정이 세고 저항이 크다.
② 굽힘 반지름이 너무 작다.
③ 받침쇠가 너무 나와 있다.
④ 바깥지름에 비하여 두께가 너무 얇다.

해설
- 관에 주름이 생기는 원인
  - 관이 미끄러질 때, 받침쇠가 너무 내려가 있을 때, 굽힘 모형의 홈이 관 지름보다 크거나 작을 때, 바깥지름에 비해 두께가 얇을 때
- 관 파손 원인
  - 압력조정이 세고 저항이 크다, 굽힘 반지름이 너무 작다, 받침쇠가 너무 나와 있다, 재료에 결함이 있다.

정답 29. ① 30. ① 31. ① 32. ① 33. ① 34. ④

35 실내온도 분포가 균등하고 쾌감도가 좋으며 바닥면의 이용도가 높은 난방 방법은?

① 증기중앙난방법
② 복사난방법
③ 방열기난방법
④ 온풍난방법

해설 • 복사난방(방사난방, 패널난방) : 천정, 벽, 바닥에 코일을 매설하여 온수 등 열매체를 공급하여 난방하는 방식

36 배관 속에 흐르는 유체와 기호가 옳게 연결된 것은?

① 냉각수－S ② 가스－O
③ 물－G ④ 공기－A

해설 유체의 표시
• A : 공기
• G : 가스
• O : 유류
• S : 수증기
• W : 물

37 하트포드 접속법은 어느 난방법에 적합한가?

① 고압증기 난방배관
② 고온수 난방배관
③ 저압증기 난방배관
④ 저온수 난방배관

해설 하트포드 접속 : 저압증기난방의 습식 환수 방식에 있어 증기관과 환수관 사이에 저수위 사고 방지를 위해 표준수면에서 50mm 아래로 균형관을 설치한다.

38 배관시공 작업 시 안전사항 중 산소용기는 몇 ℃ 이하의 온도로 보관하여야 하는가?

① 70℃ 이하 ② 60℃ 이하
③ 50℃ 이하 ④ 40℃ 이하

39 연소온도에 영향을 미치는 인자와 관계가 없는 것은?

① 산소의 농도 ② 연료의 발열량
③ 공기비 ④ 연료의 가격

40 보일러 급수처리 방법 중 5000PPM 이하의 고형물 농도에서는 비경제적이므로 사용하지 않으며 선박용 보일러에 사용하는 급수를 얻을 때 사용하는 법은?

① 증류법 ② 가열법
③ 여과법 ④ 이온교환법

41 복사난방의 분류 중 방열면의 위치에 의한 분류에 속하지 않는 것은?

① 천장패널
② 벽패널
③ 파이프코일패널
④ 바닥패널

해설 • 복사난방 (방사난방, 패널난방) : 천정, 벽, 바닥에 코일을 매설하여 온수 등 열매체를 공급하여 난방하는 방식

42 배관용 패킹재료를 선택할 시 고려할 사항이 아닌 것은?

① 관 내를 흐르는 유체의 온도, 압력 등 물리적인 성질
② 관 내를 흐르는 유체의 안전도, 부식성, 용해능력, 인화성, 폭발성 등 화학적인 성질
③ 노후화 시 교체의 난이, 진동유무, 외압 등 기계적인 조건
④ 물리화학적인 조건보다는 가격이 저렴하고 경제적인 것을 고려할 것

정답 35. ② 36. ④ 37. ③ 38. ④ 39. ④ 40. ① 41. ③ 42. ④

43 **증기배관에 설치된 감압밸브의 기능을 가장 옳게 설명한 것은?**

① 2차측의 증기압력을 일정하게 유지시키는 장치이다.
② 증기의 과열도를 높이는 장치이다.
③ 증기의 온도를 낮추는 장치이다.
④ 증기의 엔탈피를 높이는 장치이다.

해설 감압밸브의 기능 : 부하측 증기압력을 일정하게 유지한다.

44 **고온용 암면에 특수무기 결합제 및 바인더를 혼합 제조한 것으로 분사식 내화 단열과 흡음 피복재로서 철골구조, 기둥, 보, 천정, 방송실 등에 사용되는 무기질 보온재는?**

① 하이울　　② 로코트
③ 산면　　④ 블랭킷

45 **주철제 방열기를 설치할 때 벽과의 간격은 몇 mm 정도로 하는 것이 좋은가?**

① 50~60　　② 90~100
③ 10~30　　④ 70~80

해설
- 주형 방열기 : 벽에서 50~60mm 이격
- 벽걸이형 방열기 : 바닥에서 150mm 높게 설치
- 대류 방열기 : 바닥에서 90mm 이상 높게 설치

46 **안전사용 온도가 400℃ 정도이고, 진동 충격에 강하며 아스베스트질 섬유로 된 보온재는?**

① 석면　　② 버미큘라이트
③ 유리면　　④ 탄산마그네시아

해설 무기질 보온재의 종류
- 석면(진동을 받는 장치의 보온재 사용)
- 규조토(진동이 있는 곳 사용 곤란)
- 탄산마그네슘(탄산마그네슘 85%, 석면 15% 배합)
- 유리섬유(글라스울)
- 규산칼슘
- 퍼얼라이트
- 실리카 화이버
- 세라믹 화이버(1300℃ 이상)

47 **어떤 벽체 양쪽 공기온도가 각각 20℃와 0℃이다. 이 벽체 $1m^2$당 1시간 동안의 이동 열량은?(단, 벽의 열관류율은 2.5kcal$/m^2 \cdot h \cdot$℃이다)**

① 50kcal　　② 100kcal
③ 150kcal　　④ 200kcal

해설 Q = K.A.Δt
$\therefore$ $Q = 2.5kcal/m^2 \cdot h \cdot ℃ \times 1m^2 \times 20℃$
$= 50kcal$

48 **콘백터 또는 캐비넷 히터라고도 하며 강판제 케이싱 속에 핀 튜브 등의 가열기를 설치한 것은?**

① 벽걸이 방열기
② 대류형 방열기
③ 강판 방열기
④ 알루미늄 방열기

49 **온수보일러의 개방식 팽창탱크에 관한 설명으로 틀린 것은?**

① 온도변화에 따른 온수의 체적변화를 흡수한다.
② 팽창탱크는 방열면 또는 최고 위치의 방열기보다 최소 1m 이상 높게 설치한다.
③ 팽창관, 급수관, 안전관, 통기관, 드레인관 등이 연결되어 있다.
④ 고온수 난방 배관에 주로 사용된다.

정답 43. ① 44. ② 45. ① 46. ① 47. ① 48. ② 49. ④

해설 저온수 난방 배관에 사용된다.

50 동관의 이음 방법이 아닌 것은?

① 플레어이음
② 플랜지이음
③ 납땜이음
④ 플라스턴이음

해설 플라스턴이음 : 연관이음법

51 증기보일러의 장치에 사용되지 않는 것은?

① 비수방지관 ② 기수분리기
③ 팽창관 ④ 급수내관

해설 팽창관 : 온수보일러에 사용

52 보일러 외부부식의 발생원인과 가장 거리가 먼 것은?

① 빗물, 지하수 등에 의한 습기나 수분에 의한 작용
② 증기나 보일러 수 등의 누출로 인한 습기나 수분에 의한 작용
③ 급수 중에 유지류, 산류, 탄산가스, 염류 등의 불순물에 의한 작용
④ 연소가스 속의 부식성 가스에 의한 작용

해설 ③은 내부부식의 원인이다.

53 보일러의 휴지보존법 중 질소가스 봉입보존법에서 질소가스의 압력을 몇 kgf/cm^2로 보존하는가?

① 0.6 ② 0.15
③ 0.3 ④ 1.0

해설 질소 순도 99.5%, 압력 $0.6kgf/cm^2$

54 압력 배관용 강관의 스케줄 번호가 20, 허용응력이 $20kgf/mm^2$일 때, 이 관의 사용 압력은 몇 kgf/cm^2인가?

① 35 ② 40
③ 45 ④ 50

해설 스케줄번호(Sch. No) : 관의 두께를 나타내는 번호
Sch No = 10×P/S (P : 사용압력 kg/cm^2, S : 허용응력 kg/mm^2 = 인장강도/안전율(4))
∴ 20 = 10×P/20 ∴ P = 400/10 = 40

55 에너지이용 합리화법은 에너지의 수급을 안정시키고 에너지의 합리적이고 효율적인 이용을 증진하며 에너지소비로 인한 (A)를 줄임으로써 국민 경제의 건전한 발전 및 국민복지의 증진과 (B)의 최소화에 이바지함을 목적으로 한다. 위 ( ) 안의 A, B에 각각 들어갈 용어는?

① A=환경파괴 B=온실가스
② A=자연파괴 B=환경피해
③ A=환경피해 B=지구온난화
④ A=온실가스배출 B=환경파괴

해설 에너지이용 합리화법 목적
- 에너지의 수급안정을 기함
- 에너지의 합리적이고 효율적인 이용증진
- 에너지소비로 인한 환경피해를 줄이고 지구온난화를 최소화하려는 국제적 노력에 기여함
- 국민경제의 건전한 발전에 이바지함

56 검사대상기기관리자의 선임기준으로 맞는 것은?

① 2구역마다 1인 이상
② 1구역마다 2인 이상
③ 1구역마다 1인 이상
④ 2구역마다 2인 이상

정답 50. ④ 51. ③ 52. ③ 53. ① 54. ② 55. ③ 56. ③

해설 검사대상기기관리자 선임기준 : 산업통상자원부령으로 정하며 기준은 1구역마다 1인 이상으로 1구역은 관리자가 한 시야로 볼 수 있는 범위

57 **열사용기자재 관리규칙상 검사대상기기의 계속사용검사 신청서는 유효기간 만료 며칠 전 까지 제출해야 하는가?**

① 10일 ② 15일
③ 20일 ④ 30일

해설 계속사용검사 신청서 : 유효기간 만료 10일 전까지, 검사의 연기는 당해 연도 말까지 연기할 수 있지만 유효 기간이 만료일이 9월 1일 이후인 경우는 4월의 범위 내에서 연기하며 공단 이사장에게 제출

58 **에너지이용 합리화법상 온실가스배출 감축실적의 신청, 등록, 관리 등에 관하여 필요한 사항을 정하는 령은?**

① 대통령령
② 산업통상자원부장관령
③ 에너지관리공단 이사장령
④ 환경부장관령

59 **에너지기본법상 에너지기술개발계획에 포함되어야 할 사항으로 틀린 것은?**

① 에너지의 효율적 사용을 위한 기술개발에 관한 사항
② 신 · 재생에너지 등 환경배타적 에너지에 관련된 기술 개발에 관한 사항
③ 에너지 사용에 따른 환경오염 절감을 위한 기술개발에 관한 사항
④ 국제에너지기술협력의 촉진에 관한 사항

해설 에너지기술개발계획에 포함될 사항
- 에너지의 효율적 사용을 위한 기술개발에 관한 사항
- 신 · 재생에너지 등 환경 친화적 에너지에 관련된 기술개발에 관한 사항
- 에너지 사용에 따른 환경오염 절감을 위한 기술개발에 관한 사항
- 온실가스 배출을 줄이기 위한 기술개발에 관한 사항
- 개발된 에너지기술의 실용화의 촉진에 관한 사항
- 국제에너지기술협력의 촉진에 관한 사항
- 에너지기술에 관련된 인력 · 정보 · 시설 등 기술개발자원의 확대 및 효율적 활용에 관한 사항

60 **에너지기본법상 정부의 에너지정책을 효율적이고 체계적으로 추진하기 위하여 20년을 계획기간으로 5년마다 수립 시행하여야 하는 것은?**

① 국가온실가스배출저감 종합대책
② 에너지이용합리화 실시계획
③ 기후변화협약대응 종합계획
④ 국가에너지 기본계획

해설 국가에너지 기본계획수립 : 산업통상자원부 장관

정답 57. ① 58. ① 59. ② 60. ④

에너지관리기능사 CBT 모의고사 2회

01 연료의 단위량이 완전연소할 때 발생하는 열량을 무엇이라 하는가?

① 엔탈피 ② 발열량
③ 잠열 ④ 현열

해설 발열량(kcal/kg) : 연료의 단위량(1kcal)이 완전연소할 때의 발열량(kcal)

02 사무실 단위 면적당 열손실지수가 1m^{2}에서 150kcal/m^{2}h이라 할 때 난방 면적이 전부 50m^{2}이면 손실열량은 시간당 몇 kcal인가?

① 3000 ② 5200
③ 6800 ④ 7500

해설 150×50=7500kcal/h

03 보일러 기관 작동을 저지시키는 인터록제어에 속하지 않는 것은?

① 저수위 인터록 ② 저압력 인터록
③ 저연소 인터록 ④ 프리퍼지 인터록

해설 인터록 종류 : 저수위 인터록, 저연소 인터록, 프리퍼지 인터록, 불착화 인터록, 압력초과 인터록

04 연료를 공기 또는 산소의 존재 하에서 가열하여 다른 것에 의해 점화하지 않고 연소가 시작되는 온도는?

① 온화온도 ② 착화온도
③ 화염온도 ④ 인화온도

해설 착화온도 : 연료가 공기 또는 산소의 존재 하에서 일정온도 이상으로 상승하고 연소하는 것

05 강제순환식 수관보일러의 순환비를 구하는 식으로 옳은 것은?

① 발생증기량 / 공급급수량
② 순환수량 / 발생증기량
③ 발생증기량 / 연료사용량
④ 연료사용량 / 증기발생량

해설 순환비 : 순환수량 / 발생증기량

06 보일러의 상당증발량을 옳게 설명한 것은?

① 일정 온도의 보일러수가 최종의 증발 상태에서 증기가 되었을 때의 중량
② 시간당 증발된 보일러수의 중량
③ 보일러에서 단위시간에 발생하는 증기 또는 온수의 보유열량
④ 시간당 실제증발량이 흡수한 전 열량을 온도 100℃의 포화수를 100℃의 증기로 바꿀 때의 열량으로 나눈 값

해설 상당증발량 : 시간당 실제증발량의 전 열량은 100℃의 물을 100℃의 증기로 바꿀 때의 열량으로 나눈 값

07 어떤 액체연료를 완전연소시키기 위한 이론공기량이 10.5Nm^3/kg이고, 공기비가 1.4인 경우 실제공기량은?

① 7.5Nm^3/kg ② 14.7Nm^3/kg
③ 11.9Nm^3/kg ④ 16.0Nm^3/kg

해설

$$m = \frac{A}{A_0},\ A = A_0 \times m = 10.5 \times 1.4$$

=14.7 Nm^3/kg

정답 01. ② 02. ④ 03. ② 04. ② 05. ② 06. ④ 07. ②

08 보일러의 자동제어 중 급수제어를 나타내는 약호는?

① A.C.C ② F.W.C
③ S.T.S ④ L.C

해설
- A.C.C : 자동연소제어
- F.W.C : 급수제어
- S.T.S : 증기온도제어
- L.C : 로컬제어

09 보일러 수면계의 수면이 불안정한 원인으로 가장 적합한 것은?

① 급수가 되지 않을 경우
② 고수위가 된 경우
③ 비수가 발생한 경우
④ 분출판에서 누수가 생긴 경우

해설 비수(플라이밍)가 발생되면 수면이 요동하여 수위 판단이 어렵다.

10 다음 중 액체연료의 무화 연소방식이 아닌 것은?

① 진동 무화식 ③ 유압 무화식
③ 이유체 무화식 ④ 낙하 무화식

해설 액체연료 무화 연소방식 종류 : 진동 무화식, 유압 무화식, 이유체 무화식, 회전 무화식

11 관류 보일러의 특징에 대한 설명으로 잘못된 것은?

① 증기 취출 및 급수를 위하여 기수드럼이 필요하다.
② 부하변동에 따라 압력 변화가 심하다.
③ 양질의 급수가 필요하다.
④ 보유수량이 적어 기동시간이 짧다.

해설 관류 보일러 : 드럼이 없이 관으로만 이루어진 보일러

12 보일러의 3대 구성요소 중 부속장치에 속하지 않는 것은?

① 통풍장치 ② 급수장치
③ 자동제어장치 ④ 연소장치

해설 보일러 3대 구성요소 : 보일러 본체, 연소장치, 부속장치

13 다음 가스의 종류 중 발열량이 가장 큰 것은?

① 일산화탄소 ② 수소
③ 프로판 ④ 메탄

해설 가스발열량
- 일산화탄소(3020kcal/N^{3}m)
- 수소(3050kcal/N^{3}m)
- 프로판(23680kcal/N^{3}m)
- 메탄(9500kcal/N^{3}m)

14 1기압(atm)하에서의 물의 건포화증기엔탈피는?

① 639Kacl/Kg
② 539Kacl/Kg
③ 650Kacl/Kg
④ 450Kacl/Kg

해설 1기압(atm)하에서의 물의 건포화증기엔탈피 : 100 + 539 = 639Kacl/Kg

15 과열증기에 대한 설명으로 옳은 것은?

① 포화증기에서 온도는 바꾸지 않고 압력만 높인 증기
② 포화증기에서 압력은 바꾸지 않고 온도만 높인 증기
③ 포화증기에서 압력과 온도를 높인 증기
④ 포화증기의 압력은 낮추고 온도는 높인 증기

해설 과열증기 : 압력상승 없이 온도만 높인 증기

정답 08. ② 09. ③ 10. ④ 11. ① 12. ④ 13. ③ 14. ① 15. ②

16 **보일러 열정산을 하는 목적과 관계없는 것은?**

① 연료의 열량 계산
② 열의 손실 파악
③ 열설비 성능 파악
④ 조업 방법 개선

해설 열정산목적 : 열손실 파악, 열설비 성능 파악, 조업방법 개선

17 **매시 539Kg/h 증기를 발생시키는 보일러의 상당증발량은?(단, 온도 20℃의 급수를 공급받아 엔탈피가 700kcal/kg의 증기임)**

① 580Kg/h ② 680Kg/h
③ 780Kg/h ④ 880Kg/h

해설 $\frac{539 \times (700-20)}{539}$ = 680Kg/h

18 **유류 보일러에서 오일 프리히터가 사용되는 목적은?**

① 기름 중에 수분을 증발시킨다.
② 기름 중에 이물질을 분리한다.
③ 기름의 점도를 낮추어 무화를 좋게 한다.
④ 기름의 온도 상승을 방지한다.

해설 오일 프리히터(중유가열기) : 기름의 점도를 낮추어 유동성 증가 및 무화 촉진

19 **최근 난방 또는 급탕용으로 사용되는 진공온수보일러에 대한 설명 중 바르지 않은 것은?**

① 열매수의 온도는 운전 시 100℃ 이하이다.
② 운전 시 열매수의 급수는 불필요하다.
③ 본체의 안전장치로서 용해 전, 온도퓨즈와 안전밸브 등을 구비한다.
④ 추기장치는 내부에서 발생하는 비응축 가스 등을 외부로 배출시킨다.

20 **수관식 보일러에서 건조증기를 얻기 위하여 설치하는 것은?**

① 급수내관
② 기수 분리기
③ 수위 경보기
④ 과열 저감기

해설 기수 분리기 : 건조증기를 얻기 위하여 설치

21 **증기 보일러의 증기압력이나 급수량 조절과 가장 무관한 부품은?**

① 안전밸브 ② 압력조절기
③ 수면계 ④ 온도계

해설 온도계는 증기압력이나 급수량 조절과는 관계없이 온도측정 하는데 사용

22 **보일러의 열정산에서 출열항목 중 열손실이 아닌 것은?**

① 방열에 의한 열손실
② 배기가스의 현열손실
③ 연료의 현열손실
④ 연료의 불완전연소에 의한 열손실

해설
- 입열항목
  - 연료의 연소열(Hl)
  - 연료현열
  - 공기현열
  - 노 내 분입증기에 의한 입열
- 출열항목
  - 발생증기보유열
  - 배기가스 손실열
  - 불완전연소에 의한 손실열
  - 방사 및 전도 등에 의한 손실열

정답 16. ① 17. ② 18. ③ 19. ③ 20. ② 21. ④ 22. ③

23 **플레임 아이에 대하여 옳게 설명한 것은?**

① 연도의 가스온도로 화염의 유무를 검출한다.
② 화염의 도전성을 이용하여 화염의 유무를 검출한다.
③ 화염이 발광체임을 이용하여 화염의 방사선을 감지하여 화염의 유무를 검출한다.
④ 화염의 이온화 현상을 이용해서 화염의 유무를 검출한다.

해설 화염검출기 종류 및 이용 성질
- 플레임 아이 : 화염의 발광체 이용(화염의 복사선을 광전관으로 검출하며, 기름 가스 연료용), 광학적 성질 이용
- 플레임 로드 : 화염의 이온화 현상(화염의 전기 전도성 검출로, 가스연료용)
- 스텍 스위치 : 연료가스의 온도를 감지함(열적성질), 소용량 보일러용

24 **미분탄 연소장치의 특징에 대한 설명으로 틀린 것은?**

① 적은 과잉공기로 양호한 연소상태를 얻을 수 있다.
② 연소량의 조절이 어렵다.
③ 단위중량에 대한 표면적이 커서 공기와의 접촉이 좋다.
④ 기체, 액체연료와의 혼합연소가 용이하다.

해설 다른 고체연료 연소장치에 비해 연소량 조절이 용이한 것이 미분탄 연소장치

25 **다음 금속 중 열전도율이 가장 큰 것은?**

① 금 ② 구리
③ 알루미늄 ④ 니켈

해설 열전도율 큰 순서 : 구리 〉 금 〉 알루미늄 〉 니켈

26 **보일러의 자동제어에서 연소제어 시 조작량과 제어량의 관계가 옳은 것은?**

① 공기량－수위
② 급수량－증기온도
③ 연료량－증기압
④ 전열량－노 내압

해설 보일러 자동제어에서 제어량과 조작량

종류	제어량	조작량
증기온도제어(S.T.C)	증기온도	전열량
급수제어(F.W.C)	보일러수위	급수량
연소제어(A.C.C)	증기압력	연료량 · 공기량
	노내압력	연소 가스량

27 **통풍력을 증가시키는 방법으로 옳은 것은?**

① 연도는 짧고, 연돌은 낮게 설치한다.
② 연도는 길고, 연돌의 단면적을 작게 설치한다.
③ 배기가스의 온도는 낮춘다.
④ 연도는 짧고, 굴곡부는 적게 한다.

해설 통풍력은 연도는 짧게, 굴곡부는 적을수록 커진다.

28 **보일러 전열면의 그을음을 제거하는 장치는?**

① 수저 분출장치 ② 수트블로어
③ 절탄기 ④ 인젝터

해설 수트블로어 : 전열면 그을음 제거 장치

29 **효율이 가장 높고, 대용량 설비에 사용되는 집진장치는?**

① 전기식 집진기 ② 중력식 집진기
③ 백필터식 집진기 ④ 세정식 집진기

해설 코트렐 집진기는 전기식 집진장치로 크기가 가장 작은 분진 포집 집진장치이다.

정답 23. ③ 24. ② 25. ② 26. ③ 27. ④ 28. ② 29. ①

30 보일러 동(胴)이나 수관 등이 과열되어 그 부분의 강도가 저하됨으로써 내부 압력에 의해 외측으로 부풀어 오른 현상은?

① 압궤 ② 파열
③ 팽출 ④ 균열

해설
- 압궤 : 노통이나 화실 등이 외부압력에 의해 오목하게 들어가는 현상
- 팽출 : 과열된 부분이 냉압에 의해 부풀어 오르는 현상
- 라미네이션 : 보일러 강판이나 관이 2장의 층으로 갈라지는 현상
- 블리스터 : 보일러 강판이나 관이 2장의 층으로 갈라지면서 화염에 접합 부분이 부풀어 오르는 현상

31 동관의 이음 방법이 아닌 것은?

① 압축이음 ② 납땜이음
③ 용접이음 ④ 몰코이음

해설 몰코이음 : 스테인리스관 등에 연결이음

32 열관류율 값을 적게 하기 위한 방법으로 틀린 것은?

① 벽체의 두께를 두껍게 한다.
② 가급적 열전도율이 낮은 재료를 사용한다.
③ 가능한 한 건식구조로 완전밀폐한다.
④ 흡수성이 큰 보온재를 사용한다.

해설 흡수성이 크면 열전도율이 커져 열관류율 값이 커진다.

33 일반적인 강관 배관작업 시 KS규격에서 손작업 쇠톱날의 크기를 피팅홀의 간격으로 분류할 때 3종류에 해당되지 않는 것은?

① 200mm ② 250mm
③ 300mm ④ 350mm

해설 쇠톱종류 : 200mm, 250mm, 300mm

34 가스의 공급압력이 극히 제한된 영역에서 고압에서 중압으로, 중압에서 저압으로 감압시켜 사용 기구에 맞는 적당한 압력으로 공급하는 역할을 하는 장치는?

① 기화기 ② 가스홀더
③ 예열기 ④ 정압기

해설 정압기 : 고압, 중압, 저압으로 사용압력에 맞는 적당한 압력으로 공급하는 역할

35 배관용 패킹 재료를 선택할 때 고려할 사항으로 가장 거리가 먼 것은?

① 관 속에 흐르는 유체의 물리적인 성질
② 교체의 난이, 내압과 외압 등 기계적인 조건
③ 사용기간 및 시공방법
④ 관 속에 흐르는 유체의 화학적인 성질

해설 패킹 재료 선택 시 고려 사항 : 유체의 종류 및 성질, 기계적 조건, 내압성을 고려

36 벽걸이형 방열기를 설치할 때 바닥면에서 방열기 밑면까지의 높이는 몇 mm가 되도록 설치하는 것이 좋은가?

① 150mm ② 250mm
③ 300mm ④ 400mm

해설 벽걸이형 방열기는 바닥에서 150mm 이상 설치

37 보일러의 단관식 연료배관에 관한 설명으로 틀린 것은?

① 일반적으로 건타입 버너에 적용한다.
② 연료탱크는 버너보다 위에 설치한다.
③ 공기빼기 장치가 필요하다.
④ 낙차 급유방식의 간단한 배관이다.

정답 30. ③ 31. ④ 32. ④ 33. ④ 34. ④ 35. ③ 36. ① 37. ①

해설 단관식 연료배관은 버너에 큰 영향을 받지 않는다.

38 액면의 상하에 따라 움직이는 부자(浮子)의 작용에 의하여 밸브를 개폐시켜 액면을 일정한 높이로 유지시키는 것은?

① 버터플라이밸브
② 플로트밸브
③ 공기빼기밸브
④ 세정밸브

해설 플로트밸브 : 플로트(부자)의 부력 이용

39 어떤 온수보일러의 보유수량이 3500ℓ이다. 이 보일러수의 온도가 25℃인 것을 85℃로 가열하면 물의 팽창량은 약 몇 ℓ인가?

① 26.8 ② 36.0
③ 55.2 ④ 74.4

해설 $(\frac{1}{0.96}-\frac{1}{0.98})\times 3500=74.4$

40 보일러 보존 시 건조제로 쓰이는 것이 아닌 것은?

① 실리카겔 ② 활성알루미나
③ 염화마그네슘 ④ 염화칼슘

해설 건조제(흡수제) : 실리카겔, 활성알루미나, 염화칼슘

41 온수난방 배관 시공 시 이상적인 기울기는 얼마인가?

① 1/150 이상 ② 1/200 이상
③ 1/250 이상 ④ 1/100 이상

해설 온수난방은 1/250 이상 구배를 준다.

42 단열 재료에 기공이 크다면 열전도율은 어떻게 되겠는가?

① 똑같다.
② 작아진다.
③ 커진다.
④ 작아질 수도 있고 커질 수도 있다.

해설 단열재료 구비조건으로 독립성 고다공질이며, 기공이 적어야 열전도율이 작아진다.

43 보일러를 새로 제작 혹은 수리하였을 때는 어떤 시험을 한 후 사용하여야 하는가?

① 진공시험 ② 증발시험
③ 유압시험 ④ 수압시험

해설 보일러 제작 혹은 수리를 한 다음 수압시험 실시 후 사용한다.

44 루프형 신축이음에서 곡률 반경은 관지름의 몇 배 이상으로 하는 것이 좋은가?

① 3배 ② 4배
③ 5배 ④ 6배

해설 루프형 신축이음은 곡률 반경이 관지름의 6배 이상이 되게 한다.

45 온수난방의 특징에 대한 설명으로 틀린 것은?

① 난방 부하의 변동에 따라 온도조절이 쉽다.
② 가열시간은 짧고 잘 식지 않는다.
③ 방열기 표면온도가 낮으므로 화상의 염려가 없다.
④ 온수보일러의 취급이 용이하다.

해설 온수난방은 가열시간이 길고 잘 식지 않는다.

정답 38. ② 39. ④ 40. ③ 41. ③ 42. ③ 43. ④ 44. ④ 45. ②

46 난방부하의 발생요인 중 맞지 않는 것은?

① 벽체(외벽, 바닥, 지붕 등)를 통한 손실열량
② 극간 풍에 의한 손실열량
③ 외기(환기공기)의 도입에 의한 손실열량
④ 실내조명 등 전열 기구에서 발산되는 열 부하

해설 실내조명 및 전열 기구에서 발산되는 열 부하 처리는 냉방부하 계산에 필요하다.

47 지정된 이동거리 범위 내에서 배관의 상하 이동에 대하여 항상 일정한 하중으로 배관을 지지 하는 행거(hanger)는?

① 서포트 행거(support hanger)
② 콘스탄트 행거(constant)hanger
③ 리지드 행거(rigid hanger)
④ 스톱 행거(stop hanger)

해설
- 행거 : 배관 하중을 위에서 끌어 당겨 지지(리지드, 스프링, 콘스탄트)
- 콘스탄트 행거 : 지정된 이동거리 범위 내에서 배관의 상하 이동에 대해 항상 일정한 하중으로 배관을 지지

48 이동과 회전을 동시에 구속하여 관에 미치는 하중으로부터 지지하는 장치는?

① 행거 ② 스톱
③ 브레이스 ④ 앵커

해설
- 리스트 레인트 : 열팽창에 의한 배관의 이동을 구속(앵커, 스톱, 가이드)
- 앵커 : 이동과 회전을 구속하여 지지한다.

49 스테인리스강의 TIG 용접 시 주의사항으로 올바르지 않는 것은?

① 모재를 용접하기 전에 깨끗하게 한다.
② 용접 전 용접 부위를 청결하게 한다.
③ 용접전류는 가능한 한 고전류를 사용하고 아크 길이는 길게 한다.
④ 과열과 변형방지를 위하여 짧고 단속적인 용접을 하며 무리한 위빙을 하지 않는다.

해설 TIG 용접의 전류는 전류에 적합한 굵기의 용접봉과 아크 길이로 적당한 것

50 안전상 유연하고 질긴 가죽이고 두꺼운 포목으로 만들어진 장갑을 끼고 하여야 하는 작업은?

① 용접 작업 ② 드릴 작업
③ 밀링 작업 ④ 선반 작업

해설 용접 작업 : 안전상용접면과 용접장갑, 앞치마 등을 착용 후 작업한다.

51 안산암, 현무암, 석회석 등을 원료로 하여 용융, 압축 가공한 것으로 400℃ 이하의 관, 덕트, 탱크 등에 사용하는 보온재는?

① 규조토
② 석면
③ 암면
④ 세라믹 화이버

해설 암면 : 용융, 압축 가공한 것으로 덕트, 탱크 등 보온재로 사용

52 보일러 유류 연소장치에서 역화의 발생 원인과 가장 거리가 먼 것은?

① 흡입통풍이 부족한 경우
② 2차 공기의 예열이 부족한 경우
③ 착화가 지연된 경우
④ 협잡물의 함유비율이 높은 경우

해설 2차 공기의 예열과 역화는 무관하다.

정답 46. ④ 47. ② 48. ④ 49. ③ 50. ① 51. ③ 52. ②

53 증기난방 배관에 대한 설명 중 옳은 것은?

① 건식환수식이란 환수주관이 보일러의 표준 수위보다 낮은 위치에 배관되고 응축수가 환수주관의 하부를 따라 흐른다.

② 습식환수식이란 환수주관이 보일러의 표준 수위보다 높은 위치에 배관된다.

③ 건식환수식에서는 증기트랩을 설치하고, 습식환수식에서는 증기트랩을 설치할 필요는 없다.

④ 단관식 배관은 복관식 배관보다 배관의 길이가 길고 관경이 작다.

해설 증기난방법에서는 모든 방법에 증기트랩을 설치한다.

54 파이프의 입체적 표시에서 파이프가 도면에서 앞쪽으로 수직으로 구부러질 때의 도시기호는?

① ② ③ ④

55 에너지이용 합리화법상의 연료 단위인 티오이(TOE)란?

① 석탄환산톤

② 전력량

③ 중유환산톤

④ 석유환산톤

해설 석유환산톤(TOE)

56 에너지이용 합리화법의 위반사항과 벌칙 내용이 맞게 짝 지어진 것은?

① 효율관리기자재 판매금지 명령 위반 시－1천만 원 이하의 벌금

② 검사대상기기관리자를 선임하지 않을 시－5백만 원 이하의 벌금

③ 검사대상기기 검사의무 위반 시－1년 이하의 징역 또는 1천만 원 이하의 벌금

④ 효율관리기자재 생산명령 위반 시－5백만 원 이하의 벌금

해설 검사대상기기 검사의무 위반 시－1년 이하의 징역 또는 1천만 원 이하의 벌금형

57 에너지기본법상 "에너지 사용 기자재"의 정의로서 옳은 것은?

① 연료 및 열만을 사용하는 기자재

② 에너지를 생산하는데 사용되는 기자재

③ 에너지를 수송, 저장 및 전환하는 기자재

④ 열사용 기자재 그 밖에 에너지를 사용하는 기자재

해설 에너지 사용 기자재 : 열사용 기자재 그 밖에 에너지를 사용하는 기자재

58 검사대상기기관리자의 선임, 자격, 관리 범위 등에 대한 설명으로 틀린 것은?

① 에너지관리기능사 자격증 소지자는 모든 검사대상기기를 관리할 수 있다.

② 검사대상기기관리자의 가격기준과 선임기준은 산업통상자원부령으로 정한다.

③ 검사대상기기관리자를 선임하지 아니한 자는 1천만 원 이하의 벌금에 처한다.

④ 압력용기는 에너지관리기능사 자격증 소지자만 관리할 수 있다.

해설 압력용기는 인정검사 교육이수자 이상이면 가능하다.

정답 53. ③ 54. ① 55. ④ 56. ③ 57. ④ 58. ④

59 **평균에너지소비효율의 산정방법, 개선기간, 개선명령의 이행절차 및 공표방법 등 필요한 사항을 정하는 령으로 맞는 것은?**

① 산업통상자원부령
② 환경부령
③ 국무총리령
④ 고용노동부령

해설 평균에너지소비효율의 산정방법, 개선기간, 개선명령의 이행절차 및 공표방법 등 필요한 사항은 산업통상자원부령으로 정한다.

60 **에너지이용 합리화법상 에너지소비효율등급 또는 에너지 소비효율을 해당 효율관리기자재에 표시해야 하는 자로 옳은 것은?**

① 제조업자 또는 시공업자
② 수입업자 또는 제조업자
③ 시공업자 또는 판매업자
④ 수입업자 또는 시공업자

해설 에너지소비효율등급 또는 에너지 소비효율을 해당 효율관리기자재에 표시해야 하는 자는 수입업자 또는 제조업자이다.

정답 59. ① 60. ②

에너지관리기능사 CBT 모의고사 3회

01 수관식 보일러에서 건조증기를 얻기 위하여 설치하는 것은?

① 급수 내관 ② 기수 분리기
③ 수위 경보기 ④ 과열 저감기

해설 기수 분리기 : 비수방지관을 설치하여 증기 속에 수분을 제거하여 건조증기를 얻기 위해 설치한다.

02 어떤 보일러의 증발량이 50t/h이고, 보일러 본체의 전열면적이 730m^2일 때 보일러 전열면 증발률은 약 얼마인가?

① 68.5kgf/m^2 · h
② 49.4kgf/m^2 · h
③ 14.6kgf/m^2 · h
④ 43.7kgf/m^2 · h

해설 50000/730 = 68.5kgf/m^2 · h

03 드럼 없이 초임계 압력 이상에서 고압증기를 발생시키는 보일러는?

① 복사 보일러
② 관류 보일러
③ 수관 보일러
④ 노통 연관 보일러

해설 관류 보일러 : 드럼 없이 초임계 압력의 고압증기를 발생시키는 보일러로 벤슨, 슐처, 람진, 엣모스보일러 등이 있다.

04 연소용 공기를 노의 앞에서 불어 넣으므로 공기가 차고 깨끗하며 송풍기의 고장이 적고 점검수리가 용이한 보일러의 강제통풍 방식은?

① 압입통풍 ② 흡입통풍
③ 자연통풍 ④ 수직통풍

해설 압입통풍 : 연소용 공기를 노의 앞에서 불어 넣는 방식으로 노 내가 정압(+)이다.

05 다음의 보일러 중 드럼(drum)이 없는 보일러는?

① 코르니시 보일러
② 야로우 보일러
③ 슐처 보일러
④ 다쿠마 보일러

해설 관류 보일러 : 드럼 없이 초임계 압력의 고압증기를 발생시키는 보일러로 벤슨, 슐처, 람진, 엣모스보일러 등이 있다.

06 일반적으로 보일러에 가장 많이 사용되는 안전밸브 형식은?

① 중추식 ② 지렛대식
③ 스프링식 ④ 레버식

해설 스프링식 안전밸브를 가장 많이 사용한다.

07 보일러 제어에서 자동연소제어에 해당하는 약호는?

① A.C.C ② A.B.C
③ S.T.C ④ F.W.C

해설 A.C.C : 자동연소제어

08 다음 물질 중 비열이 가장 큰 것은?

① 동 ② 수은
③ 아연 ④ 물

정답 01. ② 02. ① 03. ② 04. ① 05. ③ 06. ③ 07. ① 08. ④

해설 물의 비열이 가장 크다(1kca/kg℃).

09 **보일러 인터록장치에서 프리퍼지 인터록은 무엇이 작동하지 않으면 전자 밸브가 열리지 않아 점화가 저지되는가?**

① 유량조절 밸브 ② 송풍기
③ 증기압력 ④ 저수위

해설 프리퍼지 인터록은 송풍기 작동 유무에 따라 작동한다.

10 **매연분출장치에서 보일러의 고온부인 과열기나 수관부용으로 고온의 열가스 통로에 사용할 때만 사용되는 매연분출장치는?**

① 정치회전형
② 롱레트랙터블형
③ 숏트레트랙터블형
④ 이동회전형

해설
- 롱레트랙블형(삽입형) : 고온부인 과열기나 수관부용으로 고온의 열가스 통로에 사용할 때 사용되며, 긴 분사관에 노즐을 설치하여, 고온 전열면 청소 시 사용
- 숏트레트랙블형 : 분사관이 짧으며 1개의 노즐을 설치하여 연소 노벽 매연분출
- 건타입형 : 일반적인 전열면 블로어로, 타고 남은 재가 많이 부착되는 보일러에 사용
- 로터리용(회전용) : 회전을 하면서 분사 청소하는 것으로 연도 등 저온 전열면 청소 시 사용

11 **구조가 간단하고 자동화에 편리하며 고속으로 회전하는 분무컵으로 연료를 비산·무화시키는 버너는?**

① 건타입 버너 ② 압력분무식 버너
③ 기류식 버너 ④ 회전식 버너

해설 회전식 버너 : 구조가 간단하고 자동화에 편리함

12 **노통연관식 보일러의 특징 설명으로 틀린 것은?**

① 전열면적이 크고 효율이 높다.
② 증기의 발생속도가 빠르다.
③ 증기량에 비해 소형이며 고성능이다.
④ 제작과 취급이 어렵다.

해설 제작과 취급이 용이하다.

13 **각종 보일러의 특징에 대한 설명으로 옳은 것은?**

① 노통보일러는 내부 청소가 힘들고 고장이 자주 생겨 수명이 짧다.
② 원통형 보일러는 본체 구조가 간단한 형식으로 파열 시 피해가 크다.
③ 수관 보일러는 전열면적이 작아 소용량 보일러에 적합하다.
④ 코르니시 및 랭커셔 보일러의 노통은 2개 이상이다.

14 **보일러 집진장치의 형식과 종류를 서로 짝지은 것으로 틀린 것은?**

① 가압수식 – 벤튜리 스크루버
② 여과식 – 타이젠 와셔
③ 원심력식 – 사이클론
④ 전기식 – 코트렐

해설 여과식 – 백필터식

15 **보일러 부속장치에 관한 설명으로 틀린 것은?**

① 배기가스로 급수를 예열하는 장치를 절탄기라고 한다.
② 배기가스의 열로 연소용 공기를 예열하는 것을 공기예열기라 한다.

정답 09. ② 10. ② 11. ④ 12. ④ 13. ② 14. ② 15. ③

③ 고압증기 터빈에서 팽창되어 압력이 저하된 증기를 재과열하는 것을 과열기라 한다.
④ 오일 프리히터는 기름을 예열하여 점도를 낮추고, 연소를 원활히 하는 데 목적이 있다.

해설 재열기 : 고압증기 터빈에서 팽창되어 압력이 저하된 증기를 재과열하는 것

16 **사용 시 예열이 필요 없고 비중이 가장 작은 중유는?**

① 타르 중유 ② A급 중유
③ B급 중유 ④ C급 중유

해설 중유 예열온도는 80~90℃(B, C 중유)이다.

17 **포화온도상태에서 증기의 건조도가 1이면 어떤 증기인가?**

① 습포화증기 ② 포화수
③ 과열증기 ④ 건조포화증기

해설
- 건조포화증기 : X = 1
- 습포화증기 : 0 〈 X 〈 1
- 포화수 : X = 0

18 **보일러 급수장치의 원리를 설명한 것으로 틀린 것은?**

① 환원기 : 수두압과 증기압력을 이용한 급수장치
② 인젝터 : 보일러의 증기에너지를 이용한 급수장치
③ 워싱턴펌프 : 기어의 회전력을 이용한 급수장치
④ 회전펌프 : 날개의 회전에 의한 원심력을 이용한 급수장치

해설 워싱턴펌프 : 왕복동으로 용적식이며 증기를 이용한 것으로 왕복식에는 왕복동, 플런저, 웨어펌프가 있다.

19 **보일러 분출장치의 설치 목적과 가장 무관한 것은?**

① 불순물로 인한 보일러수의 농축 방지
② 발생 증기의 압력 조절
③ 스케일, 슬러지 생성 방지
④ 보일러 관수의 PH 조절

해설 분출장치의 설치 목적 : 불순물로 인한 보일러수의 농축 방지, 스케일, 슬러지 생성 방지, 관수의 PH 조절, 포밍 · 프라이밍 방지

20 **대기압력을 구하는 옳은 식은?**

① 절대압력+게이지압력
② 게이지압력−절대압력
③ 절대압력−게이지압력
④ 진공도 × 대기압력

해설 대기압 = 절대압력 − 게이지압력

21 **프로판가스를 완전연소시킬 때 발생하는 것은?**

① CO와 C_3H_8
② C_4H_{10}와 CO_2
③ CO_2와 H_2O
④ CO와 CO_2

해설 $C_3H_8 + 5O_2 = 3CO_2 + 4H_2O$

22 **다음 중 LPG의 주성분이 아닌 것은?**

① 부탄 ② 프로판
③ 프로필렌 ④ 메탄

해설 LPG 주성분 : C가 3~4개인 탄화수소로 부탄, 부틸렌, 부타티엔, 프로판, 프로필렌 등이다.

정답 16. ② 17. ④ 18. ③ 19. ② 20. ③ 21. ③ 22. ④

23 보일러 압력계 부착 방법에 대한 설명으로 틀린 것은?

① 압력계의 콕은 그 핸들을 수직인 증기관과 동일 방향에 놓은 경우에 열려 있어야 한다.
② 압력계에는 안지름 12.7mm 이상의 사이폰관(동관)을 설치한다.
③ 압력계는 원칙적으로 보일러의 증기실에 눈금판의 눈금판이 잘 보이는 위치에 부착한다.
④ 증기온도가 483K(210℃)를 넘을 때에는 황동관 또는 동관을 사용하여서는 안 된다.

해설 • 강관 사이폰관 크기 : 안지름 12.7mm
• 동관 사이폰관 크기 : 안지름 6.5mm 이상

24 어떤 보일러의 매시 연료사용량이 150 kgf/h이고, 연소실 체적이 30m^3일 때 연소실 열부하는?(단, 연료의 저위 발열량은 9800Kcal/Kg이고, 공기 및 연료의 현열은 무시한다)

① 50Kcal/m^3 · h
② 327Kcal/m^3 · h
③ 1960Kcal/m^3 · h
④ 49000Kcal/m^3 · h

해설 150×9800/30=49000Kcal/m^3 · h

25 보일러 연소 자동제어의 조작량에 해당되는 것은?

① 급수량
② 연료량
③ 전열량
④ 증기온도

해설

종류	제어량	조작량
증기온도제어(STC)	증기온도	전열량
급수제어(FWC)	보일러수위	급수량
연소제어(ACC)	증기압력	공기량, 연료량
	노내압	연소가스량

26 보일러 1마력에 대한 설명으로 옳은 것은?

① 0℃의 물 15.65kgf을 1시간 동안 같은 온도의 증기로 변화시킬 수 있는 능력
② 100℃의 물 1kgf을 1시간 동안 같은 온도의 증기로 변화시킬 수 있는 능력
③ 0℃의 물 1kgf을 1시간 동안 같은 온도의 증기로 변화시킬 수 있는 능력
④ 100℃의 물 15.65kgf 을 1시간 동안 같은 온도의 증기로 변화시킬 수 있는 능력

해설 보일러 1마력 : 100℃의 물 15.65kgf을 1시간 동안 같은 온도의 증기로 변화시킬 수 있는 능력

27 보일러 효율이 85%, 실제증발량이 5t/h이고 발생증기의 엔탈피 656kcal/kgf, 급수온도 56℃, 연료의 저위발열량 9750 kcal/kgf일 때 연료 소비량은 약 얼마인가?

① 298kgf/h ② 362kgf/h
③ 389kgf/h ④ 405kgf/h

해설 5000×(656−56)/0.85×9750=362

28 자동연료차단장치가 작동하는 경우를 나열하였다. 설명이 잘못된 것은?

① 중유의 사용온도가 너무 높은 경우
② 중유의 사용온도가 너무 낮은 경우
③ 연료용 유류의 압력이 너무 낮은 경우
④ 송풍기 팬이 가동 중일 경우

정답 23. ② 24. ④ 25. ② 26. ④ 27. ② 28. ④

해설 송풍기 팬이 고장으로 정지했을 때, 자동연료 차단장치가 작동한다.

29 연료의 연소에서 환원염이란?

① 산소 부족으로 인한 화염이다.
② 공기비가 너무 클 때의 화염이다.
③ 산소가 많이 포함된 화염이다.
④ 연료를 완전연소시킬 때의 화염이다.

해설
- 환원염 : 산소 부족으로 인한 화염으로 CO가 발생하는 불완전연소
- 산화염 : 산소가 많이 포함된 화염으로 과잉 공기 시 연소

30 유류보일러의 수동조작 점화방법 설명으로 틀린 것은?

① 연소실 내의 통풍압을 조절한다.
② 점화봉에 불을 붙여 연소실 내 버너 끝의 전방하부 1m 정도에 둔다.
③ 증기분사식은 응축수를 배출한다.
④ 버너의 기동스위치를 넣거나 분무용 증기 또는 공기를 분사시킨다.

해설 점화봉에 불을 붙여 연소실 내 버너 끝의 전방하부 10cm 정도에 둔다.

31 증기난방과 비교한 온수난방의 특징 설명으로 틀린 것은?

① 물의 잠열을 이용하여 난방하는 방식이다.
② 예열에 시간이 걸리지만 쉽게 냉각되지 않는다.
③ 방열면의 표면온도가 증기의 경우에 비하여 낮다.
④ 동일 방열량에 대해 방열면적이 많이 필요하다.

해설
- 증기난방 : 물의 잠열을 이용한 난방
- 온수난방 : 물의 현열을 이용한 난방

32 강철제 보일러의 최고사용압력이 0.4MPa일 경우 이 보일러의 수압시험압력은?

① 0.2MPa ② 0.43MPa
③ 0.8MPa ④ 0.9MPa

해설 0.4MPa×2=0.8MPa

33 증기 보일러에는 원칙적으로 2개 이상의 안전밸브를 부착해야 되는 데 전열면적이 몇 m^2 이하이면 안전밸브를 1개 이상 부착해도 되는가?

① $50m^2$ ② $30m^2$
③ $80m^2$ ④ $100m^2$

해설 전열면적 $50m^2$ 이하는 안전밸브를 1개 이상 부착 가능

34 보일러 조정자의 직무로 틀린 것은?

① 압력, 수위 및 연소상태를 감시할 것
② 급격한 부하의 변동을 주지 않도록 할 것
③ 1주일에 1회 이상 수면측정장치의 기능을 점검할 것
④ 최고사용압력을 초과하지 않도록 할 것

해설 1일에 1회 이상 수면측정장치의 기능을 점검

35 보일러 운전에 있어서 에너지 절감을 위한 방법으로 부적합한 것은?

① 전열면을 청결히 유지시켜 전열효율을 높인다.
② 수질관리를 철저히 하여 전열면 내부에 스케일이 축적되지 않도록 한다.

정답 29. ① 30. ② 31. ① 32. ③ 33. ① 34. ③ 35. ③

③ 공기비를 높게 유지한다.
④ 배기가스 출구 온도를 가능한 낮춘다.

해설 공기비를 높게 유지하면 에너지 손실 요인이 된다.

36 보온재료로 사용되는 규조토의 최고 안전 사용 온도는?

① 1000℃ ② 500℃
③ 200℃ ④ 100℃

해설 규조토 : 500℃(무기질 보온재로 안전사용 온도가 200℃~800℃ 정도)

37 보일러 건식 보존법에서 건조제로 사용되는 것이 아닌 것은?

① 생석회
② 염화나트륨
③ 실리카겔
④ 염화칼슘

해설 건조제의 종류 : 생석회, 실리카겔, 소바비이트, 염화칼슘

38 보일러 발생 증기의 송기 시 워터해머 발생 방지를 위한 조치로 틀린 것은?

① 증기를 보내기 전에 증기를 보내는 주증기관, 드레인밸브를 열고 응축수를 완전히 배출시킨다.
② 주증기관 내에 소량의 증기를 보내어 관을 따뜻하게 한다.
③ 바이패스밸브가 설치되어 있는 경우에는 먼저 바이패스밸브를 열어 주증기관을 예열한다.
④ 관이 따뜻해지면 주증기밸브를 단번에 완전히 열어 둔다.

해설 주증기의 밸브는 서서히 연다.

39 압력계와 연결된 증기관은 최고 사용압력에 견디는 것으로서 동관을 사용할 때 안지름 몇 mm 이상의 것을 사용하여야 하는가?

① 2.5 ② 3.5
③ 5.5 ④ 6.5

해설 동관 사이폰관 크기 : 안지름 6.5mm 이상

40 다음 중 난방부하 계산과 거리가 먼 것은?

① 건물의 벽체에 의한 열손실
② 건물 내 에어컨 사용에 의한 열손실
③ 건물의 유리창에 의한 열손실
④ 건물의 천장 및 바닥에 의한 열손실

해설 난방부하 계산항목 : 건물의 벽체에 의한 열손실, 건물의 유리창에 의한 열손실, 건물의 천장, 바닥에 의한 열손실, 극간풍에 의한 손실열 등

41 주증기관으로 증기와 함께 수분 및 불순물이 함께 수분 및 불순물이 함께 취출되는 현상은?

① 수격작용 ② 프라이밍
③ 캐리오버 ④ 포밍

해설 캐리오버 : 증기와 함께 수분, 불순물이 함께 취출되는 현상

42 보일러에서 라미네이션(lamination)이란?

① 보일러 본체나 수관 등이 사용 중에 내부에서 2장의 층을 형성한 것
② 보일러 강판이 화염에 닿아 불룩 튀어나온 것
③ 보일러 동에 작용하는 응력의 불균일로 동의 일부가 함몰된 것
④ 보일러 강판이 화염에 접촉하여 점식된 것

정답 36. ② 37. ② 38. ④ 39. ④ 40. ② 41. ③ 42. ①

해설 보일러손상
- 압궤 : 노통이나 화실 등이 외부압력에 의해 오목하게 들어가는 현상
- 팽출 : 과열된 부분이 냉압에 의해 부풀어 오르는 현상
- 라미네이션 : 보일러 강판이나 관이 2장의 층으로 갈라지는 현상
- 블리스터 : 보일러 강판이나 관이 2장의 층으로 갈라지면서 화염에 접합 부분이 부풀어 오르는 현상

43 천장이나 벽, 바닥 등에 코일을 매설하여 온수 등 열매체를 이용하여 복사열에 의해 실내를 난방하는 것은?

① 대류난방 ② 복사난방
② 간접난방 ④ 전도난방

해설 복사난방 : 천장이나 벽, 바닥 등에 코일을 매설하여 온수 등 열매체를 이용한 난방이다.

44 벽걸이 횡형 주철제 방열기의 호칭 기호는?

① W－H ② W－V
③ H × W ④ H × V

해설
- W－H : 벽걸이 횡형
- W－V : 벽걸이 종형

45 증기난방 방식에서 응축수 환수방법의 종류에 해당되지 않는 것은?

① 중력환수식 ② 습식환수식
③ 기계환수식 ④ 진공환수식

해설 응축수 환수법의 종류 : 중력환수식, 기계환수식, 진공환수식

46 증기난방의 분류로 틀린 것은?

① 증기압력 ② 배관방법
③ 응축수 환수법 ④ 송수관 배관법

해설 송수관 배관법은 온수난방의 분류이다.

47 중앙집중식 난방의 간접 난방기기에 속하는 것은?

① 난로 ② 증기보일러
③ 온수보일러 ④ 공기조화기

해설 중앙식 난방법
- 직접 난방법 : 실내에 방열기를 설치하여 배관을 통해 증기, 온수를 공급하여 난방이다.
- 간접 난방법(공기조화에 의한 덕트 난방) : 열기에 의해 공기가 온풍이 되어 덕트 시설을 통하여 공기의 습도, 청정도, 온도를 조절한다.
- 복사난방(방사난방) : 천정이나 벽, 바닥 등에 코일을 매설하여 온수 등 열매체를 이용하여 복사열에 의해 난방한다.

48 보일러 연소 중에 발생하는 맥동연소의 원인이 아닌 것은?

① 연료 속의 수분이 많은 경우
② 연료량이 심히 고르지 못한 경우
③ 공급공기량에 심한 과부족이 생긴 경우
④ 연도 단면의 변화가 작은 경우

해설 연도 단면의 변화가 큰 경우

49 보일러 용수처리 중 관 외처리 방법이 아닌 것은?

① 이온교환법 ② 침전법
③ 탈기법 ④ 청관제 투입법

해설 청관제 투입법은 관 내처리법이다.

50 보일러의 배기가스 통로에서 에너지를 절약하는 방안과 가장 거리가 먼 것은?

① 배기가스 배출 연도에 온도계를 부착하여 가급적 낮은 온도로 배기가스를 배출한다.
② 배기가스 배출 연도에 절탄기를 설치한다.

정답 43. ② 44. ① 45. ② 46. ④ 47. ④ 48. ④ 49. ④ 50. ④

③ 배기가스 배출 연도에 공기예열기를 설치한다.
④ 배기가스 연도에 집진기를 설치한다.

해설 집진기 설치는 대기오염방지 차원이라 에너지 절감과는 별개의 문제이다.

51 보일러 파열사고 중 구조상의 결함에 의한 파열 사고가 아닌 것은?

① 취급 불량 ② 설계 불량
③ 재료 불량 ④ 공작 불량

해설 취급 불량은 취급상 원인이다.

52 개방형 팽창탱크는 최고층의 방열기에서 탱크 수면까지의 높이가 몇 m 이상인 곳에 설치하는가?

① 1m ② 2m
③ 3m ④ 6m

해설 개방형 팽창탱크 높이는 최고층 방열기와 높이가 1m 이상이다.

53 주철제 보일러에서 보일러 표면온도는 보일러 주위 온도와의 차가 몇 도(℃) 이하여야 하는가?

① 30 ② 35
③ 40 ④ 50

54 보일러의 정상운전 시 수면계에 나타나는 수위의 위치는?

① 수면계의 최상위
② 수면계의 최하위
③ 수면계의 중간
④ 수면계 하부의 1/3 위치

해설 보일러정상(상용) 수위 : 수면계의 중간(1/2)

55 에너지이용 합리화법에 규정된 특정열사용기자재 구분 중 기관에 포함되지 않는 것은?

① 온수보일러
② 태양열 집열기
③ 1종 압력용기
④ 구멍탄용 온수보일러

해설 압력용기 : 1종, 2종

56 에너지이용 합리화법상 산업통상자원부장관이 지정하는, 효율관리기자재의 에너지의 소비효율, 사용량, 소비효율등급 등을 측정하는 기관은?

① 확인 기관 ② 진단 기관
③ 점검 기관 ④ 시험 기관

해설 효율관리기자재의 에너지의 소비효율, 사용량, 소비효율등급 등을 측정은 시험 기관에서 실시한다.

57 에너지기본법에서 지역에너지계획을 수립하여야 하는 자는?

① 에너지관리공단이사장
② 산업통상자원부장관
③ 행정안전부장관
④ 특별시장, 광역시장 또는 도지사

해설 지역에너지계획 수립은 관할 시·도지사가 5년 이상의 계획기간으로 5년마다 수립한다.

58 사용량이 대통령령이 정하는 기준량 이상인 자는 산업통상자원부령이 정하는 바에 따라 전년도 에너지 사용량 등을 매년 언제까지 신고해야 하는가?

① 1월 31일 ② 3월 31일
③ 7월 31일 ④ 12월 31일

정답 51. ① 52. ① 53. ① 54. ③ 55. ③ 56. ④ 57. ④ 58. ①

59 에너지이용 합리화법상 국민의 책무는?

① 에너지절약형 기기 생산을 위해 노력
② 대체 에너지 개발을 위해 노력
③ 에너지의 합리적인 이용을 위해 노력
④ 에너지의 생산을 위해 노력

해설 국민의 책무 : 에너지의 합리적인 이용을 위해 노력한다.

60 검사에 합격하지 아니 한 검사대상기기를 사용한 자에 대한 벌칙은?

① 5백만 원 이하의 벌금
② 1년 이하의 징역 또는 1천만 원 이하의 벌금
③ 2년 이하의 징역 또는 2천만 원 이하의 벌금
④ 3백만 원 이하의 과태료

정답 59. ③ 60. ②

에너지관리기능사 CBT 모의고사 4회

01 증기의 압력이 높아질 때 나타나는 현상 중 틀린 것은?

① 포화온도 상승
② 증발잠열의 감소
③ 연료의 소비 증가
④ 엔탈피 감소

해설 증기압 높을 때 현상 : 포화온도 상승, 증발잠열의 감소, 연료소비 증가, 엔탈피 증가

02 소요전력이 40㎾이고, 효율이 80%, 흡입양정이 6m, 토출양정이 20m인 보일러 급수펌프의 송출량은 약 몇 m^3/min 인가?

① 0.13　② 7.53
③ 8.50　④ 11.77

해설 40×102×0.8×60 / 26×1000=7.53

03 일명 다량트랩이라고도 하며 부력(浮力)을 이용한 트랩은?

① 바이패스형
② 벨로즈식
③ 오리피스형
④ 플로트식

해설 플로트식 트랩(다량트랩) : 기계적 트랩

04 보일러 1마력을 열량으로 환산하면 약 몇 kcal/h인가?

① 15.65　② 539
③ 1078　④ 8435

해설 보일러 1마력의 열량 : 15.65×539=8435

05 500kg의 물을 20℃에서 84℃로 가열하는데 40000kcal의 열을 공급했을 경우 이 설비의 열효율은?

① 70%　② 75%
③ 80%　④ 85%

해설 (500×64×1/40000)×100%=80%

06 연료의 고위발열량으로부터 저위발열량을 계산할 때 가장 관계가 있는 성분은?

① 산소　② 수소
③ 유황　④ 탄소

해설 Hh=Hl+600(9H+W)에서 수소나 물에 의한 수증기 증발잠열 값 차이

07 보일러 자동제어에서 인터록의 종류가 아닌 것은?

① 저온도 인터록　② 불착화 인터록
③ 저수위 인터록　④ 압력초과 인터록

해설 인터록의 종류 : 저연소 인터록, 불착화 인터록, 저수위 인터록, 압력초과 인터록, 프리퍼지 인터록

08 자동제어의 비례동작(P동작)에서 조작량(Y)은 제어편차량(e)과 어떤 관계가 있는가?

① 제곱에 비례한다.
② 비례한다.
③ 평방근에 비례한다.
④ 평방근에 반비례한다.

해설 비례동작(P동작) : 조작량이 제어 편차량에 비례하는 동작(잔류편차가 생긴다)

정답 01. ④ 02. ② 03. ④ 04. ④ 05. ③ 06. ② 07. ① 08. ②

09 일반적으로 보일러의 안전장치에 속하지 않는 것은?

① 기수분리기 ② 압력제한기
③ 저수위 경보기 ④ 방폭문

해설 기수분리기는 송기장치이다.

10 증기보일러의 상당증발량 계산식으로 옳은 것은?(단, G : 실제증발량(kgf/h), i_1: 급수의 엔탈피(kcal/kgf), i_2: 발생 증기의 엔탈피(kcal/kgf))

① $G(i_2-i_1)$
② $539\times G(i_2-i_1)$
③ $G(i_2-i_1)/539$
④ $639\times G/(i_2-i_1)$

해설 상당증발량 : $G(i_2-i_1)/539$

11 다음 보일러 중 수관식 보일러에 해당되지 않는 것은?

① 코르니시 보일러
② 슐처 보일러
③ 다쿠마 보일러
④ 라몽트 보일러

해설 코르니시 보일러는 노통보일러이다.

12 연소가스의 흐름 방향에 따른 과열기의 종류 중 연소가스와 과열기 내 증기의 흐름 방향이 같으며 가스에 의한 소손은 적으나 열의 이용도가 낮은 것은?

① 대류식 ② 향류식
③ 병류식 ④ 혼류식

해설
- 병류식 : 연소가스와 증기의 흐름방향이 같다.
- 향류식 : 연소가스와 증기의 흐름방향이 반대
- 혼류식 : 병류식과 향류식을 혼합한 형식

13 다음 중 완전연소 시의 실제공기비가 가장 낮은 연료는?

① 중유 ② 경유
③ 코크스 ④ 프로판

해설 공기비
- 고체연료 : 1.5~2
- 액체연료 : 1.2~1.4
- 기체연료 : 1.1~1.2

14 다음 중 가장 미세한 입자의 먼지를 집진할 수 있고, 압력 손실이 작으며, 집진효율이 높은 집진장치의 형식은?

① 전기식 ② 중력식
③ 세정식 ④ 사이클론식

해설 전기식(코트넬식) : 집진효율이 높고, 미세한 분진 처리가 가능하다.

15 보일러를 구조 및 형식에 따라 분류할 때, 특수 보일러에 해당되는 것은?

① 노통 보일러 ② 관류 보일러
③ 연관 보일러 ④ 폐열 보일러

해설 특수 보일러 : 폐열 보일러, 간접가열식(슈미트, 레플러), 열매체 보일러

16 유류보일러의 자동장치 점화방법의 순서가 맞는 것은?

① 송풍기 기동 → 연료펌프 기동 → 프리퍼지→ 점화용 버너 착화 → 주버너 착화
② 송풍기 기동 → 프리퍼지 → 점화용 버너 착화 → 연료펌프 기동 → 주버너 착화
③ 연료펌프 기동 → 점화용 버너 착화 → 프리퍼지 → 주버너 착화 → 송풍기 기동

정답 09. ① 10. ③ 11. ① 12. ③ 13. ④ 14. ① 15. ④ 16. ①

④ 연료펌프 기동 → 주버너 착화 → 점화용 버너 착화 → 프리퍼지 → 송풍기 기동

해설 자동장치 점화방법 : 송풍기 기동 → 연료펌프 기동 → 프리퍼지→ 주버너 작동 → 노 내압 조정 → 점화용 버너 착화 → 주버너 착화

17 **표준대기압 하에서 물이 끓는 온도를 절대온도(K)로 바르게 나타낸 것은?**

① 212K ② 273K
③ 373K ④ 671.67K

해설 273℃+100=373K

18 **수트블로어 장치를 사용할 때의 주의사항으로 틀린 것은?**

① 부하가 적거나(50% 이하) 소화 후 사용한다.
② 분출기 내의 응축수를 배출시킨 후 사용한다.
③ 분출하기 전 연도 내 배풍기를 사용하여 유인통풍을 증가시킨다.
④ 한 곳으로 집중적으로 사용하여 전열면에 무리를 가하지 않는다.

해설 부하가 50% 이하로 적을 시 수트블로어를 하지 않는다.

19 **보일러 구조에 대한 설명 중 잘못 된 것은?**

① 노통 접합부는 아담슨 조인트(Adamson joint)로 연결하여 열에 의한 신축을 흡수한다.
② 코르니시 보일러는 노통을 편심으로 설치하여 보일러수의 순환이 잘 되도록 한다.
③ 겔로웨이관은 전열면을 증대하고 강도를 보강한다.
④ 강수관의 내부는 열 가스가 통과하여 보일러수 순환을 증진한다.

해설 수관에는 강수관, 승수관이 있어 내부에 물이 통과하고, 외부에는 열 가스가 통과한다.

20 **다음 보일러 중 노통연관식 보일러는?**

① 코르니시 보일러
② 랭커셔 보일러
③ 스코치 보일러
④ 다쿠마 보일러

해설
• 코르니시 보일러 : 연관보일러
• 랭커셔 보일러 : 노통보일러
• 다쿠마 보일러 : 자연순환식 수관보일러

21 **다음 중 과열도를 바르게 표현한 식은?**

① 과열도=포화증기온도−과열증기온도
② 과열도=포화증기온도−압축수의 온도
③ 과열도=과열증기온도−압축수의 온도
④ 과열도=과열증기온도−포화증기온도

해설
• 과열도=과열증기온도−포화증기온도
• 과열증기 : 건조포화증기에서 온도만 상승한 증기

22 **다음과 같은 특징을 갖고 있는 통풍방식은?**

> ① 연도의 끝이나 연돌하부에 송풍기를 설치한다.
> ② 연도 내의 압력은 대기압보다 낮게 유지된다.
> ③ 매연이나 부식성이 강한 배기가스가 통과하므로 송풍기의 고장이 자주 발생한다.

① 자연통풍 ② 압입통풍
③ 흡입통풍 ④ 평형통풍

정답 17. ③ 18. ① 19. ④ 20. ③ 21. ④ 22. ③

해설 • 압입통풍 : 송풍기를 노 앞에서 대기압 이상으로 밀어 넣는 형식(정압+)
• 흡입(유입, 흡인)통풍 : 송풍기를 연돌 하부에서 연소가스를 빨아내는 형식(부압−)
• 평형통풍 : 압입과 흡입의 통풍을 병합한 형식(정압+, 부압−)가능

23 보일러 열정산에서 입열 항목으로 볼 수 없는 것은?

① 연료의 연소열
② 연료의 현열
③ 공기의 현열
④ 불완전연소에 의한 열손실

해설 • 입열항목 : 연료의 연소열, 연료의 현열, 공기의 현열, 노 내 분입 증기의 보유열
• 불완전연소에 의한 열손실은 출열항목이다.

24 다음 제어동작 중 연속제어 특성과 관계가 없는 것은?

① P 동작(비례 동작)
② I 동작(적분 동작)
③ D 동작(미분 동작)
④ ON−OFF 동작(2위치 동작)

해설 ON−OFF 동작(2위치 동작)은 불연속동작이다.

25 보일러 시스템에서 공기예열기 설치 사용 시 특징 설명으로 틀린 것은?

① 연소효율을 높일 수 있다.
② 저온부식이 방지된다.
③ 예열공기의 공급으로 불완전연소가 감소된다.
④ 노 내의 연소속도를 빠르게 할 수 있다.

해설 공기예열기는 연료성분 중 황성분이 많으면 저온부식이 발생되는 곳이다.

26 보일러용 가스버너 중 외부혼합식에 속하지 않는 것은?

① 파일럿 버너
② 센터파이어형 버너
③ 링 버너
④ 멀티스폿형 버너

해설 파일럿 버너는 점화용 버너로 내부혼합식이다.

27 보일러 자동제어의 급수제어에서 조작량은?

① 공기량 ② 연료량
③ 전열량 ④ 급수량

해설

종류	제어대상	조작량
증기온도제어(STC)	증기온도	전열량
급수제어(FWC)	보일러수위	급수량
연소제어(ACC)	증기압력	공기량, 연료량
	노 내압	연소가스량

28 보일러 압력계의 시험시기가 아닌 것은?

① 압력계 지침의 움직임이 민감할 때
② 계속사용 검사를 할 때
③ 장시간 휴지 후 사용하고자 할 때
④ 안전밸브의 실제 분출압력과 설정압력이 맞지 않을 때

해설 압력계 지침의 움직임이 둔할 때

29 탄소(C) 1kg을 완전연소시키는데 필요한 산소량은 약 몇 kg인가?

① 2.67 ② 4.67
③ 6.67 ④ 8.67

해설 • $C+O_2 \rightarrow CO_2$
• 12kg+32kg → 44kg
• 1kg+?kg → 44kg
∴ ? =32/12=2.67

정답 23. ④ 24. ④ 25. ② 26. ① 27. ④ 28. ① 29. ①

30 증기 난방법을 응축수의 환수 방식에 따라 분류할 때 해당되지 않는 것은?

① 복관환수식 ② 중력환수식
③ 진공환수식 ④ 기계환수식

해설 증기난방 응축수 환수방식 분류 : 중력환수식, 진공환수식, 기계환수식

31 소용량 보일러에 부착하는 압력계의 최고 눈금은 보일러 최고사용압력의 몇 배로 하는가?

① 1~1.5배 ② 1.5~3배
③ 4~5배 ④ 5~6배

해설 압력계 눈금범위 : 1.5~3배

32 물의 온도가 393K를 초과하는 온수보일러에는 크기가 몇 mm 이상인 안전밸브를 설치하여야 하는가?

① 5 ② 10
③ 15 ④ 20

해설 온도 393K(120℃) 초과 시 안전밸브 크기 : 20mm 이상

33 보일러의 외부부식 방지대책으로 틀린 것은?

① 습기나 수분이 노 내나 연도 내에 침입하지 못하게 한다.
② 유황분이나 바나듐분 등의 유해물이 함유되지 않은 연료를 사용한다.
③ 전열면에 그을음이나 회분을 부착시키지 않도록 한다.
④ 중유에 적당한 첨가제를 가해서 황산증기의 노점을 증가시킨다.

해설 황산증기의 노점온도를 낮춰 저온부식을 방지한다.

34 보일러 역화의 원인에 해당되지 않는 것은?

① 프리퍼지가 불충분한 경우
② 점화할 때 착화가 지연되었을 경우
③ 연도 댐퍼의 개도가 너무 좁은 경우
④ 점화원을 사용한 경우

35 보일러 및 압력용기의 내부청소에 대한 일반적인 방법으로 틀린 것은?

① 수관의 청소작업에는 튜브클리너를 사용한다.
② 통풍면에 접하는 부분은 스케일이 부착된 것이 많으므로 주의 깊고 신중하게 청소한다.
③ 부드러운 부착물은 스크래퍼를 이용하여 물을 뿌리면서 작업한다.
④ 용접이음, 리벳 이음부는 특별히 신중하게 청소한다.

해설 물을 뿌리면 압력용기 내부 부식을 일으킬 수 있다.

36 보일러의 연소 시 주의사항 중 급격한 연소가 되어서는 안 되는 이유로 가장 옳은 것은?

① 보일러수의 순환을 해친다.
② 급수탱크의 파손의 원인이 된다.
③ 보일러나 벽돌에 악영향을 주고 파괴의 원인이 된다.
④ 보일러 효율을 증가시킨다.

37 점화준비에서 보일러 내의 급수를 하려고 한다. 이때의 주의사항으로 잘못된 것은?

① 과열기의 공기밸브를 닫는다.
② 급수예열기는 공기밸브, 물 빼기 밸브로 공기를 제거하고 물을 가득 채운다.

정답 30. ① 31. ② 32. ④ 33. ④ 34. ④ 35. ③ 36. ③ 37. ①

③ 열매체 보일러인 경우 열매를 넣기 전에 보일러 내에 수분이 없음을 확인한다.
④ 본체 상부의 공기밸브를 열어둔다.

해설 과열기의 공기밸브를 열고 공기배출 후 닫는다.

38 **보일러의 설비면에서 수격작용의 예방조치로 틀린 것은?**

① 증기배관에는 충분한 보온을 취한다.
② 증기관에는 중간을 낮게 하는 배관방법은 드레인이고, 고이기 쉬우므로 피해야 한다.
③ 증기관은 증기가 흐르는 방향으로 경사가 지도록 한다.
④ 대형밸브나 증기 헤더에도 드레인 배출장치 설치를 피해야 한다.

해설 대형밸브나 증기 헤더에도 드레인 배출장치가 필요하다.

39 **보일러의 매체별 분류 시 해당하지 않는 것은?**

① 증기보일러
② 가스보일러
③ 열매체보일러
④ 온수보일러

해설 가스보일러는 사용에 따른 분류에 해당한다.

40 **진공환수식 증기 난방장치에 있어서 부득이 방열기보다 상부에 환수관을 배관해야만 할 때 리프트 이음을 사용한다. 리프트 이음의 1단 흡상 높이는 몇 m 이하로 하는가?**

① 1.0 ② 1.5
③ 2.0 ④ 3.0

해설 리프트 이음의 1단 높이는 1.5m 이하이다.

41 **증기난방과 비교한 온수난방의 특징 설명으로 틀린 것은?**

① 예열시간이 길다.
② 건물 높이에 제한을 받지 않는다.
③ 난방부하 변동에 따른 온도조절이 용이하다.
④ 실내 쾌감도가 높다.

해설 온수난방은 건물 높이에 제한을 받는다.

42 **포화온도 105℃인 증기난방 방열기의 상당방열면적이 20m^{2}일 경우 시간당 발생하는 응축수량은 약 kg/h 인가?(단, 105℃ 증기의 증발잠열은 535.6kcal/kg이다.)**

① 10.37 ② 20.57
③ 12.17 ④ 24.27

해설 $650/535.6 = 1.213$: $1.213 \times 20 = 24.27$

43 **알칼리열화라고도 하며 보일러에 발생하는 응력부식의 일종으로 고농도의 알칼리성에 의해 리벳 이음판의 틈새나 리벳머리의 아래쪽에 보일러수가 침입하여 알칼리와 이음부 등의 반복응력에 의해 재료의 결정입계에 따라 균열이 생기는 현상은?**

① 가성취하 ② 고온부식
③ 백 파이어 ④ 피팅

해설 가성취하 : 알칼리도가 높아 리벳 이음이나 재료의 결정 입계에 부식을 일으키는 현상

44 **증기난방의 방열기 부속품으로서 저온의 공기도 통과시키는 특성이 있어 에어리턴식이나 진공환수식 증기배관의 방열기나 관말트랩에 사용 트랩은?**

① 플로트 트랩
② 수봉식 증기 트랩

정답 38. ④ 39. ② 40. ② 41. ② 42. ④ 43. ① 44. ④

③ 버킷 트랩
④ 열동식 트랩

해설 열동식 트랩(실로폰 트랩) : 증기배관의 방열기나 관말 트랩

45 **온수보일러의 설치에 대한 설명 중 잘못된 것은?**

① 기초가 약하여 내려앉거나 갈라지지 않아야 한다.
② 수관식 보일러의 경우 전열면의 청소가 용이한 구조일 경우에도 반드시 청소할 수 있는 구멍이 있어야 한다.
③ 보일러 사용압력이 어떠한 경우에도 최고사용압력을 초과할 수 없도록 설치하여야 한다.
④ 보일러는 바닥 지지물에 반드시 고정되어야 한다.

해설 청소가 용이한 구조일 때 반드시 맨홀을 설치할 필요는 없다.

46 **난방부하가 9000kcal/h인 장소에서 온수 방열기를 설치하는 경우 필요한 방열기 쪽수는?(단, 방열기 1쪽 당 표면적은 0.2m^{2}이고, 방열량은 표준방열량으로 계산한다.)**

① 70　　② 100
③ 110　　④ 120

해설 EDR = 9000/450 × 0.2 = 100

47 **난방방법을 분류할 때 중앙식 난방 방식의 종류가 아닌 것은?**

① 개별 난방법
② 증기 난방법
③ 온수 난방법
④ 공기 조화기

해설 난방 방식의 분류
- 개별식 난방법 : 석탄, 가스, 석유, 전열 등의 난로에 의한 소규모 난방
- 중앙식 난방법
  * 직접 난방법 : 실내에 방열기를 설치하여 배관을 통해 증기, 온수를 공급하여 난방
  * 간접 난방법(공기조화에 의한 덕트 난방) : 열기에 의해 공기가 온풍이 되어 덕트 시설을 통하여 공기의 습도, 청정도, 온도를 조절
- 복사난방 (방사난방) : 천정이나 벽, 바닥 등에 코일을 매설하여 온수 등 열매체를 이용하여 복사열에 의해 난방

48 **유류연소 수동보일러의 운전정지 내용으로 잘못된 것은?**

① 운전정지 직전에 유류예열기의 전원을 차단하고 유류예열기의 온도를 낮춘다.
② 연소실내, 연도를 환기시키고 댐퍼를 닫는다.
③ 보일러 수위를 정상수위보다 조금 낮추고 버너의 운전을 정지한다.
④ 연소실에서 버너를 분리하여 청소를 하고 기름이 누설 되는지 점검한다.

해설 정상수위보다 조금 높게 유지하면서 버너 운전을 정지한다.

49 **보일러 가스폭발 방지에 관한 설명으로 잘못된 것은?**

① 점화할 때는 미리 충분한 프리퍼지를 한다.
② 연료 속의 수분이나 슬러지 등은 충분히 배출한다.
③ 배관이나 버너 각부의 밸브는 그 개폐 상태에 이상이 없는가를 확인한다.
④ 연소량을 증가시킬 경우에는 먼저 연료량을 증가시킨 후에 공기 공급량을 증가시킨다.

정답 45. ② 46. ② 47. ① 48. ③ 49. ④

해설 먼저 공기량을 증가시킨 후에 연료량을 증가시킨다.

50 보일러 운전정지 순서를 바르게 나열한 것은?

㉠ 공기의 공급을 정지한다. ㉡ 댐퍼를 닫는다. ㉢ 급수를 한다. ㉣ 연료의 공급을 정지한다.

① ㉠, ㉡, ㉢, ㉣
② ㉠, ㉣, ㉡, ㉢
③ ㉣, ㉠, ㉢, ㉡
④ ㉣, ㉡, ㉢, ㉠

해설 연료공급정지 → 공기공급정지 → 급수 → 댐퍼 닫음

51 보일러 급수 중에 칼슘염이 용해되어 있으면 보일러에 어떤 해를 주는 주된 원인이 되는가?

① 점식의 원인이 된다.
② 가성취하와 부식의 원인이 된다.
③ 스케일 생성과 과열의 원인이 된다.
④ 알칼리 부식의 원인이 된다.

해설 칼슘염, 마그네슘염은 관석의 원인이 된다.

52 보일러의 손실열 항목 중 손실열이 가장 큰 것은?

① 급격한 외기 온도 저하에 의한 손실열
② 불완전연소에 의한 손실열
③ 방산에 의한 손실열
④ 배기가스에 의한 손실열

해설 배기가스 손실열이 가장 큰 출열 항목이다.

53 온수난방설비에서 물의 밀도 차나 낙차만으로 순환이 어려운 경우 펌프 등을 이용하여 순환을 행하는 온수순환 방식은?

① 단관식 ② 복관식
③ 강제순환식 ④ 중력순환식

해설 강제순환식 : 펌프 등을 이용한 순환 방식

54 보일러 계속사용검사기준에서 사용 중 외부검사에 대한 설명으로 틀린 것은?

① 벽돌 쌓음에서 벽돌의 이탈, 심한 마모 또는 파손이 없어야 한다.
② 모든 배관계통의 관 및 이음쇠 부분에 누설 및 누수가 없어야 한다.
③ 보일러는 깨끗하게 청소된 상태이어야 하며 사용상에 현저한 구상부식이 있어야 한다.
④ 시험용 해머로 스테이볼트 한쪽 끝을 가볍게 두들겨 보아 이상이 없어야 한다.

55 에너지이용 합리화법상 효율관리기자개의 광고 시에 광고내용에 에너지 소비효율, 사용량에 따른 등급 등을 포함시켜야 할 의무가 있는 자가 아닌 것은?

① 효율관리기자재 제조업자
② 효율관리기자재 광고업자
③ 효율관리기자재 수입업자
④ 효율관리기자재 판매업자

56 에너지이용 합리화법 시행령에서 에너지 다소비업자라함은 연간 에너지(연료 및 열과 전기의 합) 사용량이 얼마 이상인 경우 인가?

① 3천TOE ② 2천TOE
③ 1천TOE ④ 1천5백TOE

정답 50. ③ 51. ③ 52. ④ 53. ③ 54. ③ 55. ② 56. ②

57 에너지절약 전문기업의 등록은 누구에게 하도록 위임되어 있는가?

① 산업통상자원부 장관
② 에너지관리공단 이사장
③ 시공업자단체의 장
④ 시 · 도지사

해설 에너지절약 전문기업의 등록 : 에너지관리공단

58 제3종 난방 시공업자가 시공할 수 있는 열사용기자재 품목은?

① 강철제 보일러
② 주철제 보일러
③ 2종 압력용기
④ 금속요로

해설 3종 난방 시공업 : 요업요로, 금속요로

59 에너지이용 합리화법의 기본 목적과 가장 거리가 먼 것은?

① 에너지소비로 인한 환경피해 감소
② 에너지의 수급안정
③ 에너지원의 개발촉진
④ 에너지의 효율적인 이용증진

60 에너지기본법상 정부의 에너지정책을 효율적이고 체계적으로 추진하기 위하여 20년을 계획기간으로 5년마다 수립 · 시행하는 것은?

① 국가온실가스배출저감 종합대책
② 에너지이용 합리화 실시계획
③ 기후변화 협약대응 종합계획
④ 에너지기본계획

정답 57. ② 58. ④ 59. ③ 60. ④

에너지관리기능사 CBT 모의고사 5회

01 **보일러 분출의 목적으로 틀린 것은?**

① 불순물로 인한 보일러수의 농축을 방지한다.
② 전열면에 스케일 생성을 방지한다.
③ 포밍이나 프라이밍의 생성을 좋게 한다.
④ 관수의 순환을 좋게 한다.

해설 보일러수의 농축을 방지하여 포밍이나 프라이밍 생성을 방지한다.

02 **후향 날개 형식으로 된 송풍기로 효율이 60~75% 정도로 좋으며, 고압 대용량에 적합하고 적은 동력으로도 운전할 수 있는 송풍기는?**

① 다익형 송풍기
② 축류형 송풍기
③ 터보형 송풍기
④ 플레이트형 송풍기

해설 • 송풍기 종류
- 다익형(실로코형) : 전향날개형(날개각도 > 90°)
- 방사형(플레이트형) : 날개가 방사형(날개각도 = 90°)
- 터보형 : 후향날개형(날개각도 < 90°)

• 효율, 풍압 : 터보 > 방사 > 실로코

03 **노통 보일러 가셋트 스테이 사이의 공간으로 브리딩 스페이스는 몇 mm 이상의 간격을 주어야 하는가?(단, 경판의 두께는 13mm 이하로 한다.)**

① 80 ② 130
③ 180 ④ 230

해설 • 경판두께 13mm 이하 : 230mm
• 경판두께 15mm 이하 : 260mm
• 경판두께 17mm 이하 : 280mm
• 경판두께 19mm 이하 : 300mm

04 **30마력(PS)인 기관이 1시간 동안 행한 일량을 열량으로 환산하면 약 몇 kcal인가?(단, 이 과정에서 행한 일량은 모두 열량으로 변환된다고 가정한다.)**

① 14360 ② 15240
③ 18970 ④ 20402

해설 [30PS × 75kg.m/s × 3600s/h]/427kg.m = 18970

05 **왕복동식 펌프가 아닌 것은?**

① 플런저펌프 ② 웨어펌프
③ 워싱턴펌프 ④ 터빈펌프

해설 터빈펌프는 회전식으로 볼류트펌프도 있다.

06 **안전밸브에 관한 설명으로 틀린 것은?**

① 안전밸브 및 압력 방출장치의 크기는 호칭지름 25A 이상으로 하여야 한다.
② 최고사용압력 0.1MPa 이하의 보일러는 호칭지름 20A 이상으로 할 수 있다.
③ 전열면적 100m^2 이하의 증기보일러에서는 1개 이상으로 한다.
④ 소용량 강철제보일러는 호칭지름 20A 이상으로 할 수 있다.

해설 전열면적 50m^2 이하는 안전밸브를 1개 이상으로 할 수 있다.

정답 01. ③ 02. ③ 03. ④ 04. ③ 05. ④ 06. ③

07 ON-OFF 동작과 가장 관련이 깊은 것은?

① 비례동작
② 2위치 동작
③ 적분 동작
④ 복합 동작

해설 불연속 동작으로 ON-OFF(2위치 동작), 다위치 동작 등이 있다.

08 보일러에서 탄성식 압력계에 속하지 않는 것은?

① 다이어프램식 압력계
② 벨로우즈식 압력계
③ 부르동관식 압력계
④ 단관식 압력계

해설 단관식 압력계, 액주식 압력계는 1차 압력계이다.

09 유압분무식 오일버너의 특징 설명으로 잘못된 것은?

① 대용량 버너의 제작이 가능하다.
② 무화 매체가 필요 없다.
③ 유량조절 범위가 넓다.
④ 기름의 점도가 크면 무화가 곤란하다.

해설 유량조절 범위가(1:2~3) 정도로 좁다. 유량조절 범위가 넓은 것은 고압 기류식버너(1:10)이다.

10 프라이밍의 발생 원인으로 틀린 것은?

① 보일러 수위가 높을 때
② 보일러수가 농축되어 있을 때
③ 송기 시 증기밸브를 급개할 때
④ 증발능력에 비하여 보일러수의 표면적이 클 때

해설 증발능력에 비하여 보일러수의 표면적이 적을 때 프라이밍이 발생한다.

11 일반적인 보일러의 열손실 중 가장 큰 요인은 무엇인가?

① 배기가스에 의한 열손실
② 연소에 의한 열손실
③ 불완전연소에 의한 열손실
④ 복사, 전도에 의한 열손실

해설 출열항목 중 배기가스 손실열이 가장 크다.

12 완전연소된 배기가스 중의 산소농도가 2%인 보일러의 공기비는 얼마인가?

① 약 0.1 ② 약 1.1
③ 약 2.2 ④ 약 3.3

해설
- 산소농도가 2%일 때 공기비 : 약 1.1
- 산소농도가 5~10%일 때 공기비 : 약 1.2~1.4
- 산소농도가 10~15%일 때 공기비 : 약 1.5~2

13 보일러 설치검사기준에서 몇 도 이하의 온수발생보일러에는 방출밸브를 설치하여야 하는가?

① 353K° ② 373K°
③ 393K° ④ 413K°

해설 120℃(393K°) 이하는 방출밸브를 설치한다.
120+273=393

14 기체연료 연소의 특징 설명 중 틀린 것은?

① 연소조절이 용이하다.
② 연료의 저장 수송에 큰 시설을 요한다.
③ 회분의 생성이 없고 대기오염의 발생이 적다.
④ 연소실 용적이 커야 된다.

해설 고체연료 연소 시에 연소실 용적이 커야 하고, 기체연료는 적어도 완전연소된다.

정답 07. ② 08. ④ 09. ③ 10. ④ 11. ① 12. ② 13. ③ 14. ④

15 자동제어계의 신호전달 방식 중 전송지연이 적고, 조작력이 크며, 가장 먼 거리까지 전송이 가능한 방식은?

① 공기압식 ② 유압식
③ 전기식 ④ 기계식

해설 • 공기압식 : 100~150m
• 유압식 : 300m
• 전기식 : 10km

16 보일러 전열면에 부착된 그을음이나 재를 제거하는 장치는?

① 수트블로어 ② 수저분출장치
③ 증기트랩 ④ 기수분리기

17 게이트밸브(사절밸브)라고도 하며 유량조절용으로 부적합하나 구조상 퇴적물이 체류하지 않는 장점이 있고 유체의 차단을 주목적으로 사용되는 것은?

① 글로브밸브 ② 슬루스밸브
③ 체크밸브 ④ 앵글밸브

해설 • 슬루스밸브 : 게이트밸브(사절밸브) 유체 개폐용
• 글로브밸브(스톱밸브) : 유량 조절용

18 보일러에 절탄기를 설치하였을 때의 특징으로 틀린 것은?

① 보일러 증발량이 증대하여 열효율을 높인다.
② 보일러수와 급수와의 온도차를 줄여 보일러 동체의 열응력을 경감시킬 수 있다.
③ 저온 부식을 일으키기 쉽다.
④ 통풍력이 증가한다.

해설 통풍력은 여열장치 설치로 감소한다.

19 연료의 가연 성분이 아닌 것은?

① N ② C
③ H ④ S

해설 N : 불연성
• 연료의 가연 성분 : C, H, S
• 연료의 주성분 : C, H, O

20 보일러의 상당증발량을 구하는 식으로 맞는 것은?(단, Ge = 매시 환산증발량[kg/h], Ga = 매시발생증기량[kg/h], I' = 발생증기의 엔탈피[kcal/h], I = 급수의 엔탈피[kcal/h]이다.)

① $Ge = \dfrac{Ga(I' - I)}{539}$

② $Ge = \dfrac{539}{Ga(I' - I)}$

③ $Ga = \dfrac{Ge(I' - I)}{539}$

④ $Ga = \dfrac{539}{Ge(I' - I)}$

21 보일러 화염검출장치의 보수나 점검에 대한 설명 중 틀린 것은?

① 플레임 아이 장치의 주위온도는 50℃ 이상이 되지 않게 한다.
② 광전관식은 유리나 렌즈를 매주 1회 이상 청소하고 감도 유지에 유의한다.
③ 플레임 로드는 검출부가 불꽃에 직접 접하므로 소손에 유의하고 자주 청소해 준다.
④ 플레임 아이는 불꽃의 직사광이 들어가면 오동작하므로 불꽃의 중심을 향하지 않도록 설치한다.

해설 플레임 아이는 불꽃의 직사광이 들어가면 오동작하므로 불꽃의 중심을 향해 설치한다.

정답 15. ③ 16. ① 17. ② 18. ④ 19. ① 20. ① 21. ④

22 열정산의 목적이 아닌 것은?

① 연료의 발열량을 파악하기 위하여
② 열의 손실을 파악하기 위하여
③ 열 설비 성능을 파악하기 위하여
④ 열의 행방을 파악하기 위하여

해설 열 손실을 파악, 열 설비 성능 파악, 열의 행방 파악, 조업방법 개선, 연료의 경제성 도모 등

23 어떤 보일러의 최대 연속 증발량(정격 용량)이 5ton/h 이고, 실제 보일러의 증발량이 4.5ton/h이면 보일러 부하율은?

① 111%
② 90%
③ 50%
④ 95%

해설 부하율 : [실제증발량/최대증발량]×100% = [4.5/5]×100% = 90%

24 연관식 보일러의 특징 설명으로 틀린 것은?

① 전열면이 크고 효율은 보통 보일러보다 좋다.
② 증기발생 시간이 빠르다.
③ 연료선택 범위가 좁다.
④ 연료의 연소상태가 양호하다.

해설 연료선택 범위가 넓으나, 청소 및 검사는 불편하다.

25 주철제 보일러의 특징 설명으로 틀린 것은?

① 내열 · 내식성이 우수하다.
② 쪽수의 증감에 따라 용량조절이 용이하다.
③ 재질이 주철이므로 충격에 강하다.
④ 고압 및 대용량에 부적당하다.

해설 충격에 약하여 저압 난방용에 적합하다.

26 어떤 보일러의 증발량이 20ton/h이고, 보일러 본체의 전열면적이 458m^2일 때, 이 보일러의 전열면 증발률은 약 몇 kg/m^2 · h인가?

① 9.2 ② 43.7
③ 22.9 ④ 45.8

해설 증발률 : 증발량/전열면적 = 20000/458 = 43.7

27 인터록 종류가 아닌 것은?

① 저수위 인터록
② 압력 초과 인터록
③ 저온도 인터록
④ 불착화 인터록

해설 인터록 종류 : 저연소 인터록, 저수위 인터록, 압력 초과 인터록, 불착화 인터록

28 수관식 보일러에 속하지 않는 것은?

① 입형횡관식 ② 자연순환식
③ 강제순환식 ④ 관류식

해설 입형 원통형 : 입형 횡관식, 코크란

29 연료 중 표면연소하는 것은?

① 목탄 ② 중유
③ 석탄 ④ LPG

해설 표면연소 : 목탄, 숯, 코크스

30 보일러 청관제 중 보일러수의 연화제로 사용되지 않는 것은?

① 수산화나트륨
② 탄산나트륨
③ 인산나트륨
④ 황산나트륨

정답 22. ① 23. ② 24. ③ 25. ③ 26. ② 27. ③ 28. ① 29. ① 30. ④

해설 • pH, 알카리 조정제 : 가성소다, 탄산소다, 제3 인산나트륨, 암모니아
• 관수 연화제 : 수산화나트륨, 탄산나트륨, 인산나트륨
• 슬러지 조정제 : 탄닌, 리그린, 전분
• 탈산소제 : 아황산소다, 히드라진(고압보일러용), 탄닌

31 **온수난방 설비에서 온수 온도차에 의한 비중력차로 순환하는 방식으로 단독 주택이나 소규모 난방에 사용 되는 것은?**

① 강제순환식 난방
② 하향순환식 난방
③ 자연순환식 난방
④ 상향순환식 난방

해설 자연순환식 난방 : 온도차에 의한 비중력차로 순환하는 방식

32 **온수를 사용한 주철제 보일러의 표준방열량(kcal/m^2 · h)은?**

① 350 ② 450
③ 550 ④ 650

해설 온수 표준방열량 : 450(kcal/m^2 · h), 증기 표준방열량 : 650(kcal/m^2 · h)

33 **프라이밍을 방지하기 위해 드럼 윗면에 다수의 구멍을 뚫은 대형 관을 증기실 꼭대기에 부착하여 상부로부터 증기를 평균적으로 인출하고, 증기속의 물방울은 하부에 뚫린 구멍으로부터 보일러수 속으로 떨어지도록 한 장치는?**

① 사이폰관 ② 급수내관
③ 비수방지관 ④ 드레인관

해설 비수방지관 : 증기 속의 물방울을 분리하여 수격작용을 방지하기 위해 설치한다.

34 **연관 최고부보다 노통 윗면이 높은 노통 연관 보일러의 최저수위(안전저수면)의 위치는?**

① 노통 최고부 위 100mm
② 노통 최고부 위 75mm
③ 연관 최고부 위 100mm
④ 연관 최고부 위 75mm

해설 보일러 안전수위
• 횡연관보일러 : 연관 최상면에서 75mm 위쪽
• 노통보일러 : 노통 상단 100mm 위쪽
• 기관차보일러 : 화실 천정면 75mm 위쪽
• 연관보일러(횡관식) : 화실 천정판 75mm 위쪽
• 연관보일러(종관식) : 화실 천정면에서 연관 길이의 1/3 위쪽

35 **보일러의 운전정지 시 가장 뒤에 조작하는 작업은?**

① 연료공급의 차단
② 연소용 공기의 공급정지
③ 댐퍼를 닫음
④ 급수펌프의 정지

해설 운전정지 조작순서 : ① 연료공급의 차단 ② 연소용 공기 공급정지 ③ 급수펌프 정지 ④ 댐퍼 닫음

36 **수질(水質)에서 탄산칼슘 경도 1ppm이란 물 1ℓ 속에 탄산칼슘($CaCo_3$)이 얼마나 포함된 경우인가?**

① 1mg
② 10mg
③ 100mg
④ 1g

해설 • 칼슘경도 : 물 1ℓ 속에 $CaCO_3$ 1㎎ 함유한 것 ($CaCO_3$ 1PPM 경도(한국경도))
• 독일경도 1°dH : 물 100cc 속에 $CaCO_3$ 1㎎ 함유한 것

정답 31. ③ 32. ② 33. ③ 34. ① 35. ③ 36. ①

37 장기 휴지보일러의 사용 전 준비사항으로 연소계통의 점검에 관한 설명으로 틀린 것은?

① 기름탱크의 유량, 가스압력을 확인하여 연료공급에 차질이 생기지 않도록 한다.
② 연료배관은 연료가 누설되지 않은지 점검하고 연료 밸브를 닫아 놓는다.
③ 화염검출기의 오염 여부를 확인하고 유리면을 깨끗이 닦는다.
④ 연도 댐퍼가 잠겨 있는지 확인하고 열어 놓는다.

해설 연료배관은 연료가 누설되지 않는지 점검하고 연료 밸브를 열어 놓는다.

38 증기를 송기할 때 주의 사항으로 틀린 것은?

① 과열기의 드레인을 배출시킨다.
② 증기관 내의 수격작용을 방지하기 위해 응축수가 배출되지 않도록 한다.
③ 주증기밸브를 조금 열어서 주증기관을 따뜻하게 한다.
④ 주증기밸브를 완전히 개폐한 후 조금 되돌려 놓는다.

해설 증기관 내의 수격작용을 방지하기 위해 응축수를 배출시킨다.

39 다음에서 ( ) 속에 들어갈 용어로 올바른 것은?

증기 및 온수가 흐르는 관은 관 내외의 온도차에 의해 신축이 발생한다. 이에 따른 신축 흡수를 위해 방열기 인입 배관에는 (1)이음을 하며, 공급관은 (2)구배, 환수관은 (3)구배로 한다.

① (1) 슬리브, (2) 역, (3) 순
② (1) 스위블, (2) 역, (3) 순
③ (1) 슬리브, (2) 순, (3) 역
④ (1) 스위블, (2) 순, (3) 역

해설 방열기 인입 배관의 신축이음은 스위블이음, 공급관은 역구배, 환수관은 순구배로 한다.

40 복사난방 중 가열면의 위치에 의한 분류가 아닌 것은?

① 천장난방
② 바닥난방
③ 벽난방
④ 온풍난방

해설 복사난방 (방사난방) : 천정이나 벽, 바닥 등에 코일을 매설하여 온수 등 열매체를 이용하여 복사열에 의해 실내를 난방한다. 온풍난방은 개별 난방법이다.

41 난방면적이 $100m^2$, 열손실지수 $90kcal/m^2 \cdot h$, 온수온도 80℃, 실내온도 20℃일 때 난방부하(kcal/h)는?

① 7000 ② 8000
③ 9000 ④ 10000

해설 난방부하 = 난방면적 × 열손실지수 = $100m^2 \times 90\ kcal/m^2 \cdot h = 9000kcal/h$

42 온수발생 보일러에서 보일러와 전열면적이 $15\sim20m^2$ 미만일 경우 방출관의 안지름은 몇 mm 이상으로 해야 하는가?

① 25 ② 30
③ 40 ④ 50

해설
- $10m^2$ 미만 : 25mm 이상
- $10\sim15m^2$: 30mm 이상
- $15\sim20m^2$: 40mm 이상
- $20m^2$ 미만 : 50mm 이상

정답 37. ② 38. ② 39. ② 40. ④ 41. ③ 42. ③

43 가스연료 연소 시 역화(back fire)나 리프트(lifting)의 설명으로 틀린 것은?

① 역화는 버너가 과열된 경우에 발생한다.
② 리프팅은 가스압이 너무 낮은 경우에 발생한다.
③ 역화는 불꽃이 염공을 따라 거꾸로 들어가는 것이다.
④ 리프팅은 1차 공기 과다로 분출속도가 높은 경우에 발생한다.

해설 • 리프팅 : 가스압이 너무 높은 경우에 발생하며, 불꽃이 염공을 떠나 화염이 형성되는 것이다.
• 역화 : 가스분출 속도보다 연소속도가 클 경우 일어난다.

44 가스 용접 중 수소의 고압가스 용기도색으로 맞는 것은?

① 황색 ② 백색
③ 청색 ④ 주황색

해설 • 수소 : 주황색
• 산소 : 녹색
• 아세틸렌 : 황토색
• LPG : 회색

45 보일러의 성능시험 방법으로 적합하지 않은 것은?

① 수위는 최초 측정시와 최종 측정시가 일치하여야 한다.
② 실측이 가능하지 않은 경우의 주철제 보일러 증기 건도는 97%로 한다.
③ 측정은 매 20분마다 실시한다.
④ B-B유를 사용하는 경우 연료의 비중은 0.92이다.

해설 측정은 매 10분마다 실시한다.

46 급수밸브 및 체크밸브의 크기는 전열면적 $10m^2$ 이하의 보일러에서는 호칭 몇 A 이상이어야 하는가?

① 15mm 이상 ② 20mm 이상
③ 25mm 이상 ④ 30mm 이상

해설 • $10m^2$ 이하 : 15mm 이상
• $10m^2$ 초과 : 20mm 이상

47 온수보일러에서 개방형 팽창탱크의 설치는 온수난방의 최고 높은 부분보다 최소 몇 m 이상 높게 설치하는가?

① 0.5m ② 1.0m
③ 1.5m ④ 2.0m

해설 개방형 팽창탱크의 설치높이는 1m 이상 높게 한다.

48 보온재 종류의 선정 시 고려 조건으로 틀린 것은?

① 안전 사용 온도 범위에 적합해야 한다.
② 열전도율이 가능한 한 커야 한다.
③ 물리적 화학적 강도가 커야 한다.
④ 단위 체적에 대한 가격이 저렴해야 한다.

해설 보온재 구비조건
• 열전도율 작을 것
• 비중이 작을 것
• 다공질이며, 기공이 많고 균일할 것
• 흡습 및 흡수성이 적을 것

49 보일러의 프라이밍, 포밍의 방지 대책으로 틀린 것은?

① 정상수위로 운전할 것
② 주증기밸브를 급개할 것
③ 과부하 운전이 되지 않게 할 것
④ 보일러수의 농축을 방지 할 것

해설 주증기밸브는 서서히 연다.

정답 43. ② 44. ④ 45. ③ 46. ① 47. ② 48. ② 49. ②

50 안전밸브 작동시험에서 안전밸브의 분출 압력은 안전밸브가 2개 설치된 경우, 그 중 1개는 최고사용압력 이하에서 작동하고, 나머지 1개는 최고사용압력의 몇 배 이하에서 작동해야 하는가?

① 1배 ② 1.03배
③ 2배 ④ 2.03배

51 증기난방과 비교한 온수난방의 특징 설명으로 틀린 것은?

① 방열 면적이 넓다.
② 동결의 우려가 적다.
③ 예열시간은 길다.
④ 건축물의 높이에 제한을 받지 않는다.

해설 건축물의 높이에 제한을 받는다.

52 응축수와 증기가 동일관 속을 흐르는 방식으로 기울기를 잘못하여 수격현상이 발생되는 문제로 소규모 난방에서만 사용되는 증기난방 방식은?

① 복관식
② 건식환수식
③ 단관식
④ 기계환수식

해설 배관방법에 따른 분류
- 단관식 : 증기관과 응축수관이 동일 배관
- 복관식 : 증기관과 응축수관이 각각 구분

53 보일러의 소다 끓임에 대한 설명으로 틀린 것은?

① 동체 내부의 장착물을 가능한 다 떼어내어 보일러 내부 수면을 조금 높게 한 다음 소다 끓임을 한다.
② 작업에 관계없는 구멍이나 맨홀을 막는다.
③ 액체의 순환이나 검수에 필요한 배관을 한다.
④ 수관보일러는 소다 끓임 전에 기름 세척을 해두는 것이 좋다.

해설 소다보링 : 전열면에 유지분이 많이 부착되어 있는 경우에는 소량의 탄산소다를 넣고 2~3일간 끓인 다음 분출한다.

54 보일러 저온부식 방지 대책에 해당되는 것은?

① 연료 중의 황분(S)을 제거한다.
② 저온의 절연면에 보호피막을 없앤다.
③ 연소가스의 온도를 노점온도 이하가 되도록 한다.
④ 배기가스 중의 Co_2 함량을 늘려서 아황산가스의 노점을 올린다.

해설 저온부식 : 연료 중 황 성분에 의한 저온 전열면(150℃~170℃) 부식으로 공기예열기, 절탄기 등에서 일어난다.

55 에너지이용 합리화법상 국민의 책무는?

① 기자재 및 설비의 에너지 효율을 높이고 온실가스의 배출을 줄이기 위한 기술의 개발과 도입을 위해 노력
② 관할지역의 특성을 참작하여 국가에너지정책의 효과적인 수행
③ 일상 생활에서 에너지를 합리적으로 이용하고 온실가스의 배출을 줄이도록 노력
④ 에너지의 수급안정과 합리적이고 효율적인 이용을 도모하고 온실가스의 배출을 줄이기 위한 시책 강구 및 시행

해설 국민의 책무 : 에너지를 합리적으로 이용하고 온실 가스의 배출을 줄이도록 노력한다.

정답 50. ② 51. ④ 52. ③ 53. ④ 54. ① 55. ③

56 에너지이용 합리화법 시행령상 산업통상자원부 장관은 에너지수급 안정을 위한 조치를 하고자 할 때에는 그 사유 기간 및 대상자 등을 정하여 그 조치 예정일 며칠 이전에 예고하여야 하는가?

① 14일 ② 10일
③ 7일 ④ 5일

해설 에너지수급 안정을 위한 조치예고일 : 7일

57 에너지이용 합리화법상 검사대상기기에 대하여 받아야 할 검사를 받지 않는 자에 대한 벌칙은?

① 2년 이하의 징역 또는 2천만 원 이하의 벌금
② 1년 이하의 징역 또는 1천만 원 이하의 벌금
③ 2천만 원 이하의 벌금
④ 500만 원 이하의 벌금

해설 검사대상기기 검사 받지 않는 자 : 1년 이하의 징역 또는 1천만 원 이하의 벌금

58 에너지기본법상 에너지기술개발 계획에 포함되어야 할 사항이 아닌 것은?

① 에너지의 효율적 사용을 위한 기술개발에 관한 사항
② 온실가스 배출을 줄이기 위한 기술개발에 관한 사항
③ 개발된 에너지기술의 실용화의 촉진에 관한 사항
④ 에너지 수급의 추이와 전망에 관한 사항

해설 에너지 수급의 추이와 전망에 관한 사항은 에너지 기본계획사항이다.

59 열사용기자재관리규칙상 열사용기자재인 소형온수보일러의 적용범위는?

① 전열면적의 $12m^2$ 이하이며, 최고사용압력 0.35MPa 이하의 온수를 발생하는 것
② 전열면적 $14m^2$ 이하이며, 최고사용압력 0.25MPa 이하의 온수를 발생하는 것
③ 전열면적 $12m^2$ 이하이며, 최고사용압력 0.45MPa이하의 온수를 발생하는 것
④ 전열면적 $14m^2$ 이하이며, 최고사용압력 0.35MPa 이하의 온수를 발생하는 것

해설 소형 온수보일러 : 전열면적 $14m^2$ 이하이며, 최고사용압력 0.35MPa 이하의 온수 발생보일러

60 에너지이용 합리화법상의 목표에너지원단위를 가장 옳게 설명한 것은?

① 에너지를 사용하여 만드는 제품의 단위당 폐연료 사용량
② 에너지를 사용하여 만드는 제품의 연간 폐열 사용량
③ 에너지를 사용하여 만드는 제품의 단위당 에너지 사용 목표량
④ 에너지를 사용하여 만드는 제품의 연간 폐열 에너지 사용 목표량

해설 목표에너지원 단위 : 에너지를 사용하여 만드는 제품의 단위당 에너지 사용 목표량

정답 56. ③ 57. ② 58. ④ 59. ④ 60. ③

에너지관리기능사 CBT 모의고사 6회

01 온도 26℃의 물을 공급받아 엔탈피 665 kcal/kg인 증기를 6000kgf/h 발생시키는 보일러의 상당증발량(kgf/h)은?

① 약 7113　② 약 6169
③ 약 7325　④ 약 6920

해설 6000(665 − 26)/539 = 7113

02 각종 보일러에 대한 특징 설명으로 옳은 것은?

① 노통보일러는 내부청소가 힘들고 고장이 자주 생겨 수명이 짧다.
② 원통형 보일러는 본체 구조가 간단한 형식으로 파열 시 피해가 크다.
③ 수관보일러는 전열면적이 작아 소용량 보일러에 적합하다.
④ 코르니시 및 랭커셔 보일러의 노통은 2개 이상이다.

03 10℃의 물 15kg을 100℃ 물로 가열했을 때 물이 흡수한 열량은?

① 800kcal　② 800kcal
③ 1200kcal　④ 1350kcal

해설 15kg × 90℃ × kcal/kg℃ = 1350kcal

04 보일러의 자동제어장치로 쓰이지 않는 것은?

① 화염검출기　② 안전밸브
③ 수위검출기　④ 압력조절기

해설 안전밸브는 안전장치로 증기압력 상승 시 스프링 장력을 이기는 압력에서 분함

05 노통연관식 보일러의 특징으로 틀린 것은?

① 열효율이 80~90%이다.
② 증기의 발생속도가 빠르다.
③ 증기량에 비해 소형이며 고성능이다.
④ 제작과 취급이 어렵다.

해설 제작과 취급이 용이하다.

06 보일러의 급수 장치인 인젝터의 작동불량 원인이 아닌 것은?

① 증기압력이 높은 경우
② 흡입관로의 밸브로 부터 공기유입이 있는 경우
③ 증기에 수분이 너무 많은 경우
④ 급수온도가 너무 높은 경우

해설 증기압력이 낮은 경우 작동 불능의 원인이 된다.

07 보일러의 화염 유무를 검출하는 스텍 스위치에 대한 설명으로 틀린 것은?

① 화염의 발열현상을 이용한 것이다.
② 구조가 간단하다.
③ 버너 용량이 큰 곳에 사용된다.
④ 바이메탈의 신축작용으로 화염 유무를 검출한다.

해설
- 플레임 아이 : 화염의 발광체 이용(화염의 복사선을 광전관으로 검출하며, 기름가스 연료용), 광학적 성질 이용
- 플레임 로드 : 화염의 이온화현상(화염의 전기 전도성 검출, 가스연료용)
- 스텍 스위치 : 연소가스의 온도를 감지함(열적 성질), 소용량 보일러용

정답 01. ① 02. ② 03. ④ 04. ② 05. ④ 06. ① 07. ③

08 **급수 자동제어에서 수위제어에 영향을 미치며 보일러 수위 제어시스템으로 제어할 수 없는 요소는?**

① 급수 온도 ② 급수량
③ 수위 검출 ④ 증기량 검출

해설 수위 제어방식
- 1요소식 : 수위 검출
- 2요소식 : 수위, 증기량 검출
- 3요소식 : 수위, 증기량, 급수량 검출

09 **가정용 기름 보일러의 안전장치로 부착되지 않는 것은?**

① 과열방지장치
② 저수위방지장치
③ 압력제한기
④ 화염감지장치

해설 압력제한기, 압력조절기는 대형 보일러에 부착하는 안전장치

10 **증기압력이 높아질 때 감소되는 것은?**

① 포화온도
② 증발잠열
③ 포화수 엔탈피
④ 포화증기엔탈피

해설 증기압력이 높을 때 현상 : 포화온도 증가, 포화수 포화, 증기엔탈피 증가, 현열 증대, 증기비체적 증가, 증발잠열은 감소하여 임계상태에서 물의 증발잠열은 0이다.

11 **보일러 열정산의 조건과 관련된 설명 중 틀린 것은?**

① 전기에너지는 1KW당 860kcal/h로 환산한다.
② 보일러 효율 산정방식은 입출열법과 열손실법으로 실시한다.
③ 보일러의 열정산은 원칙적으로 정격부하 이하에서 정상 상태로 3시간 이상의 운전 결과에 따라 한다.
④ 열정산 시험시의 연료 단위량은, 액체 및 고체연료의 경우 1kg에 대하여 열정산을 한다.

해설 보일러 열정산은 원칙적으로 정격부하 이하에서 1시간 이상의 운전 결과로 한다.

12 **보일러의 배기가스 성분을 측정하여 공기비를 계산하여 실제 건배기 가스량을 계산하는 공식으로 맞는 것은?(단, G : 실제 건배기가스량, Go : 이론 건배기가스량, Ao : 이론연소공기량, m : 공기비)**

① G=m×Ao
② G=Go+(m−1)×Ao
③ G=(m−1)×Ao
④ G=Go+(m×Ao)

해설 실제건배기 가스량은 과잉공기량 함유에 따라 결정됨 : G=Go+(m−1) × Ao

13 **가스연료의 보안설비에 대한 설명으로 틀린 것은?**

① 방폭문은 연소실이나 연료에 필요에 따라 배관에 만들어 둔다.
② 화염 탐지기는 이상 소화가 되었을 때 즉시 연료를 차단시키기 위한 것이다.
③ 가스연료는 폭발의 위험과 중독, 질식, 사망의 염려가 있으므로 보안설비를 한다.
④ 환기장치는 공기보다 무거운 가스가 정체하여 폭발의 위험이 있는 곳에 높게 설치한다.

해설 환기장치는 공기보다 가벼워 천정 가까이 설치한다.

정답 08. ① 09. ③ 10. ② 11. ③ 12. ② 13. ④

14 구조가 간단하고 자동화에 편리하며 고속으로 회전하는 분무컵으로 연료를 비산 · 무화시키는 버너는?

① 건타입 버너
② 압력분무식 버너
③ 기류식 버너
④ 회전식 버너

15 함진 배기가스를 액방울이나 액막에 충돌시켜 매진을 포집 분리하는 집진장치는?

① 중력식 집진장치
② 관성분리식 집진장치
③ 원심력식 집진장치
④ 세정식 집진장치

해설 세정식 집진장치는 습식집진 장치로 함진 배기가스를 액방울이나 액막에 충돌시켜 매진을 포집 분리하는 집진장치이다.

16 LNG에 관한 설명으로 옳은 것은?

① 프로판 가스를 기화(氣化)한 것이다.
② 부탄 및 에탄이 주성분인 천연가스이다.
③ 수송 및 취급이 어렵고 독성이 있다.
④ 공기보다 비중이 가볍다.

해설 공기보다 비중이 가볍다(16/29 = 0.55).

17 보일러 종류 중 열효율이 80~90%로 높으며, 사용 연료는 시동 시 경유, 운전 중에는 중유가 사용되는 난방용으로 병원과 공장 등에 널리 사용되는 보일러는?

① 열매체식 보일러
② 소형관류식 보일러
③ 노통연관식 보일러
④ 자연순환식 보일러

18 보일러의 자동제어에 대한 다음 설명에서 ( )에 들어갈 용어로 옳은 것은?

> "보일러 자동제어는 제어순서에 따라 제어단계가 진행되는 (㉮)제어와, 한쪽 조건이 충족되지 않으면 다음 단계의 동작(제어)이 정지되는 (㉯)제어의 결합으로 이루어진다."

① ㉮ 피드백(feed back)
㉯ 시퀀스(sequence)
② ㉮ 피드백(feed back)
㉯ 인터록(interlock)
③ ㉮ 인터록(interlock)
㉯ 피드백(feed back)
④ ㉮ 시퀀스(sequence)
㉯ 인터록(interlock)

해설
- 시퀀스제어 : 제어순서에 따라 제어단계가 진행되는 자동제어
- 인터록제어 : 한쪽 조건이 충족되지 않으면 다음 단계의 동작이 정지되는 제어

19 전송기에서 신호 전달 거리를 가장 멀리 할수 있는 방식은?

① 공기압식 ② 팽창식
③ 유압식 ④ 전기식

해설
- 공기압식 : 100~150m
- 유압식 : 300m
- 전기식 : 10km

20 방열기 출구에 설치하는 것으로 에테르 등의 휘발성 액체를 넣은 벨로즈를 부착하고, 열에 의한 이 벨로즈의 팽창, 수축 작용 등을 이용하여 밸브를 개폐시키는 트랩은?

① 박스 트랩 ② 벨 트랩
③ 다량 트랩 ④ 열동식 트랩

정답 14. ④ 15. ④ 16. ④ 17. ② 18. ④ 19. ④ 20. ④

해설 열동식 트랩 : 방열기 트랩

21 압력계를 보호하기 위하여 다음 중 어느 관 속에 물을 투입하여 고온증기가 부르동관에 영향을 미치지 않도록 하는가?

① 사이폰관 ② 압력관
③ 바이패스관 ④ 밸런스관

해설 사이폰관 : 압력계를 보호하기 위하여 내부에 80℃이하 물을 넣는다.

22 어떤 보일러의 매시 연료사용량이 150 kcal/h이고 연소실 체적이 30m^{3}일 때 연소실 열발생율은 몇 kcal/m^3 · h인가? (단, 연료의 저위 발열량은 9800kcal/kg이고, 공기 및 연료의 현열은 무시한다.)

① 50 ② 327
③ 1960 ④ 49000

해설 150kcal / h × 9800 / 30m^3 = 49000

23 보일러의 용량은 정격부하의 상태에서 무엇으로 표시하는가?

① 보일러마력
② 전열면적
③ 온수온도
④ 매시간마다 증발량

해설 보일러 용량(정격부하상태)에서 증기발생량으로 표시한다.

24 1보일러 마력을 시간당 발생 열량으로 환산하면?

① 15.65kcal/h ② 8435kcal/h
③ 9290kcal/h ④ 7500kcal/h

해설 15.65kgl/h × 539kcal/kg = 8435kcal/h

25 보일러의 연소노벽 등에 부착하는 타고 남은 찌꺼기를 제거하는데 적합하며 특히, 미분탄 연소 보일러 및 폐열보일러 같은 타고 남은 연재가 많이 부착하는 보일러에 사용하는 수트블로어는?

① 건타입
② 로터리형
③ 정치회전형
④ 롱레트랙블 타입

해설
- 롱레트랙블형(삽입형) : 고온부인 과열기나 수관부용으로 고온의 열 가스 통로에 사용할 때 사용되며, 긴 분사 관에 노즐을 설치하여, 고온 전열면 청소 시 사용
- 숏트레트랙블형 : 분사관이 짧으며 1개의 노즐을 설치하여, 연소 노벽 매연 분출
- 건타입 형 : 일반적인 전열면 블로어로, 타고 남은 재가 많이 부착하는 보일러에 사용
- 로터리용(회전용) : 회전을 하면서 분사 청소하는 것으로 연도 등 저온 전열면 청소 시 사용

26 보일러 배기가스의 자연 통풍력을 증가시키는 방법으로 틀린 것은?

① 배기가스 온도를 낮춘다.
② 연돌 높이를 증가시킨다.
③ 연돌을 보온 처리한다.
④ 연돌의 단면적을 크게 한다.

해설 배기가스 온도를 높인다.

27 다음 중 공기예열기의 종류에 속하지 않는 것은?

① 전열식
② 재생식
③ 증기식
④ 방사식

해설 공기예열기 종류 : 전열식, 재생식, 증기식

정답 21. ① 22. ④ 23. ④ 24. ② 25. ① 26. ① 27. ④

28 수트블로어의 기능 설명으로 옳은 것은?

① 보일러 등 내면의 슬러지를 배출시킨다.
② 보일러 수면상의 부유물을 배출시킨다.
③ 보일러 전열면의 그을음을 불어낸다.
④ 보일러의 급수를 원활하게 해준다.

29 연소의 3대 조건이 아닌 것은?

① 발화점 ② 가연성 물질
③ 산소 공급원 ④ 점화원

해설 연소 3요소 : 가연성 물질, 산소 공급원, 점화원

30 보일러의 이상 저수위시, 과열 등이 발생할 때 비상조치 단계로 옳은 것은?

㉠ 연소용 공기를 차단한다. ㉡ 연료를 차단한다. ㉢ 주버너를 정지시킨다. ㉣ 서서히 급수한다.

① ㉡→㉠→㉢→㉣
② ㉠→㉡→㉢→㉣
③ ㉠→㉡→㉣→㉢
④ ㉡→㉠→㉣→㉢

해설 보일러 비상정지 : 연료차단, 공기차단, 주 버너 정지 및 급수

31 연소효율 구하는 식으로 옳은 것은?

① $\dfrac{\text{공급열}}{\text{실제연소열}} \times 100$

② $\dfrac{\text{실제연소열}}{\text{공급열}} \times 100$

③ $\dfrac{\text{유효열}}{\text{실제연소열}} \times 100$

④ $\dfrac{\text{실제연소열}}{\text{유효열}} \times 100$

해설 연소효율 : $\dfrac{\text{실제연소열}}{\text{공급열}} \times 100$

32 진공환수식 증기 난방법에 쓰이는 진공 개폐기는 환수관 내의 진공도를 몇 mmHg 정도로 유지하는가?

① 50~100 ② 100~250
③ 250~400 ④ 400~550

해설 진공 개폐기 환수관 내진 공도 : 100~250mmHg

33 액상식 열매체 보일러의 방출밸브 지름은 몇 mm 이상으로 하여야 하는가?

① 10 ② 20
③ 30 ④ 40

해설 • 온도 120℃ 이하 : 20mm 이상 방출밸브 설치
• 온도 120℃ 이상 : 안전밸브 설치

34 보일러 과열, 소손의 방지책이 아닌 것은?

① 보일러 수위를 저하시키지 않는다.
② 보일러수를 과도하게 농축시키지 않는다.
③ 전열면에 부착된 유지분을 제거시키지 않는다.
④ 연소실 열 부하를 크게 유지하지 않는다.

해설 전열면에 부착된 유지분을 제거한다.

35 보일러 수면에서 증발이 격심하여 기포가 비산해서 수적이 증기부에 심하게 튀어 오르는 현상은?

① 포밍 ② 캐리오버
③ 프라이밍 ④ 수격작용

해설 프라이밍 : 보일러 수면에 기포가 비산해서 수적이 증기부에 심하게 튀어 오르는 현상

정답 28. ③ 29. ① 30. ① 31. ② 32. ② 33. ② 34. ③ 35. ③

36 기름 보일러의 수동조작 점화요령 순서로 가장 적절한 것은?

> ㉠ 연료밸브를 연다.
> ㉡ 버너를 가동한다.
> ㉢ 노 내 통풍압을 조절한다.
> ㉣ 점화봉에 점화하여 연소실내 버너 끝의 전방하부 10cm 정도에 둔다.

① ㉢-㉣-㉡-㉠
② ㉠-㉡-㉢-㉣
③ ㉡-㉠-㉣-㉢
④ ㉣-㉡-㉢-㉠

해설 보일러 수동조작 점화 순서 : 노 내 통풍압을 조절한다, 점화봉에 점화하여 연소실 내 버너 끝 전방하부 10cm 정도에 둔다, 버너를 가동한다, 연료밸브를 연다.

37 증기난방과 비교한 온수난방의 특징 설명으로 틀린 것은?

① 실내의 쾌적도가 좋다.
② 보일러의 취급이 쉽고 안전하다.
③ 난방부하의 변동에 대한 온도조절이 쉽다.
④ 예열 및 냉각 시간이 짧다.

해설 예열 및 냉각 시간이 길다.

38 증기 난방법에 관한 설명으로 틀린 것은?

① 원심펌프로 응축수를 보일러에 강제 환수시키는 방식이 진공환수식이다.
② 증기 공급방향에 따라 상향공급식과 하향공급식이 있다.
③ 저압식 증기압력의 범위는 0.15~0.35 kgf/cm^2이다.
④ 건수 환수방식은 생 증기의 유출 방지를 위하여 증기 트랩을 장치하여야 한다.

해설 펌프로 응축수를 보일러에 강제 환수시키는 방식은 기계환수식이다.

39 보일러를 가동하기 전 운전자가 준비 및 점검사항으로 틀린 것은?

① 보일러 운전자는 수면계를 확인 하여 보일러에 수위가 정상인지 점검할 것
② 보일러 운전자는 최고사용압력을 초과 상승하지 않도록 확인 점검할 것
③ 보일러 운전자는 급수탱크에 저장 용수가 정상인가 확인 점검할 것
④ 보일러 운전자는 연료계통의 상태가 정상인지 확인 점검할 것

해설 최고사용압력을 초과 상승하지 않도록 확인 점검하는 것은 운전 중 점검 사항이다.

40 보온재가 갖추어야 할 조건으로 틀린 것은?

① 비중이 작을 것
② 열전도율이 클 것
③ 기계적 강도가 클 것
④ 흡습성이 적고 가공이 용이할 것

해설 열전도율이 작을 것

41 유류 보일러의 수동조작 점화 방법 설명으로 틀린 것은?

① 연소실 내의 통풍압을 조절한다.
② 점화봉에 불을 붙여 연소실 내 버너 끝의 전방 하부 1m 정도에 둔다.
③ 증기분사식은 응축수를 배출한다.
④ 버너의 기동스위치를 넣거나 분무용 증기 또는 공기를 분사시킨다.

해설 점화봉에 불을 붙여 연소실 내 버너 끝의 전방 하부 10cm 정도에 둔다.

정답 36. ① 37. ④ 38. ① 39. ② 40. ② 41. ②

42 지구 온난화 현상과 관련하여 온실효과를 가져오는 대표적인 기체는?

① CO_2　② O_2
③ SO_3　④ N_2

43 복사난방의 바닥패널 코일방식에 대한 설명으로 틀린 것은?

① 덕트방식은 구조체를 2중으로 하여 그 사이에 온풍을 통과시켜 난방을 행하는 방식이다.
② 그리드식은 균등한 유량 분배로 각 코일의 온도가 거의 같도록 할 수 있다.
③ 밴드코일은 관로의 저항이 많아 길이가 길어질 경우 전·후방부의 온도차가 많이 난다.
④ 달팽이형 코일은 패널의 중앙부가 달팽이 모양이며 최근에는 사용하지 않는다.

해설 달팽이형 코일은 패널의 중앙부가 달팽이 모양이며 최근에 많이 사용된다.

44 보일러의 계속사용검사기준 중 개방검사 준비에 대한 설명으로 틀린 것은?

① 연료로 기름을 사용하는 곳에서는 무화장치들을 버너로 부터 제거한다.
② 보일러에 대한 손상을 방지하고 가열면에 고착물이 굳어져 달라붙지 않도록 충분히 냉각시켜야 한다.
③ 검사를 위한 내부 조명은 축전지로부터 전류가 공급되는 이동램프를 사용하여야 한다.
④ 저수위 감지장치는 분해 정비하되 안전밸브 및 안전방출 밸브는 분해하지 않는다.

해설 안전밸브 및 안전방출 밸브도 분해 정비한다.

45 온수발생 보일러의 전열면적이 $10m^3$ 미만일 때 방출관의 안지름의 크기는?

① 15mm 이상　② 20mm 이상
③ 25mm 이상　④ 32mm 이상

해설 전열면적
- $10m^2$ 미만 : 25mm 이상
- $10\sim15m^2$: 30mm 이상
- $15\sim20m^2$: 40mm 이상
- $20m^2$ 이상 : 50mm 이상

46 보일러 운전방법에 따르는 이상 증발 원인이 아닌 것은?

① 보일러수가 농축된 경우
② 보일러수의 순환이 불량한 경우
③ 증기부하가 과대한 경우
④ 송기 시에 증기밸브를 급개한 경우

해설 보일러수 순환이 불량하면 효율이 저하된다.

47 온수난방에서 난방부하가 6000kcal/h이고 방열기 쪽 당 방열면적이 $0.5m^2$일 때 방열기의 적절한 쪽수는?(단, 5세주형 방열기이다.)

① 6　② 12
③ 21　④ 27

해설 $6000/450\times0.5=27$

48 보일러의 안전관리 항목으로 다음 중 가장 중요한 것은?

① 연도의 저온부식 방지
② 연료의 예열
③ 2차 공기의 조절
④ 안전 저수위 이하 감수의 방지

정답 42. ① 43. ④ 44. ④ 45. ③ 46. ② 47. ④ 48. ④

해설 저수위 방지, 압력초과 방지, 실화 방지

49 온수보일러의 방열기 입구온도가 80℃ 출구온도가 40℃이고, 온수 순환량이 500 kgf/h일 때, 방열기 방열량은 몇 kcal/h인가?(단, 온수의 평균 비열은 1kcal/kgf · ℃로 한다.)

① 30000 ② 20000
③ 25000 ④ 15000

해설 500×(80−40)=20000

50 보일러에 사용되는 안전밸브 및 압력방출장치 크기를 20A 이상으로 할 수 있는 보일러가 아닌 것은?

① 소용량 강철제 보일러
② 최대증발량 5T/h 이하의 관류 보일러
③ 최고사용압력 1MPa(10kgf/cm^2) 이하의 보일러로 전열면적 5m^2 이하의 것
④ 최고사용압력 0.1MPa(1kgf/cm^2) 이하의 보일러

해설 최고사용압력 0.5MPa 이하의 보일러로 전열면적 2m^2 이하는 20A 이상으로 할 수 있다.

51 보일러 스케일 생성의 방지대책으로 가장 잘못된 것은?

① 급수 중의 염류, 불순물을 되도록 제거한다.
② 보일러 동 내부에 페인트를 두껍게 바른다.
③ 보일러수의 농축을 방지하기 위하여 적절히 분출시킨다.
④ 보일러수에 약품을 넣어서 스케일 성분이 고착하지 않도록 한다.

해설 내부에 페인트는 과열 원인이 된다.

52 점화가 이루어져 가동 중인 보일러는 상용수위의 유지가 중요하며 어떤 경우라도 (   ) 이하로 내려가지 않도록 한다. 괄호 안에 적절한 용어는?

① 표준수위
② 정상수위
③ 상용수위
④ 안전저수위

53 보일러 내부에 스케일이 형성된 경우 나타나는 현상이 아닌 것은?

① 전열량 감소
② 연료소비량 증대
③ 관수 순환 촉진
④ 전열면 국부과열

해설 관수 순환 불량

54 복사난방의 장점이 아닌 것은?

① 높이에 따른 온도분포가 균일하다.
② 실내 공간의 이용률이 높다.
③ 예열이 짧아 부하에 대응하기 쉽다.
④ 공기 등의 미진을 태우지 않아 쾌감도가 좋다.

해설 예열이 길어 부하에 대응하기 어렵다.

55 에너지기본법에서 정한 지역에너지계획을 수립하여야 하는 자는?

① 에너지관리공단 이사장
② 산업통상자원부 장관
③ 행정안전부 장관
④ 특별시장, 광역시장 또는 도지사

해설 지역에너지계획 수립 : 시 · 도지사

정답 49. ② 50. ③ 51. ② 52. ④ 53. ③ 54. ③ 55. ④

56 열사용기자재 관리규칙에서 정한 검사대상기기에 해당되는 열사용기자재는?

① 최고사용압력이 0.08MPa이고, 전열면적 $4m^2$인 강철제 보일러
② 흡수식 냉온수기
③ 가스사용량이 20kg/h인 가스사용 소형 온수 보일러(단, 도시가스가 아닌 가스임)
④ 정격용량이 0.4MW인 철 금속 가열로

해설 가스사용량 17kg/h 이상인 열사용기자재

57 에너지 다소비사업자에 대한 에너지관리 지도 결과, 에너지손실 요인이 많은 경우 산업통상자원부장관은 어떤 조치를 할 수 있는가?

① 벌금을 부과할 수 있다.
② 에너지 손실 요인의 개선을 명할 수 있다.
③ 에너지 손실 요인에 대한 배상을 요청할 수 있다.
④ 에너지 사용정지를 명할 수 있다.

58 에너지 기본법에서 규정하는 온실가스가 아닌 것은?

① 육불화황(SE6)
② 과불화탄소(PFCs)
③ 수소불화탄소(HFCs)
④ 산소(O)

해설 온실가스 : 적외선 복사열을 흡수하거나 재방출하여 온실효과를 유발하는 대기 중의 가스 상태의 물질로 이상화탄소(CO_2), 메탄(CH_4), 아산화질소(N_2O), 수소불화탄소(HFCs), 과불화탄소(PFCs), 또는 육불화황(SF6)을 말함

59 에너지이용 합리화법에서 정한 검사에 합격 되지 아니한 검사대상기기를 사용한 자에 대한 벌칙은?

① 1년 이하의 징역 또는 1천만 원 이하의 벌금
② 2년 이하의 징역 또는 2천만 원 이하의 벌금
③ 1천만 원 이하의 벌금
④ 5백만 원 이하의 벌금

60 에너지기본법에서 정한 에너지기술개발 사업비로 사용될 수 없는 사항은?

① 에너지에 관한 연구인력 양성
② 온실가스 배출을 줄이기 위한 시설투자
③ 에너지사용에 따른 대기오염 절감을 위한 기술 개발
④ 에너지 기술 개발 성과의 보급 및 홍보

해설 온실가스 배출을 줄이기 위한 기술개발에 에너지기술개발사업비로 사용한다.

정답 56. ③ 57. ② 58. ④ 59. ① 60. ②

에너지관리기능사 CBT 모의고사 7회

01 과열증기에서 과열도는 무엇인가?

① 과열증기온도와 포화증기온도와의 차이다.
② 과열증기온도에 증발열을 합한 것이다.
③ 과열증기의 압력과 포화증기의 압력 차이다.
④ 과열증기온도에 증발열을 뺀 것이다.

해설 과열도 : 과열증기온도 - 포화증기온도

02 증기보일러에서 증기의 건조도를 향상시키는 방법이 아닌 것은?

① 증기관 내의 드레인을 제거한다.
② 기수분리기를 설치한다.
③ 리프트 피팅을 설치한다.
④ 비수방지관을 설치한다.

해설
- 리프트 피팅 : 진공 펌프에 의해 응축수를 원활하게 이끌어 올리기 위해서 펌프 입구 측에 설치한다.
- 리프트 피팅의 높이는 1.5m 이내

03 보일러 급수내관의 설치 위치로 옳은 것은?

① 보일러의 상용수위와 50mm 정도 높게 설치한다.
② 보일러의 기준수위와 일치하게 설치한다.
③ 보일러의 안전저수위보다 50mm 정도 높게 설치한다.
④ 보일러의 안전저수위보다 50mm 정도 낮게 설치한다.

해설 급수내관 : 보일러 안전저수위 50mm 하단에 설치한다.

04 소용량 온수보일러에 사용되는 화염검출기 중 화염의 발열현상을 이용한 것으로 연소온도에 의해 화염의 유무를 검출하는 것은?

① 플레임 아이 ② 플레임 로드
③ 스텍 스위치 ④ CdS 셀

해설
- 스텍 스위치 : 화염의 발열 현상을 이용, 연소가스의 온도를 감지함(열적성질), 소용량 보일러용
- 플레임 아이 : 화염의 발광체 이용(화염의 복사선을 광전관으로 검출하며, 기름가스 연료용), 광학적 성질 이용
- 플레임 로드 : 화염의 이온화현상(화염의 전기전도성 검출, 가스연료용)

05 주철제 보일러의 특징 설명으로 옳은 것은?

① 내열성 및 내식성이 나쁘다.
② 고압 및 대용량으로 적합하다.
③ 섹션의 증감으로 용량을 조절할 수 있다.
④ 인장 및 충격에 강하다.

해설 주철제 보일러 특징 : 내열성, 내식성이 좋으며, 저압소용량 보일러이다. 섹션의 증감으로 용량 조절이 가능하며, 인장이나 충격에 약하다.

06 탄소(C) 1kmol이 완전연소하여 탄산가스(CO_2)가 될 때 발생하는 열량은 몇 kcal인가?

① 97200 ② 29200
③ 68000 ④ 57600

정답 01. ① 02. ③ 03. ④ 04. ③ 05. ③ 06. ①

해설 $C + O_2 \rightarrow CO_2 + 97200$

07 기체연료의 연소특성에 대한 설명으로 틀린 것은?

① 회분이나 매연발생이 없어서 연소 후 청결하다.
② 연소조절이나 소화가 불편하다.
③ 이론공기량에 가까운 공기로도 완전 연소가 가능하다.
④ 연소의 자동제어가 편리하다.

해설 연소조절이나 소화가 용이하다.

08 액체연료 연소에서 연료를 무화시키는 목적의 설명으로 틀린 것은?

① 주위 공기와 혼합을 고르게 하기 위하여
② 단위 중량당 표면적을 적게 하기 위하여
③ 연소효율을 향상시키기 위하여
④ 연소실의 열 부하를 높게 하기 위하여

해설 단위 중량당 표면적을 크게 하기 위함이다.

09 보일러 자동제어에서 시퀀스(Sequence) 제어를 가장 옳게 설명한 것은?

① 결과가 원인으로 되어 제어단계를 진행하는 제어이다.
② 목표 값이 시간적으로 변화하는 제어이다.
③ 목표 값이 변화하지 않고 일정한 값을 갖는 제어이다.
④ 제어의 각 단계를 미리 정해진 순서에 따라 진행하는 제어이다.

10 보일러 자동연소 제어의 조작량에 해당되는 것은?

① 급수량　　② 연료량
③ 전열량　　④ 증기온도

해설

종류	제어량	조작량
증기온도제어(S.T.C)	증기온도	전열량
급수제어(F.W.C)	보일러수위	급수량
연소제어(A.C.C)	증기압력	연료량 · 공기량
	노내압력	연소가스량

11 보일러 통풍방식에서 연소용 공기를 송풍기로 노 입구에서 대기압보다 높은 압력으로 밀어 넣고 굴뚝의 통풍작용과 같이 통풍을 유지하는 방식은?

① 자연통풍　　② 노출통풍
③ 흡입통풍　　④ 압입통풍

해설
- 압입통풍 : 송풍기를 노 앞에서 대기압 이상으로 밀어 넣는 형식(정압+)
- 흡입(유입, 흡인)통풍 : 송풍기를 연돌하부에서 연소가스를 빨아내는 형식(부압−)
- 평형통풍 : 압입과 흡입의 통풍을 병합한 형식(정압+, 부압−)

12 열의 이동 방법에 속하지 않는 것은?

① 복사　　② 전도
③ 대류　　④ 증발

해설 열의 이동법 : 복사, 전도, 대류

13 보일러를 본체 구조에 따라 분류하면 원통형 보일러와 수관식 보일러로 크게 나눌 수 있다. 수관식 보일러에 속하지 않는 것은?

① 노통보일러
② 다쿠마 보일러
③ 라몽트 보일러
④ 슐처보일러

해설 원통형보일러 : 노통보일러(코르니쉬, 랭커셔)

정답 07. ② 08. ② 09. ④ 10. ② 11. ④ 12. ④ 13. ①

14 **보일러의 긴급연료 차단밸브(전자밸브)를 작동시키는 연계장치가 아닌 것은?**

① 압력차단 스위치
② 스테이 빌라이저
③ 저수위 경보기
④ 화염검출기

해설 스테이 빌라이저 : 보염장치

15 **15℃의 물을 급수하여 압력 0.35MPa의 증기를 500kgf/h 발생시키는 보일러의 마력은 약 얼마인가?(단, 발생증기의 엔탈피는 655.2kcal/kgf이다.)**

① 37.9 ② 42.3
③ 28.8 ④ 48.7

해설 마력 = 상당증발량/539
500 × (655.2 − 15)/539 × 15.65 = 37.9

16 **보일러의 부속설비 중 연료공급 계통에 해당하는 것은?**

① 콤버스터 ② 버너타일
③ 슈트 블로우 ④ 오일 프리히터

17 **보일러의 수면계와 관련된 설명 중 틀린 것은?**

① 증기보일러에는 2개 이상(소용량 및 소형 관류 보일러는 1개)의 유리수면계를 부착하여야 한다. 다만, 단관식 관류 보일러는 제외한다.
② 유리수면계는 보일러 동체에만 부착하여야 하며 수주관에 부착하는 것은 금지하고 있다.
③ 2개 이상의 원격지시 수면계를 시설하는 경우에 한하여 유리수면계를 1개 이상으로 할 수 있다.
④ 유리수면계는 상 · 하에 밸브 또는 콕크를 갖추어야 하며, 한눈에 그것의 개 · 폐 여부를 알 수 있는 구조이어야 한다. 다만, 소형 관류 보일러에서는 밸브 또는 콕크를 갖추지 아니할 수 있다.

해설 유리수면계는 수면계보호를 위해 수주관에 부착한다.

18 **보일러의 수위검출기 작동 시험 및 보수에 대한 설명으로 가장거리가 먼 것은?**

① 검출기 하단의 취출밸브를 열어 검출기 수위를 서서히 저하 시키며 급수펌프의 작동 여부를 확인한다.
② 보일러에 간헐적으로 블로우어를 할 때에는 수위를 서서히 저하시켜서 수위검출기 작동을 확인한다.
③ 플로트식은 6개월 마다 수은스위치의 상태와 접점 단자의 상태를 조사한다.
④ 전극식은 1년 마다 전극봉을 샌드페이퍼로 스케일을 제거해 준다.

해설 전극식은 6개월 마다 전극봉을 샌드페이퍼로 스케일을 제거해 준다.

19 **보일러의 굴뚝 높이가 45m일 때 이 굴뚝의 통풍력은 약 몇 mmAq인가?(단, 외기온도 : 30℃, 배기가스온도 : 100℃)**

① 60 ② 50
③ 30 ④ 10

해설 Z = 273 · H(ra/Ta − rg/Tg)
- ra = 외기비중량 (kg/m^3), Ta = 외기절대온도 : 273 + 외기온도℃ rg = 가스의 비중량 (kg/m^3), Tg = 배기가스의 절대온도 : 273 + 배기가스온도℃, H = 연돌의 높이(m)
- H = 45 [355/(273+30) − 355/(273+100)] = 10
- 355 = (273 × 1.293)와 (273 × 1.34)의 평균치

정답 14. ② 15. ① 16. ④ 17. ② 18. ④ 19. ④

20 보일러의 증발량이 10t/h 이고, 보일러 본체의 전열면적이 500m^{2}일 때, 보일러의 증발률은 몇 kg/m^{2}h인가?

① 20 ② 0.2
③ 0.02 ④ 25

해설 10000/500 = 20

21 다음 집진장치 중 가압수를 이용한 것은?

① 충돌식
② 중력식
③ 벤튜리 스크레버식
④ 반전식

해설 가압수 집진장치 : 벤튜리 스크레버, 제트 스크레버, 사이크론 스크레버, 충전탑

22 보일러에 연소가스의 폐열을 이용한 과열기를 설치할 때 얻을 수 있는 장점으로 틀린 것은?

① 증기관 내의 마찰저항을 감소시킬 수 있다.
② 증기기관의 이론적 열효율을 높일 수 있다.
③ 같은 압력의 포화증기에 비해 보유량이 많은 증기를 얻을 수 있다.
④ 연소가스의 저항으로 압력손실을 줄일 수 있다.

해설 과열기 설치로 인한 연소가스 저항이 커져 압력손실이 커진다.

23 보일러 열효율 정산방법에서 열정산을 위한 급수량을 측정할 때 그 오차는 일반적으로 몇 %로 하여야 하는가?

① ±1.0 ② ±3.0
③ ±5.0 ④ ±7.0

해설 급수량 측정 오차는 ±1.0% 이내이다.

24 보일러 동 내부 안전저수위보다 약간 높게 설치하여 유지분, 부유물 등을 제거하는 장치로서 연속분출 장치에 해당되는 것은?

① 수면분출장치
② 수저분출장치
③ 수중분출장치
④ 압력분출장치

해설
- 수저분출장치(단속분출) : 동하부에 침전된 농축수 배출한다.
- 수면분출장치(연속분출) : 수면 위에 떠 있는 부유물을 제거하며, 고온의 열 회수가 가능하다.

25 연료의 연소 시 공기량이 지나치게 과대할 경우 나타나는 장해(障害)로 맞는 것은?

① 연소온도가 높아진다.
② 열전달이 증대된다.
③ 열손실이 증대된다.
④ 연소에서 배출되는 가스량이 적어진다.

해설 공기량 과대할 때 현상 : 노 내 온도 저하, 배기가스 증가로 배기가스 열손실 증대

26 보일러의 자동제어에서 신호전달 방식 종류에 해당되지 않는 것은?

① 팽창식 ② 유압식
③ 전기식 ④ 공기압식

해설 자동제어 신호전달방식 : 공기압식, 유압식, 전기식

27 보일러의 수관에 대한 설명으로 가장 적합한 것은?

① 관의 내부에서 연소가스가 접촉하는 관
② 관의 외부에서 물이 흐르는 관

정답 20. ① 21. ③ 22. ④ 23. ① 24. ① 25. ③ 26. ① 27. ③

③ 관의 외부에서 연소가스가 접촉하고 관 내로 물이 흐르는 관
④ 관의 내부에는 연소가스가 접촉하고 외부로는 물이 흐르는 관

해설 • 수관 : 관 외부에 연소가스가 접촉하고 관 내로 물이 흐르는 관
• 연관 : 관 외부에 물이 흐르고 관 내부에 연소가스가 흐르는 관

28 **보일러의 전열면적이 클 때의 설명으로 틀린 것은?**

① 증발량이 많다.
② 예열이 빠르다.
③ 용량이 적다.
④ 효율이 높다.

해설 전열면적이 크면 용량이 커진다.

29 **보일러 제어동작 중 불연속 동작의 종류가 아닌 것은?**

① 2위치동작
② 다위치 동작
③ 불연속 속도 동작
④ 비례동작

해설 비례동작은 연속동작(적분동작, 미분동작과 연동하여 사용)

30 **온수난방의 특징 설명으로 틀린 것은?**

① 취급이 용이하고 연료비가 적게 든다.
② 예열에 시간이 걸리지만 쉽게 냉각되지 않는다.
③ 방열량이 커서 방열면적이 좁다.
④ 난방부하의 변동에 따른 온도조절이 쉽다.

해설 방열기 방열량이 적어서 방열면적이 커야 한다.

31 **온수보일러에 팽창탱크를 설치하는 이유로서 옳은 것은?**

① 물의 온도상승에 따른 체적팽창에 의한 보일러의 파손을 막기 위한 것이다.
② 배관 중의 이물질을 제거하여 연료의 흐름을 원활히 하기 위한 것이다.
③ 온수순환펌프에 의한 맥동 및 캐비테이션을 방지하기 위한 것이다.
④ 보일러, 배관, 방열기 내에 발생한 스케일 및 슬러지를 제거하기 위한 것이다.

해설 설치목적 : 온도상승에 의한 체적팽창흡수, 보충수공급, 공기배출 밀 공기침입 방지

32 **최고사용압력이 0.7MPa인 강철제 증기보일러의 안전밸브의 크기는 호칭지름 몇 mm 이상으로 하는가?**

① 25　　② 30
③ 15　　④ 20

해설 0.7MPa인 고압용보일러 안전밸브의 크기는 25mm 이상이다.

33 **전열면적이 $50m^2$ 이하의 증기보일러에서는 몇 개 이상의 안전밸브를 설치하여야 하는가?**

① 4　　② 1
③ 3　　④ 2

해설 전열면적이 $50m^2$ 이하는 1개 이상, $50m^2$ 이상은 2개 이상

34 **보일러 가동상태 점검사항 중 매우 중요하기 때문에 가장 수시로 점검해야 할 것은?**

① 급수의 pH
② 일정한 수위 유지상태
② 스케일 부착상태
④ 연료유 예열상태

정답 28. ③ 29. ④ 30. ③ 31. ① 32. ① 33. ② 34. ②

해설 수시 점검사항 : 수위, 압력, 화염, 가스누설

35 가스보일러 점화 시 주의사항으로 틀린 것은?

① 가스가 누출되는 곳이 있는지 면밀히 점검한다.
② 가스압력이 적정하고 안정되어 있는가를 점검한다.
③ 점화용 가스는 화력이 나쁜 것을 사용해야 한다.
④ 연소실 및 굴뚝의 통풍, 환기는 완벽하게 하는 것이 필요하다.

해설 점화용 가스는 화력이 큰 것을 사용한다.

36 소용량 보일러 압력계의 최고 눈금은 보일러의 최고사용압력의 (A)배 이하로 하되, (B)배보다 작아서는 안 된다. A, B에 들어갈 각 각의 수치로 맞는 것은?

① A=1, B=4
② A=3, B=1.5
③ A=1.5, B=3
④ A=2, B=5

해설 압력계 최고 눈금범위 : 1.5~3배

37 보일러 수면계의 기능시험 시기로 적합하지 않는 것은?

① 프라이밍, 포밍 등이 생길 때
② 보일러를 가동하기 전
③ 2개 수면계의 수위에 차이를 발견했을 때
④ 수위의 움직임이 민감하고 정확할 때

해설 수위의 움직임이 둔할 때

38 보일러 연소 중에 발생하는 맥동연소의 원인이 아닌 것은?

① 연료 속에 수분이 많은 경우
② 연소량이 심히 고르지 못한 경우
③ 공급 공기량에 심한 과부족이 생긴 경우
④ 연도 단면의 변화가 작은 경우

해설 연도 단면의 변화가 클 경우 맥동연소의 원인이 된다.

39 증기보일러 취급방법으로 틀린 것은?

① 역화의 위험을 막기 위해 댐퍼는 닫아 놓아야 한다.
② 점화 후 화력의 급상승은 금지해야 한다.
③ 압력계, 수위계 등 부속장치의 점검을 게을리 하지 않는다.
④ 송기 시 주증기밸브는 급개하지 않는다.

해설 역화의 위험을 막기 위해 댐퍼를 연다.

40 보일러 내부의 건조 방식에 쓰이는 건조제가 아닌 것은?

① 염화칼슘 ② 실리카겔
③ 탄산칼슘 ④ 생석회

해설 건조제 : 염화칼슘, 실리카겔, 생석회

41 보일러에서 불완전연소의 원인으로 틀린 것은?

① 버너로부터의 분무불량 즉, 분무입자가 클 때
② 연소용 공기량이 부족할 때
③ 분무연료와 보일러 열량과의 혼합이 불량할 때
④ 연소속도가 적정하지 않을 때

정답 35. ③ 36. ② 37. ④ 38. ④ 39. ① 40. ③ 41. ③

해설 분무연료와 보일러 열량과의 혼합이 아니라 공기와 혼합이 불량 시

42 보일러수 처리 방법 중에서 부유, 유기물의 제거법에 해당하지 않는 것은?

① 여과법 ② 이온교환법
③ 침전법 ④ 응집법

해설 관외처리 : 원수 중 1차적 처리법
- 현탁성 부유물처리법(침강법, 여과법, 응집법)
- 이온교환 수지법 : 전기적인 변화에 의한 센 물 속에 광물질이 분리되어 불순물 제거

43 보일러 주위의 배관에서 하트포드 접속법이란?

① 증기관과 환수관 사이에 표준수면에서 50mm 아래로 균형관을 설치하는 배관방법이다.
② 보일러 주위에서 증기관과 환수관을 역으로 설치하는 관이음 방법이다.
③ 환수주관을 보일러 안전저수면 50mm 아래에 설치하는 이음 방법이다.
④ 증기압력으로 물이 역류하지 않도록 하는 배관 방법이다.

해설 하트포드 접속법 : 저압 증기난방에서 증기관과 환수관 사이에 표준수면에서 50mm 아래로 균형관을 설치하는 배관 방법이다.

44 실내의 천장 높이가 12m인 극장에 대한 증기난방 설비를 설계하고자 한다. 이 때의 난방부하 계산을 위한 실내평균온도는 약 몇℃인가?(단, 호흡선 1.5m에서의 실내온도는 18℃이다.)

① 23 ② 26
③ 29 ④ 32

해설 실내평균온도 = (12/1.5)+18 = 26℃

45 개방식 온수난방의 경우 팽창탱크의 설치 위치는 온수난방의 최고 높은 부분보다 최소 몇 m 이상 높게 하는가?

① 1 ② 1.5
③ 2 ④ 3

46 난방부하가 5850kcal/h인 방에 설치하는 온수 방열기의 방열면적은 몇 m^2인가?(단, 방열기의 방열량은 표준방열량으로 한다.)

① 13 ② 12
③ 8.9 ④ 15

해설 5850kcal/h ÷ 450kcal/m^2h = 13

47 다음 보온재 중 무기질 보온재는?

① 암면 ② 펠트
③ 코르크 ④ 기포성수지

해설 유기질 보온재 : 펠트, 코르크, 기포성수지, 텍스

48 보일러 운전이 끝난 후, 노 내와 연도에 체류하고 있는 가연성가스를 배출시키는 작업은?

① 페일 세이프(fail safe)
② 풀 프루프(fool proof)
③ 포스트 퍼지(post－purge)
④ 프리퍼지(pre－purge)

해설 포스트 퍼지 : 연소 후 노 내의 미연소가스 배출

49 건물을 구성하는 구조체 즉 바닥, 벽 등에 난방용 코일을 묻고 열매체를 통과시켜 난방을 하는 것은?

① 대류난방 ② 복사난방
③ 간접난방 ④ 전도난방

정답 42. ② 43. ① 44. ② 45. ① 46. ① 47. ① 48. ③ 49. ②

50 증기난방의 분류에서 응축수 환수방식에 해당하는 것은?

① 고압식 ② 상향공급식
③ 기계환수식 ④ 단관식

해설

분류기준	온수난방법 분류
온수온도	보통온수식(85~90℃), 고온수식(100℃ 이상)
배관방식	단관식, 복관식
온수공급방식 (순환방향, 공급방향)	상향공급식, 하향공급식
온수순환방식	자연(중력)순환식, 강제순환식(기계환수식), 진공환수식

51 보일러 동 내부에 스케일(scale)이 부착된 경우 발생하는 현상으로 옳은 것은?

① 전열면 국부과열 현상을 일으킨다.
② 관수 순환이 촉진된다.
③ 연료 소비량이 감소된다.
④ 보일러 효율이 증가한다.

해설 스케일 부착 시 현상 : 전열면 국부과열 현상

52 사용 중인 보일러의 점화전에 점검해야 될 사항으로 가장거리가 먼 것은?

① 급수장치, 급수계통 점검
② 보일러 동 내 물때 점검
③ 연소장치, 통풍장치의 점검
④ 수면계의 수위확인 및 조정

해설 보일러 동 내 물때 점검은 정기점검 사항이다.

53 보일러 강판이나 강관을 제조할 때 재질 내부에 가스체 등이 함유되어 두 장의 층을 형성하고 있는 상태의 흠은?

① 블리스터 ② 팽출
③ 압궤 ④ 라미네이션

해설 보일러 손상
- 압궤 : 노통이나 화실 등이 외부압력에 의해 오목하게 들어가는 현상
- 팽출 : 과열된 부분이 냉압에 의해 부풀어 오르는 현상
- 라미네이션 : 보일러 강판이나 관이 2장의 층으로 갈라지는 현상
- 블리스터 : 보일러 강판이나 관이 2장의 층으로 갈라지면서 화염에 접합 부분이 부풀어 오르는 현상

54 증기배관 내에 응축수가 고여 있을 때 증기밸브를 급격히 열어 증기를 빠른 속도로 보냈을 때 발생하는 현상으로 가장 적합한 것은?

① 압궤가 발생한다.
② 팽출이 발생한다.
③ 블리스터가 발생한다.
④ 수격작용이 발생한다.

해설 응축수가 발생하면 수격작용이 발생한다.

55 에너지이용 합리화법상 에너지이용 합리화 기본계획사항에 포함되지 않는 것은?

① 에너지 소비형 산업구조로의 전환
② 에너지 이용효율의 증대
③ 열사용기자재의 안전관리
④ 에너지이용 합리화를 위한 기술개발

해설 에너지 절약형 산업구조로의 전환

56 에너지이용 합리화법상 평균효율관리기자재를 제조하거나 수입하여 판매하는 자는 에너지소비효율 산정에 필요하다고 인정되는 판매에 관한 자료와 효율측정에 관한 자료를 누구에게 제출하여야 하는가?

① 국토교통부 장관
② 시 · 도지사

정답 50. ③ 51. ① 52. ② 53. ④ 54. ④ 55. ① 56. ④

③ 에너지관리공단 이사장
④ 산업통상자원부 장관

57 **에너지이용 합리화법상 검사대상기기관리자가 퇴직하는 경우 퇴직 이전에 다른 검사대상기기관리자를 선임하지 아니한 자에 대한 벌칙으로 맞는 것은?**

① 1천만 원 이하의 벌금
② 2천만 원 이하의 벌금
③ 5백만 원 이하의 벌금
④ 2년 이하의 징역

해설 검사대상기기관리자를 선임하지 아니할 때의 벌칙 : 1천만 원 이하의 벌금

58 **열사용기자재관리규칙에서 정한 검사대상기기의 계속사용검사 신청서는 유효기간 만료 며칠 전까지 제출해야 하는가?**

① 7일 ② 10일
③ 15일 ④ 30일

해설 검사대상기기 계속사용검사 신청서는 유효기간 만료 10일 전까지 제출

59 **에너지이용 합리화법상 국가에너지절약추진위원회의 구성과 운영 등에 관한 사항은 ( )령으로 정한다. ( )에 들어갈 자(者)는 누구인가?**

① 대통령
② 산업통상자원부 장관
③ 에너지관리공단 이사장
④ 고용노동부 장관

해설 에너지이용 합리화법상 국가에너지절약추진위원회의 구성과 운영 등에 관한 사항은 대통령령으로 정한다.

60 **에너지이용 합리화법상 에너지다소비업자는 에너지사용기자재의 현황을 산업통상자원부령이 정하는 바에 따라 매년 1월 31일까지 그 에너지사용시설이 있는 지역을 관할하는 누구에게 신고하여야 하는가?**

① 군수 · 면장
② 도지사 · 구청장
③ 시장 · 군수
④ 시 · 도지사

정답 57. ① 58. ② 59. ① 60. ④

에너지관리기능사 CBT 모의고사 8회

01 하나의 물체를 구성하고 있는 물질 부분에 차례차례로 열이 전해지거나 또는 직접 접촉하고 있는 2개의 물체의 하나에서 다른 것으로 열이 전해지는 현상은?

① 열전도 ② 열대류
③ 열복사 ④ 열방사

해설
- 열전도 : 고체에서 고온에서 저온으로 열 이동 현상
- 열대류 : 온도차에 의한 유체분자의 이동
- 열복사 : 태양광선, 화염에 의한 열 이동

02 어떤 보일러의 실제증발량이 30t/h이고 보일러 본체의 전열면적이 300m^2일 때 이 보일러의 전열면 증발율은 몇 kg/m^2h인가?

① 10 ② 150
③ 100 ④ 1000

해설 전열면 증발율 : 전열면적 1m^2당 1시간 동안의 실제증발량
$30000 \div 300 = 100$

03 보일러 중 증기드럼(drum)이 없는 보일러는?

① 스털링 보일러 ② 야로우 보일러
③ 슐처 보일러 ④ 다쿠마 보일러

해설 관류 보일러는 증기드럼이 없는 보일러로 슐처, 벤슨, 엣모스, 람진, 소형 관류 보일러 등이 있다.

04 부르동관 압력계를 부착할 때 사용되는 사이펀관 속에 넣는 물질은?

① 수은 ② 증기
③ 공기 ④ 물

해설 사이펀관 속 유체명 : 80℃ 이하의 물

05 중유 보일러의 연소보조장치에 속하지 않는 것은?

① 여과기 ② 인젝터
③ 오일 프리히터 ④ 화염검출기

해설 인젝터는 급수보조장치이다.

06 분사관이 짧으며 1개의 노즐을 설치하여 연소노벽에 부착되어 있는 이물질을 제거하는 매연분출장치는?

① 숏트레트랙블형
② 롱레트랙블형
③ 공기예열기 크리너
④ 해머링 장치

해설
- 롱레트랙블형(삽입형) : 고온부인 과열기나 수관부용으로 고온의 열가스 통로에 사용할 때 사용되며, 긴 분사관에 노즐을 설치하여, 고온 전열면 청소 시 사용
- 숏트레트랙블형 : 분사관이 짧으며 1개의 노즐을 설치하여, 연소 노벽 매연을 분출
- 건타입형 : 일반적인 전열면 블로어로, 타고 남은 재가 많이 부착하는 보일러에 사용
- 로터리용(회전용) : 회전을 하면서 분사 청소하는 것으로 연도 등 저온 전열면 청소 시 사용

07 여과식 집진장치의 분류가 아닌 것은?

① 유수식
② 원통식
③ 평판식
④ 역기류 분사형

해설 습식 집진장치 : 유수식, 가압수식, 회전식

정답 01. ① 02. ③ 03. ③ 04. ④ 05. ② 06. ① 07. ①

08 **중유 첨가제 중에서 분무를 순조롭게 하는 것은?**

① 회분개질제 ② 유동점강하제
③ 슬러지분산제 ④ 연소촉진제

해설 • 연소촉진제 : 분무를 순조롭게 함
• 회분개질제 : 회분의 융점을 높여 고온부식 방지
• 유동점강하제 : 유동점을 낮추어 송유 양호
• 슬러지분산제 : 슬러지 생성방지

09 **보일러 자동제어의 목적과 관계가 없는 것은?**

① 경제적인 열매체를 얻을 수 있다.
② 보일러의 운전을 안전하게 할 수 있다.
③ 효율적인 운전으로 연료비를 증가시킨다.
④ 인원 절감의 효과와 인건비가 절약이 된다.

해설 효율적 운전으로 연료비를 절감한다.

10 **유류용 온수보일러에서 버너가 정지하고 리셋 버튼이 돌출하는 경우는?**

① 오일 배관 내의 공기가 빠지지 않고 있다.
② 연소용 공기량이 부적당하다.
③ 연통의 길이가 너무 길다.
④ 실내 온도조절기의 설정온도가 실내 온도보다 낮다.

해설 오일 배관 내의 공기가 빠지지 않으면 유류용 온수보일러에서 버너가 정지하고 리셋 버튼이 돌출한다.

11 **보일러 열손실 종류 중 일반적으로 손실량이 가장 큰 것은?**

① 불완전연소에 의한 열손실
② 미연소 연료분에 의한 열손실
③ 복사 및 전도에 의한 열손실
④ 배기가스에 의한 열손실

해설 출열항목 중 배기가스에 의한 열손실이 가장 크다.

12 **탄소 5kg을 완전연소시키는데 필요한 산소량은 약 몇 kg인가?**

① 13.3 ② 26.7
③ 2.6 ④ 44.0

해설 $C+O_2 \rightarrow CO_2$
12 32
5 x
$\therefore x = 32 \times (5 \div 12) = 13.3$

13 **상당증발량을 계산하는 식으로 맞는 것은?(단, Ge : 상당증발량, G : 매시발생증기량, h_2 : 발생증기엔탈피, h_1 : 급수엔탈피)**

① $Ge=G(h_2-h_1)/539$
② $Ge=G(h_1-h_2)/539$
③ $Ge=G(h_2-h_1)/639$
④ $Ge=G(h_1-h_2)/639$

해설 상당증발량 : $Ge=G(h_2-h_1)/539$

14 **보일러 통풍장치에서 흡입통풍방식이란?**

① 연도의 끝이나 연돌 하부에 송풍기를 설치한 방식
② 보일러 노의 입구에 송풍기를 설치한 방식
③ 연소용 공기를 연소실로 밀어 넣는 방식
④ 배기가스와 외기의 비중차를 이용한 통풍방식

정답 08. ④ 09. ③ 10. ① 11. ④ 12. ① 13. ① 14. ①

15 비열이 0.5kcal/kg℃인 어떤 연료 20kg을 30℃에서 80℃까지 예열하려고 한다. 이때 필요한 열량은 몇 kcal인가?

① 600　② 450
③ 550　④ 500

해설 20kg×0.5kcal/kg℃×50℃=500kcal

16 주철제 보일러의 특징으로 틀린 것은?

① 내열성과 내식성이 우수하다.
② 대용량의 고압보일러에 적합하다.
③ 열에 의한 부동팽창으로 균열이 발생하기 쉽다.
④ 쪽수의 증감에 따라 용량조절이 편리하다.

해설 대용량의 저압보일러에 적합하다.

17 도시가스의 연소형태는?

① 확산연소　② 표면연소
③ 분해연소　④ 증발연소

해설 도시가스 연소형태 : 확산연소, 예혼합연소

18 보일러 급수제어의 3요소식과 관련이 없는 것은?

① 연소량　② 수위
③ 증기유량　④ 급수유량

해설 보일러 급수제어 : 1요소(수위), 2요소(수위, 증기량), 3요소식(수위, 증기량, 급수량)

19 보일러 방폭문이 설치되는 위치로 가장 적합한 것은?

① 연소실 후부 또는 좌, 우측
② 노통 또는 화실 천정부
③ 증기드럼 내부 또는 주증기 배관 내
④ 연도

해설 방폭문 설치 위치 : 연소실 후부 또는 좌, 우측

20 연도에서 폐열회수장치의 설치순서가 올바른 것은?

① 재열기 → 절탄기 → 공기예열기 → 과열기
② 과열기→ 재열기 → 절탄기 → 공기예열기
③ 공기예열기 → 과열기 → 절탄기 → 재열기
④ 절탄기 → 과열기 → 공기예열기 → 재열기

21 중유연소장치에서 사용되는 버너의 종류에 해당되지 않는 것은?

① 유압분사식
② 저압기류식
③ 교차분사식
④ 고압기류식

해설 중유버너 종류 : 유압분사식, 저압 및 고압기류식, 로터리식, 건타입 등

22 보일러의 안전장치에 해당되지 않는 것은?

① 방폭문　② 수위계
③ 화염검출기　④ 가용마개

23 보일러의 자동제어의 종류에 해당되지 않는 것은?

① 급수자동제어
② 연소자동제어
③ 증기온도자동제어
④ 용량자동제어

해설 보일러자동제어의 종류 : 급수자동제어(FWC), 연소자동제어(ACC), 증기온도자동제어(STC)

정답 15. ④ 16. ② 17. ① 18. ① 19. ① 20. ② 21. ③ 22. ② 23. ④

24 코르니쉬 보일러의 노통 길이가 4500mm 이고, 외경이 3000mm, 두께가 10mm 일 때 전열면적은 약 몇 m^2인가?

① 54.0 ② 45.7
③ 46.4 ④ 42.4

해설 3.14×3m×4.5m=42.39

25 노통의 전열면적을 증가시키고, 이로 인한 강도 보강, 관수순환을 양호하게 하는 역할을 위해 설치하는 것은?

① 겔로웨이관
② 아담슨조인트
③ 브레이징 스페이스
④ 반구형 경판

26 외부에서 전해진 열을 물과 증기에 전달하는 보일러 부위의 명칭은?

① 전열면 ② 동체
③ 노 ④ 연도

해설 전열면 : 연소실에서 전해진 열을 물과 증기에 전하는 부위

27 증기트랩이 갖추어야 할 조건이 아닌 것은?

① 마찰저항이 클 것
② 동작이 확실할 것
③ 내식, 내마모성이 있을 것
④ 응축수를 연속적으로 배출할 수 있을 것

해설 마찰저항이 작을 것

28 보일러 급수펌프의 구비조건으로 틀린 것은?

① 고온, 고압에도 충분히 견딜 것
② 회전식은 고속회전에 지장이 있을 것
③ 급격한 부하변동에 신속히 대응할 수 있을 것
④ 작동이 확실하고 조작이 간편할 것

해설 고속회전에 지장이 없을 것

29 다음 중 1J(Joule)과 같은 값은?

① 1Nm ② 1cal
③ 1mol ④ 1erg

해설 1Nm=1Joule, 1W=1Joule/s, $1Nm=1kg.m/s^2$

30 보일러 내부에 아연판을 매다는 가장 적당한 이유는?

① 기수공발을 방지하기 위하여
② 보일러 판의 부식을 방지하기 위하여
③ 스케일 생성을 방지하기 위하여
④ 프라이밍을 방지하기 위하여

해설 보일러 내부에 아연판을 매다는 이유는 점식을 방지하기 위함이다.

31 보일러 비상정지 시 맨 먼저 조치해야 할 사항은?

① 댐퍼를 닫는다.
② 공기투입을 정지한다.
③ 연료의 공급을 차단한다.
④ 증기밸브를 닫고 스위치를 내린다.

해설 보일러 비상정지순서 : ① 연료공급 차단 ② 공기투입 정지 ③ 증기밸브 닫고 스위치 내림 ④ 댐퍼 닫음

32 다음 중 용어별 사용단위가 틀린 것은?

① 열전도율 : kcal/mh℃
② 열관류율 : $kcal/m^2h℃$
③ 열전달율 : kcal/mh℃
④ 열저항 : $m^2h℃/kcal$

정답 24. ④ 25. ① 26. ① 27. ① 28. ② 29. ① 30. ② 31. ③ 32. ③

해설 열전달율 : kcal/m²h℃

33 온수난방설비에서 개방형 팽창탱크의 수면은 최고층의 방열기와 몇 m 이상이어야 하는가?

① 1m ② 2m
③ 3m ④ 5m

34 보일러설치규격에서 저수위 차단장치의 설치 시 주의사항으로 틀린 것은?

① 가급적 2개를 별도의 통수관에 각기 연결하여 사용하는 것이 좋다.
② 분출관과 수면계의 분출관을 통합 연결한다.
③ 통수관 크기는 호칭지름 25mm 이상이 되도록 하여야 한다.
④ 통수관에 부착되는 밸브는 개폐상태를 명확히 하여야 한다.

해설 분출관과 수면계의 분출관은 별도로 설치한다.

35 보일러 강판의 가성취화에 대한 특징 설명으로 틀린 것은?

① 고압보일러에서 보일러수의 알칼리농도가 높은 경우에 발생한다.
② 발생하는 장소로는 수면상부의 리벳과 리벳 사이에 발생하기 쉽다.
③ 발생하는 장소로는 관구멍 등 응력이 집중하는 곳의 틈이 많은 곳이다.
④ 외견상 부식성이 없고, 극히 미세한 불규칙적인 방사상 형태를 하고 있다.

해설
• 수면상부는 응력을 적게 받기 때문에 점식이 발생한다.
• 가성취화 : 알칼리도가 높아 리벳 이음이나 재료의 결정 입계에 부식을 일으키는 현상

36 보일러수에 함유된 산소(O_2)가 유발시키는 1차적인 장해는?

① 고온부식 ② 그루빙
③ 점식 ④ 가성취화

해설 점식 : 용존산소에 의한 부식

37 증기압이 오르기 시작할 때의 보일러 취급방법으로 맞지 않는 것은?

① 분출장치의 누설유무를 확인한다.
② 가열에 따른 팽창으로 수위의 변동을 확인한다.
③ 공기 배제 후 공기빼기밸브를 연다.
④ 급수장치의 기능을 확인한다.

해설 공기 배제 후는 공기빼기밸브를 닫는다.

38 증기난방의 분류 중 응축수 환수방식에 의한 분류에 해당되지 않는 것은?

① 중력환수방식 ② 기계환수방식
③ 진공환수방식 ④ 건식환수방식

해설 증기난방 응축수 환수방식 : 중력환수방식, 기계환수방식, 진공환수방식

39 보일러수의 분출에 관한 설명 중 틀린 것은?

① 계속 운전 중인 보일러는 부하가 가장 클 때 분출을 행한다.
② 분출작업은 2대의 보일러를 동시에 행하면 안 된다.
③ 분출작업이 끝날 때까지는 다른 작업을 하여서는 안 된다.
④ 야간에 쉬던 보일러는 아침의 조업 직전에 분출을 행한다.

해설 운전 중인 보일러는 부하가 작을 때 분출한다.

정답 33. ① 34. ② 35. ② 36. ③ 37. ③ 38. ④ 39. ①

40 전극식 수위 검출부는 전극봉에 스케일이 부착되어 기능을 못하는 경우가 있으므로 어느 정도 기간마다 전극봉을 샌드페이퍼로 닦는 것이 좋은가?

① 9개월 ② 6개월
③ 12개월 ④ 3개월

해설 전극식 수위 검출부 전극봉 청소시기 : 6개월

41 전열면적이 10m^2 이하인 보일러의 분출밸브 크기는 호칭지름 몇 mm 이상으로 할 수 있는가?

① 15 ② 20
③ 32 ④ 45

해설
- 전열면적 10m^2 이하 분출 밸브크기 : 20mm 이상
- 전열면적 10m^2 이상 분출 밸브크기 : 25mm 이상

42 전열면적 12m^{2}인 강철제 또는 주철제 증기 보일러의 급수밸브의 크기는 호칭 몇 A 이상이어야 하는가?

① 15 ② 20
③ 25 ④ 32

해설
- 전열면적 10m^2 이하 급수밸브크기 : 15mm 이상
- 전열면적 10m^2 이상 급수밸브크기 : 20mm 이상

43 보일러 연소 시 매연발생원인과 가장 거리가 먼 것은?

① 공기의 공급량이 부족 또는 과대한 경우
② 무리한 연소를 한 경우
③ 연소장치가 부적당한 경우
④ 배기가스 온도가 낮은 경우

해설 배기가스 온도와 매연발생의 원인은 무관하다.

44 온수난방설비에서 팽창탱크를 바르게 설명한 것은?

① 고온수 난방설비에는 개방식 팽창탱크를 사용한다.
② 개방식 팽창탱크는 반드시 방열기보다 높은 위치에 설치한다.
③ 밀폐식 팽창탱크에는 일수관, 통기관 등을 설치한다.
④ 팽창관에는 반드시 밸브를 설치한다.

해설 개방식 팽창탱크는 높이는 방열기보다 1m 높은 위치에 설치한다.

45 온수온돌의 난방방열 특성을 설명한 것으로 맞는 것은?

① 저온직사열에 의한 난방
② 저온대류에 의한 난방
③ 저온복사에 의한 난방
④ 저온전도에 의한 난방

해설
- 온수온돌 난방 : 저온복사에 의한 난방
- 증기난방 : 물의 잠열을 이용한 난방
- 온수난방 : 물의 현열을 이용한 난방

46 보일러의 계속사용검사기준에서 사용 중 검사에 대한 설명으로 틀린 것은?

① 보일러 지지대의 균열, 내려앉음, 지지부재의 변형 또는 파손 등 보일러의 설치상태에 이상이 없어야 한다.
② 보일러와 접속된 배관, 밸브 등 각종 이음부에는 누기, 누수가 없어야 한다.
③ 연소실 내부가 충분히 청소된 상태이어야하고, 축로의 변형 및 이탈이 없어야 한다.
④ 보일러 동체는 보온 및 케이싱이 분해되어 있어야 하며, 손상이 약간 있는 것은 사용해도 관계가 없다.

정답 40. ② 41. ② 42. ② 43. ④ 44. ② 45. ③ 46. ④

해설 보일러 동체는 보온 및 케이싱이 분해되지 않아야 하며 손상이 있는 것은 사용해선 안 된다

47 저압증기난방에 사용하는 증기의 압력(kg/cm^2)은?

① 5~10 ② 1~5
③ 0.35~1 ④ 0.15~0.35

해설 증기난방구분
- 저압 : $0.15 \sim 0.35 kg/cm^2$
- 중압 : $0.35 \sim 1 kg/cm^2$
- 고압 : $1 kg/cm^2$ 이상

48 보일러 용량을 결정하는 정격출력에 포함되어 고려할 사항이 아닌 것은?

① 배관부하 ② 급탕부하
③ 채광부하 ④ 예열부하

해설 보일러 정격출력 : 난방부하, 급탕부하, 배관부하, 예열부하

49 신축곡관이라고도 하며 고온, 고압용 증기관 등의 옥외배관에 많이 쓰이는 신축이음은?

① 벨로즈형 ② 슬리브형
③ 스위블형 ④ 루프형

해설 루프형 : 신축곡관이라고도 하며 고온, 고압용 증기관 등의 옥외배관용으로 설치하며, 공간을 가장 많이 차지한다.

50 신설보일러의 사용 전 내부점검 사항으로 틀린 것은?

① 기수분리기, 기타 부품의 부착상황을 확인하고 공구나 볼트, 너트, 헝겊조각 등이 보일러에 들어 있는지 점검한다.
② 내부에 이상이 없는지 확인하고 맨홀, 검사구 등에 수압시험에 사용한 명판 등이 제거되어 있는지 각 구멍을 점검한 후 닫혀있는 뚜껑을 전부 열어 개방한다.
③ 내부의 공기를 빼고 밸브를 열어놓은 상태로 급수하고 수위가 상승할 때 저수위 경보기 또는 연료차단장치 등의 인터록이 정확하게 작동하는지 확인한다.
④ 만수시킨 후 공기가 완전히 빠졌는지 확인한 뒤 공기빼기밸브를 닫고 정상 사용압력보다 10% 이상의 수압을 가하여 각부가 새지 않는지 확인한다.

51 난방부하가 36900kcal/h인 경우 온수방열기의 방열면적은 몇 m^2가 되어야 하는가?(단, 방열기 방열량은 표준방열량으로 한다.)

① 66 ② 82
③ 95 ④ 46

해설 $36900kcal/h \div 450kcal/m^2h = 82$

52 온수보일러 시공업자는 시공한 설비에 대하여 설치 · 시공 도면을 작성하여 보존해야 되는데 이 도면에 표시해야 할 사항으로 관계가 없는 것은?

① 모든 배관의 크기, 치수 및 경로
② 안전장치의 설치위치
③ 밸브의 종류 및 설치위치
④ 연도 및 굴뚝의 높이

53 보일러 사고의 원인 중 보일러 취급상의 사고 원인이 아닌 것은?

① 재료 및 설계 불량
② 사용압력초과운전
③ 저수위운전
④ 급수처리 불량

정답 47. ④ 48. ③ 49. ④ 50. ② 51. ② 52. ④ 53. ①

해설 재료 및 설계 불량은 구조적 결함이다.

54 **보일러 수면계의 개수와 관련된 사항 중 잘못 설명된 것은?**

① 증기보일러에는 2개 이상의 유리수면계를 부착한다.
② 소용량 및 소형관류 보일러에는 2개 이상의 유리수면계를 부착한다.
③ 최고사용압력 1MPa 이하로서 동체 안지름이 750mm 미만인 경우에 있어서는 수면계 중 1개를 다른 종류의 수면측정장치로 할 수 있다.
④ 2개 이상의 원격지시수면계를 시설하는 경우에 한하여 유리수면계를 1개 이상으로 할 수 있다.

해설 소용량 및 소형관류 보일러는 1개 이상 유리수면계를 부착한다.

55 **에너지이용 합리화법상 에너지를 사용하여 만드는 제품의 단위당 에너지사용목표량 또는 건축물의 단위면적당 에너지사용목표량을 정하여 고시하는 자는?**

① 산업통상자원부 장관
② 고용노동부 장관
③ 시 · 도지사
④ 에너지관리공단 이사장

56 **특정열사용기자재 중 검사대상기기를 설치하거나 개조하여 사용하려는 자는 누구의 검사를 받아야 하는가?**

① 검사대상기기 제조업자
② 시 · 도지사
③ 에너지관리공단 이사장
④ 시공업자단체의 장

57 **에너지이용 합리화법상 에너지의 효율적인 수행과 특정열사용기자재의 안전관리를 위하여 교육을 받아야하는 대상이 아닌 자는?**

① 에너지 관리자
② 시공업의 기술인력
③ 검사대상기기관리자
④ 효율관리기자재 제조자

58 **에너지이용 합리화법의 목적이 아닌 것은?**

① 에너지의 수급 안정
② 에너지의 합리적이고 효율적인 이용 증진
③ 에너지소비로 인한 환경피해를 줄임
④ 에너지 소비촉진 및 자원개발

59 **에너지이용 합리화법 시행규칙에서 에너지사용자가 수립하여야 하는 자발적 협약의 이행계획에 포함되어야 할 사항이 아닌 것은?**

① 온실가스 배출증가 현황 및 투자방법
② 협약 체결 전년도의 에너지소비현황
③ 효율향상목표 등의 이행을 위한 투자계획
④ 에너지관리체제 및 관리방법

60 **에너지다소비업자가 매년 1월 31일까지 신고해야 할 사항에 포함되지 않는 것은?**

① 전 년도의 에너지이용 합리화 실적 및 해당 연도의 계획
② 에너지사용기자재의 현황
③ 해당 연도의 에너지사용예정량 · 제품생산예정량
④ 전년도의 손익계산서

해설 손익계산서는 해당이 없다.

정답 54. ② 55. ① 56. ② 57. ④ 58. ④ 59. ① 60. ④

에너지관리기능사 CBT 모의고사 9회

01 고위 발열량 9800Kcal/kg인 연료 3Kg을 연소시킬 때 발생되는 총 저위발열량은 약 몇 Kcal/kg인가?(단, 연료 1Kg당 수소(H)분은 15%, 수분은 1%의 비율로 들어있다.)

① 8984 ② 44920
③ 26952 ④ 25117

해설 Hl = Hh − 600(9 × H + W)
9800 − 600(9 × 0.15 + 0.01) × 3 = 26,952Kcal

02 보일러의 자동제어에서 제어량에 따른 조작량의 대상으로 맞는 것은?

① 증기온도 : 연소가스량
② 증기압력 : 연료량
③ 보일러수위 : 공기량
④ 노내압력 : 급수량

해설 제어량과 조작량

종류	제어량	조작량
증기온도제어(S.T.C)	증기온도	전열량
급수제어(F.W.C)	보일러수위	급수량
연소제어(A.C.C)	증기압력	연료량 · 공기량
	노내압력	연소가스량

03 1보일러 마력을 시간당 발생열량으로 환산하면?

① 15.65Kcal/h
② 8435Kcal/h
③ 9290Kcal/h
④ 7500Kcal/h

해설 보일러 1마력은 15.65Kg/h의 상당증발량이다.
∴ 15.65 × 539 = 8435

04 보일러 안전밸브 설치에 관한 설명으로 잘못된 것은?

① 안전밸브는 바이패스 배관으로 설치한다.
② 쉽게 검사할 수 있는 장소에 설치한다.
③ 밸브 축을 수직으로 한다.
④ 가능한 한 보일러 동체에 직접 설치한다.

해설 안전밸브는 쉽게 검사할 수 있어야 하고 동체 상부에 수직으로 직접부착하며 바이패스 배관을 절대 설치하지 않는다.

05 난방부하가 24000Kcal/h인 아파트에 효율이 80%인 유류보일러로 난방을 하는 경우 연료의 소모량은 약 몇 Kg/h인가?(단, 유류의 저위 발열량은 9750Kcal/Kg이다.)

① 2.56 ② 3.08
③ 3.46 ④ 4.26

해설 $\frac{24000}{0.8 \times 9750} = 3.08Kg/h$

06 긴 관의 한 끝에서 펌프로 압송된 급수가 관을 지나는 동안 차례로 가열, 증발, 과열되어 다른 끝에서는 과열증기가 되어 나가는 형식의 보일러는?

① 노통보일러 ② 관류 보일러
③ 연관보일러 ④ 입형보일러

해설 관류 보일러란 드럼이 없이 긴 관으로 구성되어 있으며, 가열, 증발, 과열되어 증기로 나가는 형식의 보일러이다.

정답 01. ③ 02. ② 03. ② 04. ① 05. ② 06. ②

07 보일러 부속장치 설명 중 틀린 것은?

① 수트블로어 – 전열면에 부착된 그을음 제거 장치
② 공기예열기 – 연소용 공기를 예열하는 장치
③ 증기축열기 – 증기의 과부족을 해소하는 장치
④ 절탄기 – 발생된 증기를 과열하는 장치

해설 절탄기 : 연소가스의 여열(잔열)을 이용하여 급수를 예열하는 장치이다.

08 15℃의 물을 보일러에 급수하여 엔탈피 655.15Kcal/kg인 증기를 한 시간에 150 kg 만들 때 보일러 마력은 약 얼마인가?

① 10.3마력 ② 11.4마력
③ 13.6마력 ④ 19.3마력

해설 보일러 마력=상당증발량/15.65

$$\therefore \frac{150 \times (655.15 - 15)}{15.65 \times 539} = 11.4\text{마력}$$

09 보일러의 성능에 관한 설명으로 틀린 것은?

① 연소실로 공급된 연료가 완전연소 시 발생될 열량과 드럼 내부에 있는 물이 그 열을 흡수하여 증기를 발생하는데 이용된 열량과의 비율을 보일러 효율이라 한다.
② 전열면 $1m^2$당 1시간 동안 발생되는 증발량을 상당증발량으로 표시한 것을 증발률이라고 한다.
③ 27.25Kg/h의 상당증발량을 1보일러 마력이라 한다.
④ 상당증발량 Ge와 실제증발량 Ga의 비, 즉 Ge/Ga를 증발계수라고 한다.

해설 보일러 1마력은 15.65Kg/h의 상당증발량이다.

10 다음 중 용적식 유량계가 아닌 것은?

① 로타리형 유량계
② 피토우관식 유량계
③ 루트형 유량계
④ 오벌기어형 유량계

해설 피토우관식은 유속식에 속한다.

11 보일러 연소자동제어를 하는 경우 연소 공기량은 어느 값에 따라 주로 조절되는가?

① 연료공급량 ② 발생증기온도
③ 발생증기량 ④ 급수공급량

해설 연소자동제어에서 연소용 공기량은 연료공급량에 따라 조절된다.

12 보일러의 증기헤더에 관한 설명으로 틀린 것은?

① 발생증기를 효율적으로 사용할 수 있다.
② 원통보일러에는 필요가 없다.
③ 불필요한 열손실을 방지한다.
④ 증기의 공급량을 조절한다.

해설 증기헤더는 소비처에 증기를 효율적으로 조절하여 공급하는 등 열손실을 방지하므로 원통보일러, 수관보일러에 모두 필요한 장치이다.

13 보일러의 상당증발량을 구하는 옳은 식은? (단 h_1 : 급수엔탈피, h_2 : 발생증기엔탈피)

① 상당증발량=실제증발량×$(h_2 - h_1)$÷539
② 상당증발량=실제증발량×$(h_1 - h_2)$÷539
③ 상당증발량=실제증발량×$(h_2 - h_1)$÷639
④ 상당증발량=실제증발량÷639

정답 07. ④ 08. ② 09. ③ 10. ② 11. ① 12. ② 13. ①

해설 상당증발량 = 실제증발량 × (발생증기엔탈피 - 급수 엔탈피) ÷ 539

14 연소용 공기를 노의 앞에서 불어 넣으므로 공기가 차고 깨끗하며 송풍기의 고장이 적고 점검 수리가 용이한 보일러의 강제통풍 방식은?

① 압입통풍 ② 흡입통풍
③ 자연통풍 ④ 수직통풍

해설 압입통풍 : 연소실 입구에 송풍기를 설치하여 통풍시키는 방식. 즉, 연소용 공기를 노의 앞에서 불어 넣어 통풍시키는 방식이다.

15 증기건도(x)에 대한 설명으로 틀린 것은?

① x=0은 포화수
② x=1은 포화증기
③ 0<x<1은 습증기
④ x=100은 물이 모두 증기가 된 순수한 포화증기

해설 물이 모두(100%) 증기로 변화된 건조도(X)는 1이다. 즉, X=1로 표시된다.

16 보일러의 배기가스 성분을 측정하여 공기비를 계산하여 실제 건배기가스량을 계산하는 공식으로 맞는 것은?(단 G : 실제 건배기 가스량 , Go : 이론건배기가스량, Ao : 이론연소공기량, m : 공기비)

① G=m×Ao
② G=Go+(m−1)×Ao
③ G=(m−1)×Ao
④ G=Go+(m×Ao)

해설 실제 건배기가스량은 연료를 완전연소시키기 위하여 실제로 공급되는 공기에 의해 연소한 가스량을 말하며, 이론배기가스와 실제배기가스의 차이는 과잉공기량에 있으며 가스 중 수증기량(H_2O)이 제외된다. 즉, 실제 건배기가스량(G) = 이론 건배기 가스량(Go) + 과잉공기량 [(m−1) × Ao]

17 보일러 연관에 대한 설명으로 옳은 것은?

① 관의 내부에서 연소가 이루어지는 관
② 관의 외부에서 연소가 이루어지는 관
③ 관의 내부에는 물이 차있고 외부로는 연소가스가 흐르는 관
④ 관의 내부에는 연소가스가 흐르고 외부로는 물이 차 있는 관

해설
- 연관 : 관 내부에는 연소가스가 흐르고 외부에는 물이 접하는 관이다.
- 수관 : 관 내부에는 물이 흐르고 외부에는 연소가스가 접하는 관이다.

18 보일러 급수장치의 설명 중 옳은 것은?

① 인젝터는 급수온도가 낮을 때는 사용하지 못한다.
② 볼류트펌프는 증기압력으로 구동됨으로 별도의 동력이 필요 없다.
③ 응축수 탱크는 급수탱크로 사용하지 못한다.
④ 급수내관은 안전저수위보다 약 5㎝ 아래에 설치한다.

해설 급수내관 설치 위치 : 안전저수위 약간 아래 즉, 안전저수위보다 50mm 낮게 설치한다.

19 보일러 자동제어에서 목표치와 결과치의 차이 값을 처음으로 되돌려 계속적으로 정정동작을 행하는 제어는?

① 순차제어
② 인터록제어
③ 캐스케이드제어
④ 피드백제어

정답 14. ① 15. ④ 16. ② 17. ④ 18. ④ 19. ④

해설 피드백제어 : 목표치와 결과치의 차 값인 출력측의 값을 입력측으로 되돌려 계속적으로 정정 동작을 행하는 제어

20 보일러의 집진장치 중 집진효율이 가장 높은 것은?

① 관성력집진기
② 중력식집진기
③ 원심력식집진기
④ 전기식집진기

해설 전기식(코트렐)집진기 : 효율이 가장 높다.

21 연료공급장치에서 서비스탱크의 설치위치로 적당한 것은?

① 보일러로부터 2m 이상 떨어져야 하며, 버너보다 1.5m 이상 높게 설치한다.
② 보일러로부터 1.5m 이상 떨어져야 하며, 버너보다 2m 이상 낮게 설치한다.
③ 보일러로부터 0.5m 이상 떨어져야 하며, 버너보다 0.2m 이상 높게 설치한다.
④ 보일러로부터 1.2m 이상 떨어져야 하며, 버너보다 2m 이상 낮게 설치한다.

해설 서비스탱크는 보일러와의 이격거리는 2m 이상, 버너보다는 1.5m 이상 높게 설치한다.

22 중유연소 보일러에서 중유를 예열하는 목적 설명으로 잘못된 것은?

① 연소효율을 높인다.
② 분무상태를 양호하게 한다.
③ 중유의 유동을 원활히 해준다.
④ 중유의 점도를 증대시켜 관통력을 크게 한다.

해설 중유의 예열 목적 : 점도를 낮추어 유동성 증가시키고 분무를 양호하게 하며, 연소효율 증가시킴을 목적으로 한다.

23 보일러 절탄기를 설치하였을 때의 특징으로 틀린 것은?

① 보일러 증발량이 증대하여 열효율을 높일 수 있다.
② 보일러수와 급수와의 온도차를 줄여 보일러 동체의 열응력을 경감시킬 수 있다.
③ 저온부식을 일으키기 쉽다.
④ 통풍력이 증가한다.

해설 절탄기를 설치하면 통풍력 감소, 청소검사 곤란, 고장이 많아지며, 부식발생 등의 원인이 된다.

24 제어장치에서 인터록(inter lock)이란?

① 정해진 순서에 따라 차례로 동작이 진행되는 것
② 구비조건에 맞지 않을 때 작동을 정지시키는 것
③ 증기압력의 연료량, 공기량을 조절하는 것
④ 제어량과 목표치를 비교하여 동작시키는 것

해설 인터록(inter lock) : 제어장치에서 진행과정 중 구비조건에 맞지 않을 때 작동을 정지시키는 제어를 말한다.

25 다음 중 원통형 보일러가 아닌 것은?

① 입형 횡관식 보일러
② 벤슨 보일러
③ 코르니시 보일러
④ 스코치 보일러

정답 20. ④ 21. ① 22. ④ 23. ④ 24. ② 25. ②

해설 벤슨 보일러 : 관류 보일러이다.

26 가스연료 연소 시 화염이 버너에서 일정 거리 떨어져서 연소하는 현상은?

① 역화 ② 리프팅
③ 옐로우 팁 ④ 불완전연소

해설 리프팅 : 연소 시 화염이 노즐에서 일정거리 떨어져서 연소하는 현상을 말한다.

27 보일러 운전 중 프라이밍이 발생하는 경우는?

① 보일러 증기압력이 낮을 때
② 보일러수가 농축되지 않았을 때
③ 부하를 급격히 증가시킬 때
④ 급수 공급이 원활할 때

해설 프라이밍(priming)의 발생원인 : ① 고수위 시 ② 주증기밸브 급개 시 ③ 부하를 급격히 증가시킬 때

28 이상기체가 상태변화를 하는 동안 외부와의 사이에 열의 출입이 없는 변화는?

① 정압 변화
② 정적 변화
③ 단열 변화
④ 폴리트로픽 변화

해설 이상기체가 상태변화 과정 중에 외부와의 사이에 열의 출입이 없는 변화 즉, 단열된 상태를 단열변화라 한다.

29 다음 중 가연성가스가 아닌 것은?

① 수소 ② 아세틸렌
③ 산소 ④ 프로판

해설 산소(O_2)는 가연성가스의 연소가 원활하게 이루어지게 하는 조연성(지연성)가스에 속한다.

30 보일러를 6개월 이상 장기간 사용하지 않고 보존할 때 가장 적합한 보존 방법은?

① 만수보존법
② 분해보존법
③ 건조보존법
④ 습식보존법

해설 • 만수보존 : 2~3개월의 단기간 보존
• 건조보존 : 6개월 이상 장기간 보존

31 보일러 연소 시 가마울림 현상을 방지하기 위한 대책으로 잘못된 것은?

① 수분이 많은 연료를 사용한다.
② 2차 공기를 가열하여 통풍조절을 적정하게 한다.
③ 연소실 내에서 완전연소시킨다.
④ 연소실이나 연도를 연소가스가 원활하게 흐르도록 개량한다.

해설 수분이 포함된 연료를 사용하면 가마울림 현상의 원인이 된다.

32 가스보일러에서 가스폭발의 예방을 위한 유의사항 중 틀린 것은?

① 가스압력이 적당하고 안정되어 있는지 점검한다.
② 화로 및 굴뚝의 통풍, 환기를 완벽하게 하는 것이 필요하다.
③ 점화용 가스의 종류는 가급적 화력이 낮은 것을 사용한다.
④ 착화 후 연소가 불안정할 때는 즉시 가스공급을 중단한다.

해설 점화용 가스의 종류는 가급적 화력이 강한 것을 사용해야 한다.

정답 26. ② 27. ③ 28. ③ 29. ③ 30. ③ 31. ① 32. ③

33 노 내의 미연소가스가 돌연 착화해서 급격한 연소(폭발연소)를 일으켜 화염이나 연소가스가 전부 연도로 흐르지 않고 연소실 입구나 감시창으로부터 밖으로 분출하는 현상은?

① 역화　② 인화
③ 점화　④ 열화

해설 역화 : 연소실 내의 미연소가스가 폭발(폭발연소)하여 연소실 입구 쪽으로 분출하는 현상을 말한다.

34 가스연소장치의 점화요령으로 맞는 것은?

① 점화 전에 연소실 용적의 약 1/4배 이상 공기량으로 환기한다.
② 기름연소장치와 달리 자동 재점화가 되지 않도록 한다.
③ 가스압력이 소정압력보다 2배 이상 높은지 확인하고 착화는 2회에 이루어지도록 한다.
④ 착화실패나 갑작스런 실화 시 원인을 조사한 후 연료공급을 중단한다.

해설 가스연소장치의 경우 자동 재점화가 되면 폭발 위험을 초래한다.

35 강제순환식 온수난방에 대한 설명으로 잘못된 것은?

① 온수의 순환 펌프가 필요하다.
② 온수를 신속하고 고르게 순환시킬 수 있다.
③ 중력순환식에 비하여 배관의 직경이 커야 한다.
④ 대규모 난방용으로 적당하다.

해설 강제순환식은 중력순환식에 비하여 배관의 직경이 작아도 된다.

36 보일러의 부식에서 가성취화를 올바르게 설명한 것은?

① 농도가 다른 두 가지가 동일 전해질의 용해에 의해 부식이 생기는 것
② 보일러 판의 리벳구멍 등에 농후한 알칼리 작용에 의해 강 조직을 침범하여 균열이 생기는 것
③ 보일러 수에 용해 염류가 분해를 일으켜 보일러를 부식시키는 것
④ 보일러수에 수소이온 농도가 크게 되어 보일러를 부식시키는 것

해설 가성취화란 보일러수의 알칼리도가 높아져 일어나는 부식을 말한다.

37 기둥형 주철제 방열기는 벽과 얼마 정도의 간격을 두고 설치하는 것이 좋은가?

① 50~60mm　② 80~90mm
③ 110~130mm　④ 140~160mm

해설 주형(기둥형) 방열기는 벽과 50~60mm 정도의 간격을 두고 설치한다.

38 강철제 보일러 수압시험 시 시험수압은 규정된 압력의 몇 % 이상을 초과하지 않도록 하여야 하는가?

① 3%　② 6%
③ 8%　④ 10%

해설 수압시험은 규정된 압력의 6% 이상을 초과하지 않도록 해야 한다.

39 보일러 설치 검사 기준상 보일러의 외벽 온도는 주위 온도보다 몇 ℃를 초과해서는 안 되는가?

① 20℃　② 30℃
③ 50℃　④ 60℃

정답 33. ① 34. ② 35. ③ 36. ② 37. ① 38. ② 39. ②

해설 보일러설치검사 기준상 보일러의 외벽 온도는 주위 온도보다 30℃를 초과해서는 안 된다.

40 보일러의 설비면에서 수격작용의 예방조치로 틀린 것은?

① 증기배관에는 충분한 보온을 취한다.
② 증기관에는 중간을 낮게 하는 배관방법은 드레인이 고이기 쉬우므로 피해야한다.
③ 증기관은 증기가 흐르는 방향으로 경사가 지도록 한다.
④ 대형밸브나 증기 헤더에도 드레인 배출장치 설치를 피해야 한다.

해설 증기 헤더 등에는 드레인 배출장치를 설치해야 한다.

41 지역난방의 특징으로 틀린 것은?

① 각 건물에 보일러를 설치하는 경우에 비해 열효율이 좋다.
② 설비의 고도화에 따른 도시 매연이 증가된다.
③ 연료비와 인건비를 줄일 수 있다.
④ 각 건물에 보일러를 설치하는 경우에 비해 건물의 유효면적이 증대된다.

해설 지역난방의 경우 설비의 고도화로 매연이 감소된다.

42 벽이나 바닥 등에 가열용 코일을 묻고 여기에 온수를 보내 열로 난방하는 방법은?

① 개별난방법 ② 복사난방법
③ 간접난방법 ④ 직접난방법

해설 복사난방법 : 벽, 천장, 바닥 등에 가열용 코일(판넬)을 설치하여 그 복사열을 이용해 난방하는 방법

43 보일러의 매체별 분류 시 해당하지 않는 것은?

① 증기보일러 ② 가스보일러
③ 열매체보일러 ④ 온수보일러

해설 보일러의 매체별 분류 : 증기, 온수, 열매체보일러

44 온수난방설비에서 온수, 온도차에 의한 비중력차로 순환하는 방식으로 단독주택이나 소규모 난방에 사용되는 것은?

① 강제순환식난방
② 하향순환식난방
③ 자연순환식난방
④ 상향순환식난방

해설
- 자연순환식 : 온수의 비중차(밀도차)로 순환되어지는 방식
- 강제순환식 : 온수 순환펌프를 이용하여 강제적으로 순환시키는 방식

45 온수난방의 분류를 사용온수온도에 의해 분류할 때 고온수식 온수온도의 범위는 보통 몇 ℃ 정도인가?

① 50~60 ② 70~80
③ 85~90 ④ 100~150

해설 보통온수의 온수온도 85℃~95℃, 고온수의 온수온도 100℃~150℃이다.

46 다음 중 보일러의 운전정지 시 가장 뒤에 조작하는 작업은?

① 연료의 공급을 정지시킨다.
② 연소용 공기의 공급을 정지시킨다.
③ 댐퍼를 닫는다.
④ 급수펌프를 정지시킨다.

해설 보일러 운전정지 시 가장 뒤에 할 조작은 댐퍼를 닫는 것이다.

정답 40. ④ 41. ② 42. ② 43. ② 44. ③ 45. ④ 46. ③

47 하드포트 접속에 대한 설명으로 맞지 않는 것은?

① 환수관 내 응축수에서 발생하는 플래시 증기의 발생을 방지한다.
② 저압증기난방의 습식환수방식에 쓰인다.
③ 보일러수가 환수관으로 역류하는 것을 방지한다.
④ 증기관과 환수관 사이에 표준수면에서 50mm 아래에 균형관을 설치한다.

해설 건식환수방식에서 환수관 내의 응축수에서 발생하는 플래시 증기의 발생 방지를 위해 냉각관을 설치한다.

48 기름보일러의 수동조작 점화요령 순서로 가장 적절한 것은?

㉠ 연료밸브를 연다. ㉡ 버너를 가동한다. ㉢ 노 내 통풍압을 조절한다. ㉣ 점화봉에 점화하여 연소실 내 버너 끝의 전방 하부 10cm 정도에 둔다.

① ㉢-㉣-㉡-㉠ ② ㉠-㉡-㉢-㉣
③ ㉡-㉠-㉣-㉢ ④ ㉣-㉡-㉢-㉠

49 보일러 급수 중의 탄산가스(CO_2)를 제거하는 급수처리방법으로 가장 적합한 것은?

① 기폭법 ② 침강법
③ 응집법 ④ 여과법

해설 기폭법 : 급수 중의 탄산가스(CO_2), 철분(Fe), 망간(Mn) 등을 제거하는 방식이다.

50 보일러에서 이상 폭발음이 있다면 가장 먼저 해야 할 조치사항으로 맞는 것은?

① 급수 중단
② 연료공급 차단
③ 증기출구 차단
④ 송풍기 가동

51 어떤 온수방열기의 입구 온수온도가 85℃, 출구 온수온도가 65℃ 실내온도가 18℃일 때 방열기의 방열량은?(단 방열기의 방열계수는 7.4kcal/m^{2}h℃이다.)

① 421.8kcal/m^{2}h
② 450.0kcal/m^{2}h
③ 435.6kcal/m^{2}h
④ 650.0kcal/m^{2}h

해설 $7.4\times(\frac{85+65}{2}-18)=421.8kcal/m^2h$

52 난방면적이 100m^2, 열손실지수 90kcal/m^{2}h, 온수온도 80℃, 실내온도 20℃일 때 난방부하(kcal/m^{2}h)는?

① 7000 ② 8000
③ 9000 ④ 10000

해설 난방부하 = 열손실지수 × 난방면적
= 90 × 100 = 9000Kcal/h

53 온수발생 보일러의 전열면적이 10m^2 미만일 때 방출관의 안지름의 크기는?

① 15mm 이상 ② 20mm 이상
③ 25mm 이상 ④ 50mm 이상

해설 전열면적이 10m^2 미만일 때 방출관의 크기는 25mm 이상으로 한다.

54 전열면적이 10m^2 이하의 보일러에는 분출밸브의 크기를 호칭지름 몇 mm 이상으로 할 수 있는가?

① 5mm ② 10mm
③ 15mm ④ 20mm

정답 47. ① 48. ① 49. ① 50. ② 51. ① 52. ③ 53. ③ 54. ④

해설 전열면적이 $10m^2$ 이하인 보일러의 분출밸브 크기는 20mm 이상으로 한다.

55 **에너지이용 합리화법상 목표에너지원 단위란?**

① 에너지를 사용하여 만드는 제품의 종류별 연간 에너지 사용 목표량
② 에너지를 사용하여 만드는 제품의 단위당 에너지 사용 목표량
③ 건축물의 총 면적당 에너지 사용 목표량
④ 자동차 등의 단위연료 당 목표 주행거리

해설 목표에너지원 단위 : 에너지를 사용하여 만드는 제품의 단위당 에너지 사용 목표량

56 **에너지절약전문기업의 등록은 누구에게 하는가?**

① 대통령
② 한국열관리시공협회장
③ 산업통상자원부 장관
④ 에너지관리공단 이사장

해설 에너지절약전문기업 등록 : 에너지관리공단 이사장

57 **에너지이용 합리화법상 평균효율관리기자재를 제조하거나 수입하여 판매하는 자는 에너지소비효율 산정에 필요하다고 인정되는 판매에 관한 자료와 효율 측정에 관한 자료를 누구에게 제출하여야 하는가?**

① 국토교통부 장관
② 시 · 도지사
③ 에너지관리공단 이사장
④ 산업통상자원부 장관

해설 에너지이용 합리화법상 평균효율관리기자재를 제조하거나 수입하여 판매하는 자는 에너지소비효율 산정에 필요하다고 인정되는 판매에 관한 자료와 효율측정에 관한 자료 제출은 산업통상자원부 장관에게 한다.

58 **열사용 기자재 관리 규칙에 의한 검사대상기기 중 소형온수보일러의 검사대상기기 적용 범위에 해당하는 가스 사용량은 몇 Kg/h를 초과하는 것부터인가?**

① 15Kg/h ② 17Kg/h
③ 20Kg/h ④ 25Kg/h

해설 열사용 기자재 관리 규칙에 의한 검사대상기기 중 소형온수보일러의 검사대상기기 적용범위에 해당하는 가스사용량은 17Kg/h를 초과하는 것부터이다.

59 **에너지이용 합리화법상 에너지사용자와 에너지 공급자의 책무로 맞는 것은?**

① 에너지의 생산이용 등에서의 그 효율을 극소화
② 온실가스 배출을 줄이기 위한 노력
③ 기자재의 에너지효율을 높이기 위한 기술 개발
④ 지역경제발전을 위한 시책 강구

해설 에너지사용자와 에너지공급자의 책무 : 온실가스 배출을 줄이기 위한 노력

60 **에너지이용 합리화법상 에너지이용 합리화 기본계획 사항에 포함되지 않는 것은?**

① 에너지이용 합리화를 위한 홍보 및 교육
② 에너지이용 합리화를 위한 기술개발
③ 열사용기자재의 안전관리
④ 에너지이용 합리화를 위한 제품판매

해설 에너지이용 합리화를 위한 제품판매는 에너지이용 합리화의 기본계획사항에 포함되지 않는다.

정답 55. ② 56. ④ 57. ④ 58. ② 59. ② 60. ④

에너지관리기능사 CBT 모의고사 10회

01 연소의 속도에 미치는 인자가 아닌 것은?

① 반응물질의 온도
② 산소의 온도
③ 촉매 물질
④ 연료의 발열량

해설 연소속도에 미치는 인자
- 반응물질의 온도
- 산소의 온도
- 촉매물질
- 연소압력
- 연료입자의 크기

02 보일러 자동제어의 목적과 무관한 것은?

① 작업인원의 절감
② 일정기준의 증기공급
③ 보일러의 안전운전
④ 보일러의 단가절감

해설 보일러 자동제어의 목적
- 작업인원의 절감
- 일정기준의 압력 및 증기공급
- 보일러의 안전운전, 경제적이고 고효율적인 증기의 생산 등

03 보일러용 가스버너 중 외부혼합식에 속하지 않는 것은?

① 파일럿 버너
② 센터파이어형 버너
③ 링형 버너
④ 멀티스폿형 버너

해설 • 파일럿 버너는 예혼합식으로 주로 착화용으로 사용된다.
- 가스버너의 종류
  - 링(ring)형 : 버너타일과 비슷한 지름의 링에 다수의 노즐을 설치한 가스버너
  - 멀티스폿(다분기관)형 : 링형 가스버너와 비슷하지만 노즐부의 수열면적을 적게 한 것(LPG용버너)
  - 스크롤형 : 가스를 스크롤(소용돌이) 내에서 선회 분사시켜 가스와 공기의 혼합이 잘 되도록 한 가스버너
  - 건(센타파이어)형 : 2중관으로 구성되어 중심부에는 유류가 분사되고 바깥쪽에는 가스가 분사되는 형태로 유류와 가스를 동시에 연소시키는 버너

04 보일러 압력에 관한 안전장치 중 설정압이 낮은 것부터 높은 순으로 열거된 것은?

① 압력제한기 – 압력조절기 – 안전밸브
② 압력조절기 – 압력제한기 – 안전밸브
③ 안전밸브 – 압력제한기 – 압력조절기
④ 압력조절기 – 안전밸브 – 압력제한기

해설 설정압력이 낮은 순서 : 압력조절기 → 압력제한기 → 안전밸브

05 보일러의 마력을 올바르게 나타낸 것은?

① $HP = \text{실제증발량} \times 15.65$
② $HP = \dfrac{\text{실제증발량}}{539}$
③ $HP = \dfrac{\text{상당증발량}}{15.65}$
④ $HP = \dfrac{\text{증기와급수엔탈피차}}{15.65}$

해설 보일러 마력 : $HP = \dfrac{\text{상당증발량}}{15.65}$

정답 01. ④ 02. ④ 03. ① 04. ② 05. ③

06 화염검출기 기능불량과 대책을 연결한 것으로 잘못된 것은?

① 집광렌즈 오염－분리 후 청소
② 증폭기 노후－교체
③ 동력선의 영향－검출회로와 동력선 분리
④ 점화전극의 고전압이 플레임 로드에 흐를 때－전극과 불꽃 사이를 넓게 분리

해설 전극봉의 전압이 높을수록 전극과 노즐과의 간격을 넓게 한다.

07 저위발열량이 9750kcal/kg, 기름 80kg/h를 사용하는 보일러에서 급수사용량 800kg/h, 급수온도 60℃, 증기엔탈피가 650kcal/kg일 때 보일러효율은 약 얼마인가?

① 50.2%　② 53.5%
③ 58.5%　④ 60.5%

해설 $\frac{800\times(650-60)}{9750\times80}\times100=60.5\%$

08 보일러 급수제어방식 중 3요소식의 검출요소가 아닌 것은?

① 수위　② 증기압력
③ 급수유량　④ 증기유량

해설 3요소식 : 수위, 증기유량, 급수유량을 이용하여 급수제어

09 보일러의 화염검출기 중 스텍 스위치는 화염의 어떠한 성질을 이용하여 화염을 검출하는가?

① 화염의 발광체
② 화염의 이온화현상
③ 화염의 발열현상
④ 화염의 전기전도성

해설
- 플레임 아이 : 화염의 발광체 이용(화염의 복사선을 광전관으로 검출하며, 기름가스 연료용)=광학적 성질 이용
- 플레임 로드 : 화염의 이온화현상(화염의 전기 전도성 검출 가스연료용)
- 스텍 스위치 : 연소가스의 온도를 감지함(열적 성질), 소용량 보일러용

10 노통연관식 보일러의 특징에 대한 설명으로 틀린 것은?

① 보일러의 크기에 비해 전열면적이 넓어서 효율이 좋다.
② 비수방지를 위해 비수방지관이 필요하다.
③ 노통내부에서 연소가 이루어지기 때문에 열손실이 적다.
④ 증발속도가 느리므로 스케일 부착이 어렵다.

해설 노통연관식 보일러는 내분식으로 열손실이 적고, 원통보일러 중에서 효율이 높은 편이다. 증발속도와 스케일 부착과는 아무런 관련이 없다.

11 보일러의 안전장치가 아닌 것은?

① 안전밸브
② 방출밸브
③ 감압밸브
④ 가용전

해설 감압밸브는 송기장치에 속한다.

12 통풍장치 중에서 원심식 송풍기의 종류가 아닌 것은?

① 프로펠러형　② 터보형
③ 플레이트형　④ 다익형

해설 프로펠러형은 축류식에 속한다.

정답 06. ④ 07. ④ 08. ② 09. ③ 10. ④ 11. ③ 12. ①

13 보일러 급수펌프의 구비조건으로 틀린 것은?

① 고온, 고압에도 충분히 견딜 것
② 회전식은 고속 회전에 지장이 있을 것
③ 급격한 부하변동에 신속히 대응할 것
④ 작동이 확실하고 조작이 간편할 것

해설 회전식은 고속 회전에 지장이 없어야 한다.

14 다음 중 왕복식펌프에 해당되지 않는 것은?

① 피스톤펌프
② 플런저펌프
③ 터빈펌프
④ 워싱턴펌프

해설 원심식 : 볼류트펌프, 터빈펌프

15 오일 프리히터의 사용 목적이 아닌 것은?

① 연료의 점도를 높여준다.
② 연료의 유동성을 증가 시켜준다.
③ 완전연소에 도움을 준다.
④ 분무상태를 양호하게 한다.

해설 오일 프리히터는 점도를 낮추어 유동성을 증가시키고 분무를 촉진시켜 연소효율을 높여준다.

16 어떤 보일러에서 포화증기엔탈피가 632 kcal/kg인 증기를 매시 150kg을 발생하며 급수엔탈피가 온도 22kcal/kg 매시연료소비량이 800kg이라면 이 때의 증발계수는 약 얼마인가?

① 1.01　　② 1.13
③ 1.24　　④ 1.35

해설 $\text{증발계수} = \dfrac{632-22}{539} = 1.13$

17 구조가 간단하고 자동화에 편리하며 고속으로 회전하는 분무컵으로 연료를 비산 무화시키는 버너는?

① 건타입 버너
② 압력분무식 버너
③ 기류식 버너
④ 회전식 버너

해설 회전식 버너 : 고속으로 회전하는 분무컵을 이용 연료를 무화하는 방식으로 구조가 간단하고 자동화에 용이하다.

18 소형 연소기를 실내에 설치하는 경우 급배기 통을 전용 챔버 내에 접속하여 자연통기력에 의해 급배기하는 방식은?

① 강제배기식　　② 강제급배기식
③ 자연급배기식　　④ 옥외급배기식

19 관류 보일러의 특징이 아닌 것은?

① 초고압 보일러에 적합하다.
② 증발속도가 빠르고 가동시간이 짧다.
③ 관 배치를 자유로이 할 수 있다.
④ 전열면적이 크므로 중량당 증발량이 크다.

해설 관류 보일러 특징 : 고압에 적합하며 관 배치가 자유롭고, 전열면적이 크므로 증발이 빠르고 효율이 높다.

20 온수보일러 연소가스 배출구의 300mm 상단의 연도에 부착하여 연소가스열에 의하여 연도 내부로 삽입되는 바이메탈의 수축 팽창으로 접점을 연결 · 차단하여 버너의 작동이나 정지를 시키는 온수보일러의 제어장치는?

① 프로텍터 릴레이
② 스텍 릴레이

정답 13. ② 14. ③ 15. ① 16. ② 17. ④ 18. ③ 19. ④ 20. ②

③ 콤비네이션 릴레이
④ 아쿠아스태트

21 다음 중 가압수식 집진장치에 해당되지 않는 것은?

① 제트 스크러버
② 백필터식
③ 사이클론 스크러버
④ 충전탑

해설 가압수식 집진장치 종류 : 사이클론 스크러버식, 제트(벤츄리)스크러버식, 충전탑식

22 주철제 보일러의 장점으로 틀린 것은?

① 전열면적에 비해 설치면적이 적다.
② 섹션의 수를 증감하여 용량을 조절한다.
③ 주로 고압용 보일러로 사용된다.
④ 분해, 조립, 운반이 용이하다.

해설 주철제 보일러는 주로 소형 난방용으로 사용된다.

23 수트블로어 가동 시 주의사항으로 틀린 것은?

① 한 장소에서 장시간 불어대지 않도록 한다.
② 그을음을 제거할 때에는 연소가스온도나 통풍 손실을 측정하여 효과를 조사한다.
③ 그을음을 제거하는 시기는 부하가 가장 무거운 시기를 선택한다.
④ 그을음을 제거하기 전에 반드시 드레인을 충분히 배출하는 것이 필요하다.

해설 수트블로어를 이용해 그을음을 제거할 때는 부하가 가장 무거운 시기는 피하는 것이 좋다.

24 효율이 82%인 보일러로 발열량 9800 kcal/kg의 연료를 15kg 연소시키는 경우의 손실 열량은?

① 80360kcal ② 32500kcal
③ 26460kcal ④ 120540kcal

해설 손실열량 = 9800 × 150 × (1−0.82) = 26460Kcal

25 증기트랩의 종류 중 열역학적 트랩은?

① 디스크 트랩
② 버킷 트랩
③ 플로트 트랩
④ 바이메탈 트랩

해설 열역학적 트랩 : 오리피스식, 디스크식

26 미리 정해진 순서에 따라 순차적으로 제어의 각 단계를 진행하는 제어는?

① 피드백 제어
② 피드포워드 제어
③ 포워드백 제어
④ 시퀀스 제어

27 보일러와 관련한 다음 설명에서 틀린 것은?

① 보일러 드럼이 원통형인 것은 강도를 고려해서이다.
② 일반적으로 증기보일러의 증기압력 계측에는 부르동관 압력계가 사용된다.
③ 미연가스 폭발이나 역화를 방지하기 위해 방폭문을 설치한다.
④ 증기 헤드는 일정한 양의 증기와 증기압을 각 사용처에 공급할 수 있다.

해설 방폭문 : 사후대책으로서 연소실 내의 미연소가스가 폭발했을 경우 압력을 외부로 도피시켜 보일러의 파손을 방지하기 위한 장치이다.

정답 21. ② 22. ③ 23. ③ 24. ③ 25. ① 26. ④ 27. ③

28 보일러의 연소 배기가스를 분석하는 궁극적인 목적으로 가장 알맞은 것은?

① 노 내압 조정
② 연소열량 계산
③ 매연농도 산출
④ 최적 연소효율 도모

해설 배기가스를 분석하는 최종목표는 최적의 연소효율을 도모하기 위함이다.

29 온수발생 강철제 보일러의 전열면적이 $25m^2$인 경우 방출관의 안지름은 몇 mm 이상으로 해야 하는가?

① 25mm ② 30mm
③ 40mm ④ 50mm

해설 전열면적 $20m^2$ 초과의 경우는 방출관의 안지름은 50mm 이상으로 한다.

30 보일러에 부착하는 압력계에 대한 설명으로 맞는 것은?

① 최대증발량이 10t/h 이하인 관류 보일러에 부착하는 압력계는 눈금판의 바깥지름을 50mm 이상으로 할 수 있다.
② 부착하는 압력계의 최고 눈금은 보일러의 최고사용압력의 1.5배 이하의 것을 사용한다.
③ 증기보일러에 부착하는 압력계의 바깥지름은 80mm 이상의 크기로 한다.
④ 압력계를 보호하기 위하여 물을 넣은 안지름 6.5mm 이상의 사이폰관 또는 동등한 장치를 부착하여야 한다.

해설 압력계의 눈금판 지름은 100mm 이상, 눈금은 최고사용압력의 1.5배에서 3배 이하, 사이폰관은 6.5mm 이상(단, 동관 6.5mm 이상, 강관 12.7mm 이상으로 한다.)

31 어떤 방의 온수온돌 난방에서 실내 온도를 18℃로 유지하려고 하는데 소요되는 열량이 시간당 30150kcal가 소요된다고 한다. 이 때 송수주관의 온도가 85℃이고 환수주관의 온도가 18℃라 한다면 온수의 순환량은?(단, 온수의 비열은 1kcal/kg℃)

① 365kg/h ② 450kg/h
③ 469kg/h ④ 516kg/h

해설 $\text{온수 순환량} = \dfrac{30150}{1 \times (85-18)} = 450\,Kg/h$

32 보일러 고온부식을 유발하는 성분은?

① 황(S) ② 바나듐(V)
③ 산소(O_2) ④ 이산화탄소(CO_2)

해설 고온부식 유발원인은 연료 중의 바나듐(V)성분이며, 저온부식의 유발원인은 유황(S)이다.

33 점화준비에서 보일러 내의 급수를 하려고 한다. 이 때 주의사항으로 잘못된 것은?

① 과열기의 공기밸브를 닫는다.
② 급수예열기는 공기밸브, 물빼기밸브로 공기를 제거하고 물을 가득 채운다.
③ 열매체 보일러인 경우는 열매를 넣기 전에 보일러 내에 수분이 없음을 확인한다.
④ 본체 상부의 공기밸브를 열어둔다.

해설 증기압이 오르기 시작하면 공기를 배제 후 공기빼기밸브를 닫는다.

34 스케일이 보일러에 미치는 영향이 아닌 것은?

① 전열면의 팽출 ② 전연면의 압궤
③ 전열면의 진동 ④ 전열면의 파열

정답 28. ④ 29. ④ 30. ④ 31. ② 32. ② 33. ① 34. ③

해설 스케일은 과열의 원인이 되므로 전열면의 팽출, 압궤, 파열 등의 원인이 될 수 있다.

35 **보일러 휴지 시 보존방법에 대한 설명으로 옳은 것은?**

① 보일러 내에 일정량의 물을 넣은 후 계속 순환시킨다.
② 완전건조시킨 후 자연통풍이 되도록 공기밸브를 열어 둔다.
③ 완전건조시킨 후 내부에 흡습제를 넣은 후 밀폐시킨다.
④ 알카리성 물을 충만시킨 후 안전밸브를 열어서 보존시킨다.

해설 건조보존 시에는 물을 제거하고 완전건조시킨 후에 흡습제를 넣고 밀폐보존한다.

36 **가스연소장치에서 보일러 자동점화 시에 가장 먼저 확인하여야 하는 사항은?**

① 노 내 환기 ② 화염검출
③ 점화 ④ 전자밸브 열림

37 **안전밸브의 누설원인으로 틀린 것은?**

① 밸브시트에 이물질이 부착됨
② 밸브를 미는 용수철 힘이 균일함
③ 밸브시트의 연마면이 불량함
④ 밸브 용수철의 장력이 부족함

해설 안전밸브 누설원인
- 스프링의 장력이 약할 때
- 밸브를 미는 힘이 균일하지 못할 때
- 밸브 시트에 이 물질이 끼었을 때
- 밸브의 변좌에 시트가 균일하지 못할 때

38 **보일러 점화 전에 댐퍼를 열고 노 내와 연도에 남아 있는 가연성 가스를 송풍기로 취출시키는 것은?**

① 프리퍼지 ② 포스트퍼지
③ 에어드레인 ④ 통풍압 조절

해설
- 프리퍼지 : 점화 전 노 내 환기
- 포스트퍼지 : 가동 후 노 내 환기

39 **보일러에서 발생한 증기를 송기할 때의 주의사항으로 틀린 것은?**

① 주증기관 내의 응축수를 배출시킨다.
② 주증기밸브를 서서히 연다.
③ 송기한 후 압력계의 증기압 변동에 주의한다.
④ 송기한 후에 밸브의 개폐상태에 대한 이상유무를 점검하고 드레인밸브를 열어 놓는다.

해설 필요개소에 증기를 공급하기 전 스팀헤더의 주위 밸브 및 트랩 등의 바이패스밸브를 열어 드레인을 제거한 후 증기를 공급한다.

40 **보일러의 안전관리상 가장 중요한 것은?**

① 벙커C유의 예열
② 안전 저수위 이하로 감수하는 것을 방지
③ 2차 공기의 조절
④ 연도의 저온부식 방지

해설 보일러에서 안전관리상 가장 중요한 것은 안전 저수위 이하로 감수하는 것을 방지하는 것이다.

41 **보일러 운전정지 순서에 들어갈 내용으로 틀린 것은?**

① 공기의 공급을 정지한다.
② 연료공급을 정지한다.
③ 증기밸브를 닫고 드레인밸브를 연다.
④ 댐퍼를 연다.

해설 보일러 정지 시 댐퍼를 닫는다.

정답 35. ③ 36. ① 37. ② 38. ① 39. ④ 40. ② 41. ④

42 증기보일러의 압력계에 부착하는 사이폰관의 안지름은 몇 mm 이상으로 하는가?

① 5.0mm ② 5.5mm
③ 6.0mm ④ 6.5mm

해설 사이폰관의 안지름은 6.5mm 이상으로 한다(동관 6.5mm, 강관 12.7mm).

43 중앙식 급탕법에 대한 설명으로 틀린 것은?

① 대규모 건축물에 급탕개소가 많을 때 사용이 가능하다.
② 급탕량이 많아 사용하는데 용이하다.
③ 비교적 연료비가 싼 연료의 사용이 가능하다.
④ 배관길이가 짧아서 보수관리가 어렵다.

해설 중앙공급식은 배관의 길이가 길어지므로 보수가 어렵다.

44 주철제 보일러의 최고사용압력이 0.4MPa일 경우 이 보일러의 수압시험압력은?

① 0.2MPa
② 0.43MPa
③ 0.8MPa
④ 0.9MPa

해설 수압시험 시 최고사용압력이 0.43Mpa 이하인 경우는 최고사용압력의 2배로 행하므로 수압시험압력 = 0.4×2 = 0.8Mpa이다.

45 복사난방의 설명으로 틀린 것은?

① 전기식은 니크롬선 등 열선을 매입하여 난방한다.
② 우리나라에서 주거용 난방은 바닥패널 방식이 많다.
③ 온수식은 주로 노출관에 온수를 통과시켜 난방한다.
④ 증기식은 특수방열면이나 관에 증기를 통과시켜 난방한다.

해설 복사난방에서 온수식은 주로 매몰한 관(방열관)에 온수를 공급하여 난방하는 형식이다.

46 온수방열기의 쪽당 방열면적이 $0.26m^2$이다. 난방부하 20000kcal/h를 처리하기 위한 방열기의 쪽수는?(단 소수점이 나올 경우 상위수를 취한다.)

① 119 ② 140
③ 171 ④ 193

해설 방열기 쪽수 $= \dfrac{20000}{450 \times 0.26} = 171$

(단, 여기에서 450은 온수의 표준방열량 값이다.)

47 온수난방에서 팽창탱크의 역할이 아닌 것은?

① 장치 내의 온수팽창량을 흡수한다.
② 부족한 난방수를 보충한다.
③ 장치 내 일정한 압력을 유지한다.
④ 공기의 배출을 저지한다.

해설 팽창탱크
- 보충수 공급
- 장치 내의 온수팽창량 흡수
- 장치 내 일정압력을 유지하여 공기 유입을 방지

48 보일러 계속사용검사 중 보일러의 성능시험 방법에서 측정은 매 몇 분마다 실시하는가?

① 5분 ② 10분
③ 20분 ④ 30분

해설 성능시험에서 측정은 매 10분마다 실시한다.

정답 42. ④ 43. ④ 44. ③ 45. ③ 46. ③ 47. ④ 48. ②

49 **온수보일러 개방식 팽창탱크 설치 시 주의 사항으로 잘못된 것은?**

① 팽창탱크 내부의 수위를 알 수 있는 구조이어야 한다.
② 탱크에 연결되는 팽창흡수관은 팽창탱크 바닥면과 같게 배관해야 한다.
③ 팽창탱크의 높이는 상부에 통기구멍을 설치한다.
④ 팽창탱크의 높이는 최고 부위 방열기보다 1m 이상 높은 곳에 설치한다.

해설 개방식 팽창탱크에서 팽창관은 바닥에서 25mm 높게 설치한다.

50 **증기난방배관의 환수주관에 대한 설명 중 옳은 것은?**

① 습식환수주관에는 증기트랩이 꼭 필요하다.
② 건식환수주관에는 증기트랩이 꼭 필요하다.
③ 건식환수배관은 보일러의 표면 수위보다 낮은 위치에 설치한다.
④ 습식환수배관은 보일러의 표면 수위보다 높은 위치에 설치한다.

해설 건식환수방식에는 증기로 인한 수격작용방지를 위해 냉각관 및 관말트랩이 설치되어야 한다.

51 **보일러 사고의 원인 중 제작상의 원인에 해당되지 않는 것은?**

① 구조의 불량
② 강도부족
③ 재료의 불량
④ 압력초과

해설 취급상의 원인 : 압력초과, 저수위, 과열, 역화, 부식

52 **보일러 운전 중에 연소실에서 연소가 급히 중단되는 현상은?**

① 실화　　② 역화
③ 무화　　④ 매화

해설 실화 : 가동 중 연소가 급히 중단되는 현상

53 **응축수와 증기가 동일관 속을 흐르는 방식으로 기울기를 잘못하면 수격현상이 발생되는 문제로 소규모 난방에서만 사용되는 증기난방 방식은?**

① 복관식　　② 건식환수식
③ 단관식　　④ 기계환수식

해설
- 단관식 : 응축수와 증기가 동일 관으로 흐르는 방식
- 복관식 : 응축수와 증기가 별개의 관으로 흐르는 방식

54 **난방부하가 40000kcal/h일때 온수난방일 경우 방열면적은 약 몇 m^2인가?(단, 방열량은 표준방열량으로 한다.)**

① 88.9　　② 91.6
③ 93.9　　④ 95.6

해설
방열면적 $= \dfrac{40000}{450} = 88.9\text{m}^2$
∴ 난방부하 = 방열량 × 방열면적

55 **다음 중 목표에너지원단위를 올바르게 설명한 것은?**

① 제품의 단위당 에너지생산 목표량
② 제품의 단위당 에너지절감 목표량
③ 건축물의 단위면적당 에너지사용 목표량
④ 건축물의 단위면적당 에너지저장 목표량

정답 49. ② 50. ② 51. ④ 52. ① 53. ③ 54. ① 55. ③

해설 목표에너지원단위란 제품의 단위당 사용량, 목표량 또는 건축물의 단위면적당 에너지사용 목표량을 말한다.

56 공공 사업주관자에게 산업통상자원부 장관이 에너지 사용계획에 대한 검토결과를 조치 요청하면 해당 공공사업주관자는 이행계획을 작성하여 제출하여야 하는데 이행 계획에 포함되지 않는 사항은?

① 이행 주체
② 이행 장소와 사유
③ 이행 방법
④ 이행 시기

해설 이행계획작성 계획 포함 사항
- 산업통상자원부 장관으로부터 요청받은 조치의 내용
- 이행 주체
- 이행 방법
- 이행 시기

57 에너지법 시행령에서 산업통상자원부 장관이 에너지 기술개발을 위한 사업에 투자 또는 출연할 것을 권고할 수 있는 에너지 관련 사업자가 아닌 것은?

① 에너지 공급자
② 대규모 에너지 사용자
③ 에너지 사용기자재의 제조업자
④ 공공기관 중 에너지와 관련된 공공기관

해설 에너지기술개발투자 등의 권고에서 "에너지관련 사업자"라 함은 다음 각 호의 자 중에서 산업통상자원부 장관이 정하는 자를 말한다.
- 에너지 공급자
- 에너지사용기자재 제조업자
- 공공기관 중 에너지와 관련된 공공기관

58 에너지이용 합리화법상 에너지의 효율적인 수행과 특정 열사용기자재의 안전관리를 위하여 교육을 받아야하는 대상이 아닌 자는?

① 에너지 관리자
② 시공업의 기술인력
③ 검사대상기기관리자
④ 효율관리기자재 제조자

해설 교육대상자 : ① 에너지 관리자 ② 시공업의 기술인력 ③ 검사대상기기관리자

59 저탄소 녹색성장 기본법에서 화석연료에 대한 의존도를 낮추고 청정에너지의 사용 및 보급을 확대하여 녹색기술연구개발, 탄소흡수원 확충 등을 통하여 온실가스를 적정 수준 이하로 줄이는 것을 말하는 용어는?

① 저탄소
② 녹색성장
③ 온실가스 배출
④ 녹색생활

60 산업통상자원부 장관 또는 시 · 도지사로부터 에너지관리공단 이사장에게 위탁된 업무가 아닌 것은?

① 에너지 절약전문기업의 등록
② 온실가스배출 감축 실적의 등록 및 관리
③ 검사대상기기관리자의 선임 해임 신고의 접수
④ 에너지이용 합리화 기본계획 수립

해설 에너지이용 합리화 기본계획수립 : 산업통상자원부 장관

정답 56. ② 57. ② 58. ④ 59. ② 60. ④

에너지관리기능사
필기 CBT 문제집

발 행 일 2019년 5월 10일 초판 1쇄 발행
2020년 1월 10일 초판 2쇄 발행

저 자 이정용

발 행 처 

발 행 인 이상원
신고번호 제 300-2007-143호
주 소 서울시 종로구 율곡로13길 21
대표전화 02)745-0311~3
팩 스 02)743-2688
홈페이지 www.crownbook.com
I S B N 978-89-406-4076-0 / 13540

특별판매정가 18,000원

이 도서의 문의를 편집부(02-763-1668)로 연락주시면
친절하게 응답해 드립니다.